国家出版基金项目
NATIONAL PUBLICATION FOUNDATION
"十三五"国家重点图书出版规划项目
教育部人文社会科学重点研究基地重大项目

瞿林东◎主编

中国古代史学批评史

第五卷

中国古代多民族史学发展与史学批评

（辽夏金元时期）

吴凤霞　胡祥琴◎著

湖南人民出版社

主编简介

瞿林东，1937 年 12 月生，安徽肥东人。1964 年本科毕业于北京师范大学历史系；1967 年研究生毕业于该系中国史学史专业，师从著名历史学家白寿彝教授。现为北京师范大学资深教授、历史学院博士生导师。全国古籍整理出版规划领导小组成员、教育部社会科学委员会委员兼历史学部召集人、中国历史研究院学术咨询委员会委员。教育部人文社会科学重点研究基地北京师范大学史学理论与史学史研究中心原主任。主要从事历史学的理论与中国史学史研究，出版《唐代史学论稿》《中国古代史学批评纵横》《中国史学史纲》《中国史学的理论遗产》《史学在社会中的位置》等专著、论集；主编《历史文化认同与中国统一多民族国家》（五卷本）、《中国古代历史理论》（三卷本）、“马工程”教材《中国史学史》、《中华大典·历史典·史学理论与史学史分典》（三卷本）等书；发表《中国史学的遗产、传统和当前发展趋势》《论中国马克思主义史学的史学观》《历史学的理论成就与中国史学史研究的发展》《关于当代中国史学话语体系建构的几个问题》等论文、评论四百余篇。2017 年 9 月，北京师范大学出版社出版《瞿林东文集》（十卷本）。

总　目

第一卷　中国古代史学批评的开端

（先秦秦汉时期）

第二卷　中国古代史学批评的初步发展

（魏晋南北朝时期）

第三卷　中国古代史学批评的深入

（隋唐时期）

第四卷　中国古代史学批评的兴盛

（五代两宋时期）

第五卷　中国古代多民族史学发展与史学批评

（辽夏金元时期）

第六卷　中国古代史学批评的拓展

（明时期）

第七卷　中国古代史学批评的集大成

（清时期）

总　序

◎瞿林东

一、中国古代史学批评史研究的对象

中国古代史学批评史是一个新兴的学科，我们只有在明确了它的研究对象与研究范围之后，才可能对其学术定位作出某种设想或建议。这就要求我们从什么是中国古代史学批评史谈起。

什么是中国古代史学批评史？顾名思义，它是指在中国古代史学上，那些具有批评意识的史学家、思想家、政治家或其他学人，针对史学发展中出现的各种问题而提出自己的看法。这些看法中既包含相同或相近的意见，也存在分歧和异趣，甚至完全相反的观点。对这些意见、分歧、观点进行互相讨论、辩难的史学活动、史学现象，我们称之为史学批评。史学批评既不是“挑眼”，也不是“吹捧”，不论是相同的意见还是不同的意见，均重在“发现”并提出问题；对问题的阐说，则启发时人与后人，或加以发扬，或引以为戒，这就是史学批评的产生及其意义。如此一个个史学批评个案之间的联系，构成了某一时期或某一时代的史学批评史；一个个时代的史学批评史，构成连续不断的中国古代史学批评史。对中国古代史学批评史进行研究，可以揭示批评者与被批评者的异同，可以概括某一时期或某一时代史学批评的特点，并以此探索、揭示中国古代史学批评史发展的全貌及其规律，进而为提炼出理论问题提供依据。

中国古代史学批评史研究的范围，从纵向上看，大致说来，上起春秋时期，下迄清代；从横向上看，它包括史学家、思想家、政治家及各方面学人对史学的批评，其涉及的文献亦不限于史部，经部、子部、集部也在考察范围之内。我们希望在研究中能够发掘一些有关史学批评的新资料和以往较少涉及的知识领域，尤其希望在研究中提出一些新的问题，并对其作出合理的阐述，从而通过集体的努力，使中国古代史学批评史成为一门外延清晰、内涵丰富、特色鲜明的学科。

那么，怎样为中国古代史学批评史作学科定位呢？第一，从宏观领域来看，中国古代史学批评史属于“中国历史”一级学科范围。第二，从研究内容与特点来看，中国古代史学批评史与中国古代史学史关系密切，离开中国古代史学史，中国古代史学批评史就成了无源之水、无本之木，也就无从谈起；同时，史学批评中提出的问题及相关的论述，都可能涉及理论上的分析，而脱离了史学理论的史学批评，就会成为没有思想、没有内涵的材料堆砌。有鉴于此，可以认为，中国古代史学批评史是“史学理论与史学史”这个二级学科之下的一个三级学科。

为了明确中国史学史的研究与撰述同中国史学批评史的研究与撰述之联系及区别，以凸显中国史学批评史的性质和特点，我们有必要对此作进一步的阐述。概括说来，中国史学史研究，是研究中国史学发展的面貌及其规律；中国史学批评史研究，是研究中国史学史上存在于其间的一个最活跃的内部动因即批评与反思，包含批评的意识、批评的思想、批评的理论与方法及各方面成果（思想成果和著述成果）。尽管史学批评史同史学史存在密切的关联，但毕竟是两个不同的研究对象，因而提出问题的方式和视角不同，撰述的主要内容也有所不同。这一联系与区别，是不应模糊的。

具体说来，史学批评史研究不同于史学史研究之处，主要有以下几点：

第一，具有更为广泛的史料来源。这是因为，史学批评不仅十分关注史家群体的史学观点，而且对于非史家群体之史学观点也十分关注，展示出比一般史学史研究更为丰富的内容和史料来源。

第二，是考察认识史学社会影响力的重要根据。史学成果在受众中的种种反映，一方面成为史学批评研究的对象，另一方面也是史学工作者借以进一步认识史学之社会影响力的根据。

第三，促进史学概念内涵的深化和理论的生成、发展。这是因为，史学批评所展开的范围必然涉及一定程度上的“主题重复”，如春秋时期的“良史”与汉唐时期的“良史”以及宋以后的“良史”，自有内在的联系，但其内涵却大大丰富了，史学批评对此作进一步研究，无疑会促进这一领域的理论研究。又如从司马迁论“古今之变”到郑樵论“会通之义”，再到章学诚论“通史家风”，也是如此，等等。

本书题为《中国古代史学批评史》而未以“评论史”命名，也是意在突出研究者提出问题的方式和视角。记得十几年前，有位记者问我：您的《中国古代史学批评纵横》一书，为什么不用“评论”而用“批评”？我一时语塞，觉得很难回答这个问题，说明自己并不很清楚它们之间有何异同，再说我另有一本论集，书名就是《史学与史学评论》。由于《中国古代史学批评纵横》这本小书受到一些同行尤其是中青年朋友的关注，这些年来，研究史学批评的学人逐渐多了起来，似乎用“批评”一词也就习以为常了，因而很少有人再提出这样的问题。但对于我来讲，却没有放下这个问题，总想对此作一点探究。其间，也翻阅了几本从理论上讨论学术批评的书，有中国学者写的，也有外国学者著作的中译本，但它们都是立足于文学批评而展开的，有的还是从解释学的视角对文学批评作阐说的。更重要的是，它们的讨论多是建立在西方学术文化中所谓“原生质”的、“科学”的“批评”与“评论”概念基础上展开的。这对我提高理论上的认识都有不同程度的帮助，但由于学科的不同，特别是由于文化渊源上的差异，难以获得所需要的借鉴。这就促使我从“传统”中去寻求认识问题的路径。

中国古代学人使用“评论”一词说事，当不晚于魏晋之际。

三国魏人王肃所注《孔子家语》中记述叔孙武叔这个人有个缺点，“多称人之过，而己评论之”①，因而受到颜回劝告。又《三国志》裴注引王隐《晋书》记：“然天下之至慎，其惟阮嗣宗乎！每与之言，言及玄远，而未曾评论时事，臧否人物，真可谓至慎矣。”② 这里说的专就别人之“过”发表评论或一味回避评论，均不可取。与此不同的是，王隐《晋书》还有另外的记载：“刘毅字仲雄，东莱掖人，汉城阳景王后也。亮直清方，见有不善，必评论之，王公大人望风惮之。”③ 这里说的敢于“评论”是赞扬之意。上举数例所谓“评论”，都是指评论时事，评论人之秉性。此外也有说到评论史书的。如葛洪《抱朴子内篇》记：

> ……而班固以史迁先黄老而后六经，谓迁为谬。夫迁之洽闻，旁综幽隐，沙汰事物之臧否，核实古人之邪正。其评论也，实原本于自然，其褒贬也，皆准的乎至理。不虚美，不隐恶，不雷同以偶俗。刘向命世通人，谓为实录；而班固之所论，未可据也。④

这里说的“评论”，即是关于司马迁及其所著《史记》的评

---

① 王肃注：《孔子家语》，王国轩、王秀梅译注本，中华书局2011年版，第240页。

② 陈寿：《三国志》卷一八《魏书·李通传》裴注引王隐《晋书》，中华书局1959年版，第536页。又见刘义庆：《世说新语·德行》，刘孝标注引，杨勇《世说新语校笺》本，中华书局2006年版，第16页。

③ 刘义庆：《世说新语·德行》，刘孝标注引，杨勇《世说新语校笺》本，中华书局2006年版，第18页。

④ 葛洪：《抱朴子内篇》卷一〇《明本》，王明《抱朴子内篇校释》本，中华书局1985年版，第184页。

论。又如，五代时，刘昫等修《旧唐书》说到唐太宗时重修的《晋书》，这样写道："参考诸家，甚为详洽。然史官多是文咏之士，好采诡谬碎事，以广异闻；又所评论，竞为绮艳，不求笃实，由是颇为学者所讥。"①

上述这两则关于史书的评论，前者是肯定的评论，后者是借用时人之语发表了包含负面评价的评论。又有明人郭孔延撰《史通评释》，其序称，"向以己意为之评论，虽未必合作者之意"云云②。显然，这是对评论者的评论。

至于中国古代学人使用"批评"一词，至晚见于葛洪所著、邵雍辑佚的《梦林玄解·占梦》："占曰：梦殊砂，为官爵，为文章，为批评，为银财之本，为血气，为良药。"③ 此处所讲"批评"，没有明确指向，不便妄测。而元代学人是较早从学术的意义上使用"批评"一词的。据钱大昕《补元史艺文志·总集类》著录，有仇远《批评唐百家诗选》一书，其"别集类"著录仇远《金渊集》六卷。④ 仇远精于诗，时人称为"仇远先生"，《元史·张翥传》记：

> 翥少时，负其才隽，豪放不羁，好蹴鞠，喜音乐，不以家业屑其意，其父以为忧。翥一旦翻然改曰："大人勿忧，

① 刘昫等：《旧唐书》卷六六《房玄龄传》，中华书局1975年版，第2463页。

② 郭孔延：《史通评释序》，上海古籍出版社2006年版，第1页。

③ 葛洪：《梦林玄解》卷一二《文墨·五色颜料》，宋邵雍纂辑，明陈士元增删，明何栋如重辑，见《续修四库全书》第一〇六四册，上海古籍出版社2002年版，第24页。

④ 参见《二十五史补编》第六册，中华书局1955年版，第8425、8435页。

今请易业矣。"乃谢客，闭门读书，昼夜不暂辍，因受业于李存先生。存家安仁，江东大儒也，其学传于陆九渊氏，翥从之游，道德性命之说，多所研究。未几，留杭，又从仇远先生学。远于诗最高，翥学之，尽得其音律之奥，于是翥遂以诗文知名一时。已而薄游维扬，居久之，学者及门甚众。[①]

从这一简略的记载，大致可以得知仇远在唐诗研究上的造诣，乃有《批评唐百家诗选》之作，在中国古代学术批评史上留下了自己的印记。

值得注意的是，明代学人在奏疏与书信中亦往往使用"批评"一词。如魏允贞《条陈救弊四事乞赐采纳以弘治道疏》中有这样的话："分别式样，以授主司，圈点批评，列置卷首，后先及第，海内士人，无不愤叹。"[②] 这反映了明朝科举考试的弊端。李贽的《寄答留都》写道："前与杨太史书亦有批评，倘一一寄去，乃足见兄与彼相处之厚也。"[③] 陈衎对"批评"的功能有深刻的认识，认为："所谓批评者，一则能抉古人胸中欲吐之妙，以剖千古不决之疑；一则援引商略，判然详尽，以自见其赅博。"[④] 徐芳的《与高自山》一文中更是有这样轻松的话语："诗文传阅，取笑批评，烂如圈点，互相诒炫。"[⑤] 由此可知，在明

---

① 宋濂等：《元史》卷一八六《张翥传》，中华书局1976年版，第4284页。

② 参见陈子龙等辑：《明经世文编》卷三八七，中华书局1962年版，第4195页。

③ 参见张建业主编：《李贽文集》第一卷《焚书一·增补一》，社会科学文献出版社2000年版，第258页。

④ 陈衎：《与邓彰甫》，周亮工纂：《尺牍新钞》卷一，上海杂志公司1935年版，第5页。

⑤ 参见黄宗羲编：《明文海》卷一六二，中华书局1987年版，第1630页。

代的公私文件中，多有“批评”一词的使用。

综观上述所举事例，可以认为，大约在1700年前，中国学人已将“评论”和“批评”的概念置于不同学术领域之中，以此表述和阐说各自的学术见解，并在日常生活中也有所表现。这种现象在元明以后显得更加广泛。由于前人在使用“评论”和“批评”一词时，并未对其作出明确的解释，故难以从实质上划清二者的界限。但中国学人有重视字义和慎于遣词造句的传统[①]，由此仍可略知“评论”和“批评”的一点区别：“评论”是评量和议论，意在对事物作出适当的评价；“批评”则兼有批点和评论之意，即既包含正面评价也包含负面评价的双重目标，因而具有鲜明的反思意识。从学术的观点来看，“评论”多用于泛指，“批评”则与学术讨论的关系更为密切。

在获知古代学人对“评论”和“批评”有更明确的定义或阐述前，姑作此说。

二、发展大势与主要问题

中国古代史学批评发展大势是怎样的？其间有哪些主要问题是需要展开讨论的？这是本书需要明确的问题。

这里讲的“发展大势”，上起春秋时期，下迄清代，两千五

① 如杜佑自谓：“凡义有经典文字其理深奥者，则于其后说之以发明，皆云‘说曰’。凡义有先儒各执其理，并有通据而未明者，则议之，皆云‘议曰’。凡先儒各执其义，所引据理有优劣者，则评之，皆云‘评曰’。”（《通典》卷四二，中华书局1988年版，第1167页）《说文解字》：“论，议也。”段注：“凡言语循其理得其宜者谓之论。”凡此，均可参考。

六百年的历史。根据我们的理解和撰述工作的需要，可以将中国古代史学批评划分为七个阶段看待。由于中国历史和中国史学发展的连续性特点，这七个阶段是前后衔接、上下贯通的，同时又各具特点。

第一阶段：中国古代史学批评的开端（先秦秦汉时期）。孔子评晋国史官董狐以及孟子和《左传》作者评《春秋》，揭开了中国古代史学批评的序幕。此后，史家修养和史学与社会的关系成为中国史学上人们关注的两个重大问题。司马谈、司马迁父子对《春秋》的评论与继承、发展，班彪、班固父子对司马迁及其《史记》的批评，先后产生了《史记》《汉书》两部宏伟著作。这是中国古代史学批评开端最重要的标志。同时，刘向、刘歆父子校书并对各类历史文献作出评论，分别写出了《别录》和《七略》，为班固《汉书·艺文志》的撰述提供了资料上的准备。东汉末年，汉献帝认为纪传体《汉书》繁冗难读，由是荀悦乃有编年体《汉纪》之作，显示出史学批评对史书撰述的引导作用，从而为这一时期史学批评画上句号。

这时期在史学批评方面提出的主要概念和观念有：良史，书法不隐和史书三要素论（事、文、义），“其文直，其事核，不虚美，不隐恶”的“实录”论，以及立典五志论（达道义，彰法式，通古今，著功勋，表贤能），等等。

第二阶段：中国古代史学批评的初步发展（魏晋南北朝时期）。在史学多途发展的学术背景下，学术思想的活跃推动了史学批评的广泛展开。关于《史记》《汉书》的批评，开这一时期史学批评之先河，同时反映了与前一时期史学批评的衔接；关于《三国志》的批评，则表明时人对它的关注。有关上述三部“正史”的批评，对后世均有一定的影响。同时，史学家们关于“史例”及国史“条例”的讨论，推动了有关史书编撰形式的评论。其中，关于史书起源问题的讨论，可谓时代特点使然，对后世多有启发。值得注意的是，关于史书内容和史家修养的各种批评意见，构成这时期史学批评的主要部分。而刘勰《文心雕龙·史传》篇，在总结此前史学发展历史的基础上，提出了史学发展中的一些重要问题，可视为一篇史学批评史论纲，堪为中国史学批评初步发展阶段的标志性成果。

这时期在史学批评方面提出的主要概念和观念是：素心，信史，烦省，评论，以意为主、以文传意，以及由立典五志论演变而来的书契五善论（达道义，彰法式，通古今，表功勋，旌贤能）和注史四旨论（以补其阙，以备异闻，以惩其妄，有所论辩），等等。

第三阶段：中国古代史学批评的深入发展（隋唐时期）。唐初关注对以往众家晋史与南北朝时期所撰正史的批评，反映了在政治统一局面下历史撰述的新的要求，由此奠定了这一时期史学批评的宏大气势。《隋书·经籍志·史部》对十三类历代史书的评论，是中国史学批评史上最早的和最全面的总结；其史部大序对史官职责的表述，反映了史家对历史撰述的高度重视。关于“史才三长”学说的提出与“良史”观念的发展，增进了人们对史学主体的认识；关于治学宗旨的讨论，凸显了经世致用的史学思想；关于史注家的史学批评意识，在这个时期的《史记》注、《汉书》注和《后汉书》注中，均有所发挥。以上这几个方面，均可视为史学批评深入发展的表现。而作为最有代表性的标志性著作，则是刘知幾的《史通》一书。这部“其为义也，有与夺焉，有褒贬焉，有鉴诫焉，有讽刺焉”① 的书，是一部成系统的史学批评著作，也可以看作是一部提出了许多重要问题的史学理论著作。它的重要性可用一句话概括，这就是刘知幾同时代人徐坚说的：“居史职者，宜置此书于座右。”②

这一时期在史学批评方面提出的主要概念和观念有：直书，曲笔，鉴识，探赜，疑古，惑经，以及史学功用论，史才三长论（才、学、识），史之有例犹国之有法论，史之称美者以叙事为先论，史官辨职论，编年纪传论，师古与随时（稽古与随时）论，行状不实论，等等。

第四阶段：中国古代史学批评的兴盛（五代两宋时期）。从五代后晋开运二年（945）《旧唐书》面世，至宋仁宗嘉祐五年（1060）《新唐书》撰成刊行后，围绕两《唐书》、两《五代史》的修撰与比较而展开的史学批评，受到学人的关注。而《资治通鉴》的撰成则直接促进了史学批评的发展，不论是司马光的自述，还是宋神宗的评论，都产生了很大影响。由此“通鉴学”勃然兴起，朱熹、杨万里的相关评论又昭示了新的史书体裁，即纲目体、纪事本末体的出现。郑樵、李焘的史学批评，前者上承

① 刘知幾：《史通·自叙》，浦起龙《史通通释》本，上海古籍出版社2009年版，第271页。
② 刘昫等：《旧唐书》卷一〇二《刘子玄传》，中华书局1975年版，第3171页。

司马迁，后者接续司马光，进一步丰富了史学之“通”的观念。《册府元龟》国史部总序及各门小序，对史学的由来、社会功用、史官职责、作史原则、撰述流程中的种种情况等作了概括和评论，显示了类书中蕴含的史学批评思想，凸显出“史学事业”的新观念。晁公武称：“日夕躬以朱黄，雠校舛误。终篇，辄撮其大旨论之。”[①] 这是目录学家、文献学家之学术批评思想积累以至形成的艰辛历程。高似孙的《史略》一书，以重视评史书、论史学而显示出自身特色，表明了鲜明的史学批评意识。欧阳修不理会他人对其爱好金石学的嘲讽，坚持《集古录》的研究和撰述；而赵明诚《金石录序》进而申言，“盖史牒出于后人之手，不能无失，而刻词当时所立，可信不疑”，具有“考其异同”的作用；赵明诚夫人李清照在此书后序中写道，此书“是正讹谬，去取褒贬，上足以合圣人之道，下足以订史氏之失者，皆载之，可谓多矣”[②]。综上，类书、目录书和金石之学中包含的史学批评，是这时期史学批评的特点。宋代学人撰写了大量的史料笔记，其中多有自觉的补史意识和史学批评思想，是这时期史学批评走向兴盛的一个重要方面。宋代文学之士关注史学，通观其所批评，往往得失两存，但有胜于无，重在分析和判断。

这时期在史学批评方面提出的主要概念和观念有：公正，议论，记注，疏谬，不实，非才，法世，会通，以及信史论，史学

---

① 晁公武：《郡斋读书志》衢本序，孙猛《郡斋读书志校证》本，上海古籍出版社 2011 年版，第 15 页。

② 赵明诚：《金石录》，金文明《金石录校证》本，广西师范大学出版社 2005 年版，第 1、531 页。

源起论，良史“四足”论（明、道、智、文），纪事本末论，史法论，作史三原则论（事实、褒贬、文采），等等。

第五阶段：中国古代多民族史学发展与史学批评（辽夏金元时期）。中国是一个多民族国家，自秦汉起成为不断发展的统一的多民族国家。因地理条件、历史环境、文明进程的差别，各民族史学的发展迟速不一。由于文字的困难和文献的不足，我们对民族史学尚缺乏较深入的研究。本书第五卷凭借汉文的有关记载，试图在民族史学与史学批评领域作初步的研究，俾使这时期的史学批评占有其特定的位置。应当强调的是，这时期的史学批评既受中原文化的影响，也有各民族的文化基础。民族史学在史学思想、史学批评意识方面，或许在针对性和具体表述上存在一定的差异，但在本质上却是一致的。中国史学上的经典文献、著名史家以及史学观念和史学研究方法等，都是民族史学发展中的评论对象。《辽史·文学传上·萧韩家奴传》记：辽兴宗“又诏译诸书，韩家奴欲帝知古今成败，译《通历》《贞观政要》《五代史》”[①]。这里自然包含萧韩家奴对这些历史著作的评论。同书《列女传》记：“耶律氏，太师适鲁之妹，小字常哥。幼爽秀，有成人风。及长，操行修洁，自誓不嫁。能诗文，不苟作。读《通历》，见前人得失，历能品藻。”[②]《通历》是中唐晚期史家马总所撰的一部简明的编年体通史，耶律常哥读而又能“品藻”，说明对其有深刻的认识。《金史·世宗本纪中》记：“上谓

① 脱脱等：《辽史》卷一〇三《文学传上》，中华书局1974年版，第1450页。
② 脱脱等：《辽史》卷一〇七《列女传》，中华书局1974年版，第1472页。

宰臣曰：‘近览《资治通鉴》，编次累代废兴，甚有鉴戒，司马光用心如此，古之良史无以加也。’”[①] 同书《世宗本纪下》记：“上谓宰臣曰：‘朕近读《汉书》，见光武所为，人有所难能者。……此其度量盖将大有为者也，其他庸主岂可及哉。’”[②] 这里所记当指范晔《后汉书》所叙史事。金世宗对《资治通鉴》《后汉书》的评论当不止于此。《元史·仁宗本纪一》记：仁宗为皇太子时“有进《大学衍义》者”，仁宗认为“‘治天下，此一书足矣。’因命……刊行，赐臣下”。[③] 这个评论虽有些夸张，但表明了元仁宗对此书的重视。又，《元史·察罕传》记元仁宗同史官察罕有这样一段对话：

> 帝尝问张良何如人。对曰：“佐高帝，兴汉，功成身退，贤者也。”又问狄仁杰。对曰：“当唐室中衰，能卒保社稷，亦贤相也。”因诵范仲淹所撰碑词甚熟。帝叹息良久曰：“察罕博学如此邪！”尝译《贞观政要》以献。帝大悦，诏缮写遍赐左右。且诏译《帝范》。[④]

上文举出的几个实例，生动地反映出中国历史上的历史文化认同之思想传统的真实存在，同时也反映了与民族史学相关联的记述中史学批评思想的真实存在。

---

① 脱脱等：《金史》卷七《世宗本纪中》，中华书局 1975 年版，第 175 页。
② 脱脱等：《金史》卷八《世宗本纪下》，中华书局 1975 年版，第 202 页。
③ 宋濂等：《元史》卷二四《仁宗本纪一》，中华书局 1976 年版，第 536 页。
④ 宋濂等：《元史》卷一三七《察罕传》，中华书局 1976 年版，第 3311 页。

元初，马端临著《文献通考》，其《经籍考》多引“晁氏曰”“陈氏曰”，反映了对前人史学批评的重视。马端临对前人著述抱有宽厚、平实的态度，认为“编简浩如烟埃，著述自有体要，其势不能以两得也”，“时有古今，述有详略”。[①] 这是表明史书体裁不同和时代不同，著述亦自不同，不应苛求前人，显示出实事求是的史学批评方法论。

这时期在史学批评方面提出的主要概念和观念是：“史笔天下之大信”论，“宁可亡人之国，不可亡人之史”论，“自古帝王得失兴废，班班可考者，以有史”论，“事”与“道”关系论，文献论，“理”（义理、事理、文理）“情”（人情）评判标准论，“心术”为修史之本论，等等。

第六阶段：中国古代史学批评的拓展（明时期）。这时期的史学批评，从洪武元年（1368）明太祖朱元璋诏修《元史》，至明末朱明镐《史纠》面世，贯穿了整个明朝的历史。关于前朝正史的修撰与评论，由《元史》上溯元修三史、两《五代史》、两《唐书》，直至《史记》，显示出中国古代史学批评史之连续性的特点。关于修撰本朝史过程中的评论，既表明时人对史学认识的深入，也表明存在各种歧见。随着思想史研究的发展，辩证思维在史学批评领域也有突出的表现。王世贞论国史、野史、家史的得失可谓经典之论，凸显了中国古代史学批评在方法论上的成就。关于刘知幾《史通》的研究和评论在这时期形成第一个

---

① 马端临：《文献通考序》，中华书局2011年版，书首第1页。

高潮，而相关专书的问世，凸显了批评之批评的活力。与此相关的是多种有关史学批评、史学理论的文献整理汇编的成果涌现出来，以及对有关概念的讨论等。以上这几个方面，不仅可以使人们看到明代史学批评的开拓、进展，同时也可以使人们看到以往被长期忽略的一个积极的史学倾向：明代学人对理论的兴趣。正是这几个方面，使人们看到中国古代史学批评发展的前景。

在明代学人所编的目录书中，用“批评”一词冠以书名者，并不是偶然现象，如《批评后汉书》《批评自警编》[1]，前者是批评史书，后者应是就自我修养而作。

尤其值得关注的是，明朝末年，学人在书名上冠以“批评”一词的现象更为普遍。据明崇祯刻本张溥所著《历代史论》中，二编目录附《正雅堂古今书目》所载，冠以“批评”一词的书名有：

批评二十一史全部（嗣出）

批评仪礼经传集解

批评礼书乐书

批评文献通考

批评通志略

批评杜氏通典

---

① 参见祁承㸁：《澹生堂读书记》《澹生堂藏书目》，郑诚整理本，上海古籍出版社 2015 年版，第 355、373 页。

批评函史[1]

此外，还有与“批评”相类，但以“批论”或“评选”等为名的书目。

这些批评类书籍的出现在一定意义上并非偶然。在明代科举考试中，考试官须在试卷上写下批语以示去取。这些批语有时即称为“批评”。例如，史书记载，张居正诸子参加科考时，非但请人代考，而且“临场监试官又加意誊朱、分别式样，以授主司圈点批评，列置首卷”[2]。批评试卷成为当时普遍存在的现象。山西人孔天胤因“善批评试卷”[3] 而有所闻名。

或许正是这个原因，这些在书名上常有“批评”字样的书，在《明史·艺文志》中少有著录。尽管如此，前述书目表明，至迟在晚明至明末，学人在治学与撰述中，在书名上冠以“批评”一词，已经不是个别现象了。

这时期在史学批评方面提出的主要概念和观念有：“人恣”与“蔽真”、“人臆”与“失真”、“人谀”与“溢真”，史权，平心，公议，公实，笔正，历史评价无是非论，“经史一物”论，“六经皆史”论，评史著四旨论（据、实、慎、忠），史家修养五要素论（才、学、识、公心、直笔），“务成曩美，毋薄前修”论，等等。

---

① 张溥：《历代史论》二编目录附《正雅堂古今书目》，杭州大学图书馆藏明崇祯刻本。

② 魏允贞：《条陈救弊四事乞赐采纳以弘治道疏》，陈子龙等辑：《明经世文编》卷三八七，明崇祯平露堂刻本。

③ 李乐：《见闻杂记》卷一一，明万历刻、清修补本。

第七阶段：中国古代史学批评的集大成（清时期）。不论从成果上看，还是从思想上和理论上看，这都是中国古代史学批评的集大成时期。开一代学术风气的顾炎武，为有清一代的史学批评确定了新的起点；章学诚继续阐述“六经皆史”的观念，进一步打开了人们从史学的视角评论经书的思路；浦起龙的《史通通释》把《史通》研究推至新的高峰，在史学批评领域产生重大影响。四库馆臣所撰《四库全书总目》史部书“提要”包含了丰富的史学批评思想，值得认真发掘，合理继承。其“史评类”兼收历史评论与史学批评之书，这是需要厘清并分别进行研究的。这时期的考史名家各具风采：有的高擎“商榷”的旗帜，显露出批评的锋芒；有的则于平静和严谨的考史中，轻轻拂去前人著作中的讹误的“灰尘”，为的是显示出这些著作的“真”与“美”；有的则由疑古而批评，意在廓清古史书中的“迷雾”；有的则在考史和批评中，显露出历史理性精神，给治史者诸多启发。中国古代史学理论的集大成者章学诚提出了许多重要见解：以“史德”论补充刘知幾“史才三长”说；以“心术”论提醒治史者对历史的解释要保持在合理的范围之内；以“史意”同“史法”相对待，强调思想的重要；以“撰述”“记注”分史学两大“宗门”，表明“圆神”“方智”各有所长；以“通史家风”阐发中国史学“通古今之变”的传统；以“别识心裁”推重创新精神，显示出中国古代史学理论的多方面成就；等等。这时期，政论家、史论家、文章家和诗人龚自珍，站在通向近代历史之路的门槛，他的“欲知大道，必先为史”[①] 的庄严启示，可视为对中国古代史学成就及其功能最中肯的评论。

从整体的和发展的眼光来看，如果说刘知幾《史通》创造了史学批评的理论体系的话，那么清代的史学批评成就，则全面地、深入地把这一理论体系推进到一个新的阶段。

这时期在史学批评方面提出的主要概念和观念有：史德，史释，释通，通史家风，别识心裁，记注与撰述，史法与史意，尊史，以及“于序事中寓论断”论、“欲知大道，必先为史”论、“史者，垂于来今以作则”论、“史非一家之书，实千载之书，祛其疑，乃能坚其信”“指其瑕，益以见其美”论，等等。

中国古代史学的连续性发展为中国史学批评史提供了丰富的资料，中国古代史学批评史的存在又推动了中国史学的发展，也为中国古代史学理论的积累提供了思想遗产。中国史学就是在这种互动中不断开辟新的发展前景。

中国古代史学批评在其发展过程中，在不同阶段都会提出一些问题，而有些问题也可能是具有普遍性或规律性的，对于这些问题的研究与阐说，我们视之为横向上的会通。在许多问题中，下面这几个问题是比较重要的。

第一，史学批评作为一种史学现象，它产生的原因何在？刘知幾《史通·鉴识》篇认为“物有恒准，而鉴无定识”[②]，这着眼于批评的主体而言，说明不同的批评者对同一事物会有不同的

① 龚自珍：《龚自珍全集》第一辑《尊史》，上海古籍出版社1975年版，第81页。
② 刘知幾：《史通·鉴识》，浦起龙《史通通释》本，上海古籍出版社2009年版，第189页。

认识和评论；《史通·探赜》篇又说，“古之述者，岂徒然哉！或以取舍难明，或以是非相乱”①，这着眼于批评的客体而言，说明事物本身是复杂的，批评者面对复杂的事物难以确定取舍而作出是非判断。其《曲笔》篇着眼于主体，讲的是另外一些原因，主要指为史者的史风不正以致心术不正；其《采撰》篇着眼于客体，讲的也是另外一些原因，即“异辞疑事”本是客观存在。当然。不论着眼于主体的分析，还是着眼于客体的分析，或许还有更复杂的原因，这是史学批评研究者必须关注的；同样，对史学批评者的批评，也不能不顾及这些复杂的因素。

第二，怎样看待和分析史学批评主体提出问题的主要根源。如班彪、班固父子批评司马迁及其《史记》，是否根源于政治？唐太宗批评众家晋史，是否根源于社会？李大师、李延寿父子批评南北朝所修三部正史，是否根源于历史？刘知幾撰《史通》，把以往史学作为批评对象，是否根源于学术？柳宗元的《非国语》，是否根源于思想？这些原因之间存在怎样的联系？这是史学批评研究者不能不考虑并予以深究的。

第三，怎样看待史学批评的成果及其思想的社会意义、学术意义和理论意义。这是认识史学批评的本质所在，是史学批评史研究者需要运用自身的研究所得加以说明的。举例说来，自东汉以后，人们对司马迁《史记》的评论，如何影响中国人对自身历史的认识？《史记》对中国统一多民族国家的巩固、发展产生

① 刘知幾：《史通·探赜》，浦起龙《史通通释》本，上海古籍出版社2009年版，第194页。

了何等重要作用？司马迁提出的“究天人之际，通古今之变，成一家之言”的著史宗旨，对中国学术的发展具有怎样的学术意义和理论意义？等等。毋庸置疑，对于这些问题的深入阐释，史学批评的意义由此可以看得更加清楚。历史上的“汉书学”“通鉴学”及许多史学名著的批评史，都在不同程度上具有广泛的意义。中国古代史学批评史的研究，要努力发掘和阐说这方面的成果及其意义。

第四，怎样看待史学批评中出现的偏颇。如班彪、班固批评司马迁《史记》“是非颇缪于圣人”①。刘知幾《史通·古今正史》篇接受《北齐书·魏收传》的说法，认为魏收的《魏书》“世薄其书，号为‘秽史’”②，直至章学诚亦承此说。郑樵在力倡“会通之义”时，极力贬低断代为史，以至斥责班固是“浮华之士也，全无学术，专事剽窃”③。叶适《习学记言序目》批评司马迁破坏了古之“史法”，“古史学止于此矣”④。吴缜《新唐书纠谬》是为名作，其序文具有理论上的建树，但序文中批评《新唐书》“抵牾穿穴，亦已太甚”“修书之初，其失有八”⑤等，似有言过其实之嫌。张岱批评明代史学说：“有明一代，国史失诬，家史失谀，野史失臆，故以二百八十年，总成一诬妄之世界。”⑥王鸣盛《十七史商榷》批评李延寿“学浅识陋”，所撰

① 班固：《汉书》卷六二《司马迁传》，中华书局1962年版，第2737-2738页。
② 刘知幾：《史通·古今正史》，浦起龙《史通通释》本，上海古籍出版社2009年版，第339页。
③ 郑樵：《通志总序》，见《通志二十略》，中华书局1995年版，第2页。
④ 叶适：《习学记言序目》卷一九《史记一》，中华书局1977年版，第264页。
⑤ 吴缜：《新唐书纠谬序》，《丛书集成初编》本，中华书局1985年版，第1页。
⑥ 张岱：《石匮书自序》，《琅嬛文集》，岳麓书社1985年版，第18页。

《南史》《北史》“疵病百出，不可胜言”，又说李延寿是“自谓于旧锦机中织出新花样”。[①] 王鸣盛还写了一篇很长的文章批评杜佑所撰《通典》，认为《通典》“既以刘秩书为蓝本，乃自序中只字不及，复袭取官书攘为己有，以佑之笔力，撰集非难，而又取之他人者若是之多，则此书之成亦可云易也”。又说：杜佑“所云‘辄肆荒虚，诚为亿度’者，佑每自蹈之”[②]，等等。类似这样的一些批评，从今天的学术观点看来，是否有偏颇以至错误之处？如有，则不仅需要指出错在哪里，还要指出何以会出现偏颇以致错误的。这就是说，不仅知其然，还要知其所以然，把主观的、客观的原因都考察明白，这样的史学批评史才近于史学发展的真实，才具有学术价值，才能给人以深刻的启示。

中国古代史学批评史上存在的问题不止于此，上面提到的几个问题是我们要多加关注，并力图给以清晰的阐说和中肯的评论的。我们在研究和撰述中，还会遇到其他的问题，均须根据本课题的宗旨和本书撰写的原则，具体问题具体分析，才可作出合理的论述。

三、研究的方法和研究的意义

任何一种科学研究，都应当重视研究的方法和研究的意义，

---

① 王鸣盛：《十七史商榷》卷五三“《新唐书》过誉南北史”条、卷六八“并合各代每一家聚为一传”条，上海古籍出版社2013年版，第630、914页。

② 王鸣盛：《十七史商榷》卷九〇“杜佑作《通典》”条，上海书店出版社2005年版，第817页。

方法是通向研究的目标并取得相应成果的途径。从一定意义上讲，方法的正确选择与始终坚持，是科学研究成功的关键。史学史研究如此，史学批评史研究也是如此。

说到研究方法的重要，这使我们想起1948年毛泽东致历史学家吴晗的一封信，信中针对吴晗所著《朱元璋传》写道：

> 大著阅毕，兹奉还。此书用力甚勤，掘发甚广，给我启发不少，深为感谢。有些不成熟的意见，仅供参考，业已面告。此外尚有一点，即在方法问题上，先生似尚未完全接受历史唯物主义作为观察历史的方法论。倘若先生于这方面加力用一番功夫，将来成就不可限量。①

信中用语很严谨，很讲究分寸，说“先生似尚未完全接受历史唯物主义作为观察历史的方法论”，说明《朱元璋传》的作者吴晗先生主观上开始关注历史唯物主义了，所以这里用了“尚未完全”，并在“完全”二字下方加了着重号。这封信给我们的启发是，如果能够自觉地运用“历史唯物主义作为观察历史的方法论”，在这方面多下功夫，那么在研究历史和研究史学方面，定能取得更大的进步和更好的发展。

历史唯物主义方法论对于历史研究具有重要的和广泛的指导意义。这里，我要强调两点，一是对历史的基本认识，二是把所

---

① 毛泽东：《致吴晗》（一九四八年十一月二十四日），中共中央文献研究室编：《毛泽东书信选集》，中央文献出版社2003年版，第284页。

研究的问题置于一定的历史范围内予以考察。

关于对历史的基本认识，恩格斯有这样一段论述：

> 正像达尔文发现有机界的发展规律一样，马克思发现了人类历史的发展规律，即历来为繁芜丛杂的意识形态所掩盖着的一个简单事实：人们首先必须吃、喝、住、穿，然后才能从事政治、科学、艺术、宗教等等；所以，直接的物质的生活资料的生产，从而一个民族或一个时代的一定的经济发展阶段，便构成基础，人们的国家设施、法的观点、艺术以至宗教观念，就是从这个基础上发展起来的，因而，也必须由这个基础来解释，而不是像过去那样做得相反。[①]

这就说明，人类的历史活动中第一位的是经济活动，上层建筑和意识形态都是在这个基础上得以建立和发展，因而也必须从经济活动的角度去加以解释。史学工作者不仅首先应当懂得这个道理，而且应当在这个理论指导下从事历史研究和史学活动。在这方面，侯外庐先生是我们学习的榜样，他在总结自己的治史道路和治史方法时，首先写道："从历史唯物主义观点来看，思想是存在的反映。历史从哪里开始，思想进程也应从哪里开始。因此，社会历史的演进与社会思潮的发展是相一致的。例如，西周的官学、春秋时代的搢绅之学、战国时代的诸子并鸣之学、两汉

① 恩格斯：《在马克思墓前的讲话》（1883年3月17日），《马克思恩格斯文集》第三卷，人民出版社2009年版，第1002页。

的经学、魏晋的玄学、隋唐的佛学、宋明的理学、明清之际的早期启蒙思潮以及近代的各种社会思潮，都是和中国历史自身的演进相联系的。因此，我的具体方法是，在研究社会史的基础上，注重对社会思潮作比较全面的考察，力图把握社会思潮与社会历史的联系及其所反映的时代特点，进而研究不同学派及其代表人物的思想特色和历史地位。”① 概括说来，这段话的核心思想是指出思想史的研究应当以社会史研究为基础，这一方面是使思想史的研究有了社会基础，另一方面也能更好地说明不同历史时期的思想的特点。这是非常明确的和具体的以历史唯物主义方法论为指导，提出了中国思想史研究的方法和步骤。中国史学史、中国史学批评史研究，同样应当以对中国社会史的认识为基础；对于史学史、史学批评史的解释，也应当以对社会史的认识为主要依据。必须承认，史学史研究者和史学批评史研究者在这方面还应当下大功夫、用大气力，把研究工作不断向前推进，而本书的撰述就是一个很好的机会。

把所要研究的对象置于相应的历史范围之内进行考察，这是历史研究与史学研究实事求是的表现，是历史唯物主义方法论的原则之一，即“在分析任何一个社会问题时，马克思主义理论的绝对要求，就是要把问题提到一定的历史范围之内”②。简而言之，这个“绝对要求”，就是强调历史地看待历史的方法。就以中国史学批评史的研究来说，历史上的批评者们所批评的对

① 侯外庐：《侯外庐史学论文选集自序》（上），人民出版社1987年版，第12页。
② 列宁：《论民族自觉权》，《列宁全集》第二十五卷，人民出版社1988年版，第229页。

象，大多是历史上的存在；而史学批评史的研究者所研究的批评者，自亦都是历史上的存在。对于前一种“历史上的存在”，我们不能对当时的研究者提出“绝对要求”，此当毋庸置疑；而对于后一种“历史上的存在”，我们作为研究者就应当自觉地遵循这一“绝对要求”。这种区别，正是反映了“要把问题提到一定的历史范围之内”的原则。在这个问题上，马克思主义理论之所以提出“绝对要求”，是因为只有这样才能获得对历史真相至少是近于历史真相的认识；如果离开了这一“绝对要求”，其结果必然是脱离了认识历史真相的路径。史学批评史的研究只有把历史上的批评者置于其所在历史范围之内进行考察，才能获得真知。因此，对于“绝对要求”的“绝对”遵循，就是十分自然的事情了。

在历史唯物主义方法论的指导和运用前提下，我们还要借鉴前人提出来的有益的方法。如刘知幾重视体例而且善言体例，他强调说：“史之有例，犹国之有法。国无法，则上下靡定；史无例，则是非莫准。”[①]《史通》全书尤其是内篇，大多在论述史书的体例和修史的体例，在讲体例的过程中广泛地涉及史学的其他问题。史学批评史的研究也要重视体例：一是判断研究对象的体例和体例思想；二是要求我们自身在撰述中遵循既定的体例，既要关注局部的体例，也要关注局部之体例与全局之体例的协调及其一致性。总之，刘知幾的体例思想是应当借鉴的。此外，刘知

① 刘知幾：《史通·序例》，浦起龙《史通通释》本，上海古籍出版社2009年版，第81页。

幾提倡全面看问题的方法，也是值得借鉴的。刘知幾认为，历史撰述应坚持“爱而知其丑，憎而知其善，善恶必书，斯为实录”① 的原则。这种具有一定的辩证思维的方法，在史学批评领域的运用具有特殊的重要性，它是帮助史学批评史研究者避免走向武断和片面的忠诚“卫士”。

再如章学诚关于知人论世的思想和方法，同样是值得借鉴的。他举出人们所熟知的正统问题为例，说明处在不同时期的人，一般都会有当时的认识和处置的方法，这是研究者与批评者所必须注意的。他这样写道：

> 昔者陈寿《三国志》，纪魏而传吴、蜀，习凿齿为《汉晋春秋》，正其统矣。司马《通鉴》仍陈氏之说，朱子《纲目》又起而正之。“是非之心，人皆有之。”不应陈氏误于先，而司马再误于其后，而习氏与朱子之识力，偏居于优也。而古今之讥《国志》与《通鉴》者，殆于肆口而骂詈，则不知起古人于九原，肯吾心服否邪？陈氏生于西晋，司马生于北宋，苟黜曹魏之禅让，将置君父于何地？而习与朱子，则固江东南渡之人也，惟恐中原之争天统也。诸贤易地则皆然，未必识逊今之学究也。是则不知古人之世，不可妄论古人文辞也。知其世矣，不知古人之身处，亦不可以遽论其文也。身之所处，固有荣辱隐显、屈伸忧乐之不齐，而言

① 刘知幾：《史通·惑经》，浦起龙《史通通释》本，上海古籍出版社2009年版，第374页。

之有所为而言者，虽有子不知夫子之所谓，况生千古以后乎？圣门之论恕也，“己所不欲，勿施于人”，其道大矣。今则第为文人，论古必先设身，以是为文德之恕而已尔。[①]

章学诚的这一段论述，有事实、有分析，不仅指出了陈寿、司马光同习凿齿、朱熹在正统问题的认识上和处置上的不同，而且从历史环境的差异指出二者不同的原因。这样，就做到了不仅知其然而又知其所以然。章学诚把这种思想和方法概括为“论古必恕”。这就是我们前面已经说到的“要把问题提到一定的历史范围之内”。以马克思主义理论的“绝对要求”同中国史学批评史上名家的认识相结合，这个问题的重要性及其方法论意义显得越发清晰和易于理解。

历史是复杂的，史学批评的现象也是复杂的。这就要求我们在研究和撰述过程中，针对具体问题作具体的分析。比如：

——对同一批评对象有所肯定，有所否定。这种情况，在中国史学批评史上所见甚多，如班彪、班固父子评论司马迁《史记》，范晔评论班固《汉书》，都属于这种情况。从他们的批评中，对其肯定与否定之方方面面，都会激起人们的思考，不论赞成或不赞成这些肯定与否定，人们都会凭借自己的认识提出一些根据，这些认识和根据一旦写成文字，流传开来，又会引起更多的人的思考，从而促进了人们对历史、对史学的深入认识。在这

① 章学诚：《文史通义·文德》，叶瑛《文史通义校注》本，中华书局2014年版，第324-325页。

方面，刘知幾的《史通》和王鸣盛的《十七史商榷》，给人们提供了足够的思考空间。从整体面貌来说，这两部书在有所肯定也有所否定方面，显得很突出。如《史通·二体》篇论编年、纪传的长处和短处时，讲得很辩证；其《直书》《曲笔》则是对两种不同的作史态度进行分析；而《杂述》篇又对各种短书小说的文献价值作了全面的评论；等等。这些都给人以深刻的启示。刘知幾说他的《史通》是“商榷古今”，这种“商榷”的理念和态度是极可取的。王鸣盛的《十七史商榷》和赵翼的《廿二史札记》，都是在“正史”范围内进行商榷，是其所是，非其所非，给后人留下了许多启发和许多可以进一步研究、探索的问题。

——对同一批评对象中的缺点，作有根据的否定。这在史学批评现象中也是常见的，从史学史来看，吴缜的《新唐书纠谬》和《五代史纂误》可视为代表作。当然，这决不是说，吴缜的这两部书没有任何缺点，但总的来说，吴缜所“纠”之“谬”、所“纂”之“误”，大多可以成立，有一定的参考价值。

——对比较研究的对象作全面的、辩证的分析。如果说上一种史学批评方法给我们以某种警示，那么这里说的比较研究中的方法，则给我们以深刻的启示。明代史家王世贞比较国史、野史、家史的长短得失时，很客观地考虑到它们各自产生的条件，以及由于这种不同的条件使它们自身各具特点，并对此作了辩证的分析。这不仅在史学批评的方法论上给人们很大启发，而且在理论上也提出了很有价值的结论，至今仍有重要的参考意义。

当然，在史学批评中，也有一些不妥当的，甚至是错误的做法。比如：

有一种情况是，对比较的对象作绝对肯定与绝对否定的评价。比较研究，是开展史学批评的一个必要的和有效的方法。正确的态度，应当是对比较的对象作全面的分析，从而得到较公允的结论。在中国史学上，有的比较研究者，对比较的对象进行评价时陷于绝对肯定与绝对否定的境地，虽然在理论上也有所建树，但毕竟其运用的这种研究方法是一种片面的方法。如郑樵是一位很有成就的史学家，他的《通志二十略》具有重要的开创性意义。但是，我们注意到他那篇影响极大的《通志总序》，对司马迁《史记》作绝对的肯定，对班固《汉书》作绝对的否定，在比较研究的方法上，以及对评论对象的全面认识上，都给人留下了不少遗憾。

还有一种情况是，对同一评论对象从整体上作无根据的全部否定。这在史学批评上也时有所见。北齐魏收《魏书》被斥为“秽史”，唐太宗全部否定当时所见十八家晋史，明代学人不满本朝史学以至于说明朝无史学，等等，都应作具体分析。

这里，还有必要提到章学诚关于“文辞”的见解，尽管这并不是一个直接涉及治史的方法问题，但多少还是和方法有一定的联系。章学诚认为：“文辞非古人所重，草创讨论，修饰润色，固已合众力而为辞矣。期于尽善，不期于矜私也。”[①] 章学

---

① 章学诚：《文史通义·说林》，叶瑛《文史通义校注》本，中华书局1994年版，第347页。

诚引用春秋时期郑国大夫子产等人重视文辞而共同努力的典故,[①] 所以说这是“期于尽善，不期于矜私”。换言之，孔子说到这件事，正是肯定子产等人的“合众力而为”所带来的成功。这是不是也可视为重视文辞的一种表现?尤其是志同道合的一个群体对同一领域进行研究，其著述真正做到了“合众力而为辞”，同样是值得称道的。而“期于尽善”正是大家共同努力的目标。

进而言之，在中国史学上，“文辞”为古人所重而又期于“矜私”者，并非无人。历来认为，班固是极重文辞的史学家，他认为自己所著《汉书》具有“函雅故，通古今，正文字，惟学林”[②] 的特点，就含有重文辞的因素。《后汉书》作者范晔也是重“文辞”的史学家，他自称“吾杂传论，皆有精意深旨，既有裁味，故约其词句”[③]。范晔的这几句话，当是也包含着讲究“文辞”的意蕴。班、范在这方面的成就，在以下叙述的事实中可以得到证明，即南朝梁人萧统在《文选》序中特意讲道:“至于记事之史，系年之书，所以褒贬是非，纪别异同，方之篇翰，亦已不同。若其赞论之综缉辞采，序述之错比文华，事出于沉思，义归乎瀚藻，故与夫篇什。”[④] 萧统在《文选》的卷四十九和卷五十专设“史论上”和“史论下”，分别收入班固的《汉书·公孙弘传》赞一首，干宝的《晋武帝革命论》一首、《晋

① 参见《论语·宪问》，杨伯峻《论语译注》本，中华书局 1958 年版，第 154 页。
② 班固:《汉书》卷一〇〇《叙传》，中华书局 1962 年版，第 4271 页。
③ 沈约:《宋书》卷六九《范晔传》，中华书局 1974 年版，第 1830 页。
④ 萧统编:《文选》，李善注本，中华书局 1977 年版，第 2 页。

纪》总论一首，范晔《后汉书·皇后纪》论一首（以上“史论上”），以及范晔《后汉书》“二十八将传论”一首、《宦官传》论一首、《逸民传》论一首，沈约《宋书·谢灵运传》论一首、《恩倖传》论一首，班固《汉书》述《高祖纪》赞一首、述《成纪》赞一首和述“韩、彭、英、卢、吴传”赞一首，范晔《后汉书·光武纪》赞一首。[①] 这不仅表明萧统对“史论”的重视，也包含他对所收入之论、赞的欣赏。近代学人如鲁迅称赞《史记》是“史家之绝唱，无韵之离骚”[②]，梁启超感叹司马光《资治通鉴》把历史写得“飞动”起来[③]，都是大家所熟知的评论。如此看来，章学诚说的“文辞非古人所重”的论断，似非确论。

20 世纪 70 年代末，白寿彝先生主编《中国通史纲要》一书，对文字表述提出一个总的原则：平实。而平实的具体要求是：明白、准确、凝练。明白是基础，准确是关键，凝练是提高。[④] 可以认为：一个学术群体，可以尝试以平实为风格，以明白、准确、凝练为要求，在史学著作的文字表述上，探索一条“合众力而为辞”的新路径。

在中国史学批评史上，还有一种现象也是值得关注的，这就是史学批评者的历史命运及身后影响。如刘知幾撰《史通》，有

---

① 萧统编：《文选》，李善注本，中华书局 1977 年版，第 686-707 页。

② 鲁迅：《汉文学史纲要》，见《鲁迅全集》第九卷，人民文学出版社 1981 年版，第 420 页。

③ 梁启超：《中国历史研究法补编》，《饮冰室合集》专集之九十九，中华书局 1989 年版，第 27 页。

④ 参见瞿林东：《白寿彝与二十世纪中国史学》，高等教育出版社 2012 年版，第 339 页。

人“深重其书”，认为“居史职者，宜置此书于座右”[①]。而唐末人柳璨则认为“刘子玄所撰《史通》讥驳经史过当”，于是“纪子玄之失，别为十卷，号《柳氏释史》，学者伏其优赡”。时人“以其博奥，目为‘柳箧子’”[②]。《旧唐书》作者如此称赞柳璨，自亦影响对刘知幾的评价，说刘知幾“工诃古人而拙于用己”[③] 就是“顺理成章”的事情了。然而，经过明代学者郭孔延撰《史通评释》、王惟俭撰《史通训故》和清代学者浦起龙撰《史通通释》，《史通》的学术地位经过学术史的检验而逐步得到提高，为学界所认可。

再如柳宗元著《非国语》，目的在于“救世之谬”。他在《非国语序》中写道：“余惧世之学者溺其文采而沦于是非，是不得由中庸以入尧舜之道，本诸理作《非国语》。”[④] 然而，《非国语》问世后，既有人反其道而行之作《是国语》[⑤]，更有人针锋相对地作《非〈非国语〉》。如宋人江惇礼撰《〈非国语〉论》，苏轼表示赞同说：“鄙意素不然之，但未暇为书尔。”[⑥] 元人虞集之弟槃“尝读柳子厚《非国语》，以为《国语》诚非，而柳子之说亦非也，著《非〈非国语〉》”[⑦]。这些，反映了宋元

① 刘昫等：《旧唐书》卷一〇二《刘子玄传》，中华书局 1975 年版，第 3171 页。
② 刘昫等：《旧唐书》卷一七九《柳璨传》，中华书局 1975 年版，第 4669-4670 页。
③ 欧阳修、宋祁：《新唐书》卷一三二《刘知幾传》，中华书局 1975 年版，第 4542 页。
④ 柳宗元：《柳河东集》卷四四，上海人民出版社 1974 年版，第 746 页。
⑤ 脱脱等：《宋史》卷二〇二《艺文志一·春秋类》著录：“叶真《是国语》七卷”，中华书局 1977 年版，第 5058 页。
⑥ 苏轼：《与江惇礼秀才》，见张志烈等主编：《苏轼全集校注·文集八》第十七册，河北人民出版社 2010 年版，第 6264 页。
⑦ 脱脱等：《元史》卷一八一《虞集传附虞槃传》，中华书局 1976 年版，第 4182 页。

学人对《非国语》的指摘。

明人黄瑜在其《双槐岁钞》一书中，归纳上述史事，作《非〈非国语〉》小札，写道：

宋刘章尝魁天下，有文名，病王充作《刺孟》、柳子厚作《非国语》，乃作《刺〈刺孟〉》《非〈非国语〉》。江端礼亦作《非〈非国语〉》。东坡见之曰："久有意为此书，不谓君先之也。"元虞檠亦有《非〈非国语〉》，是《非〈非国语〉》有三书也。同邪异邪，岂绍述而剿取之邪？求其书，不可得，盖亦罕传矣。今以子厚之书考之，大率辟庸蔽怪诬之说耳，虽肆情乱道时或有之，然不无可取者焉。①

黄瑜一方面说柳宗元《非国语》"大率辟庸蔽怪诬之说"，另一方面又说《非国语》"肆情乱道时或有之"，但他毕竟承认《非国语》"不无可取者"，比前人已进了一步。

著名历史学家侯外庐先生就《非国语》中的一篇《三川震》的理论价值写道：

柳宗元不仅肯定"天地"为物质的自然存在，而且在自然运动问题上提出了"自"的观点，即自然自己运动的观点。……

① 黄瑜：《双槐岁钞》卷六，中华书局1999年版，第122页。按：江端礼疑为江惇礼之误。

> 按“自”这一范畴，取之于道家，王充以来的旧唯物主义者对它作了唯物主义改造，以与“天”意的“故”作（有目的有意志的最初推力）对立起来。柳宗元的这种自然自己的运动观，更含有朴素辩证法因素。在自然界运动的根源问题上，他继承并发展了王充的传统，肯定无穷的阴阳二气在宇宙间不断运动，必然呈现出各种形态（如“动”与“休”、“峙”与“流”等等），它们并不受任何意志力的支配，而是“自动自休，自峙自流”，“自斗自竭，自崩自缺”，这八个“自”的四对命题是超越前人的理论。①

这是从思想史上对柳宗元所提出的“自”的范畴之极高的评价，也在一定程度上对柳宗元《非国语》在中国古代思想史和史学批评史上的地位作了明确的肯定。

上述事例表明，史学批评家的“历史命运”往往是曲折多变的。但史学批评史确也表明，凡有价值的史学批评，终究是站得住的，是有生命力的。

四、探索学科话语体系的构建

在本书的撰述过程中，我们要努力探索在唯物史观指导下，为中国史学批评史话语体系的构建作知识上和理论上的积累。

① 侯外庐：《柳宗元哲学选集》序，中华书局香港分局1976年版，书首。

首先，是如何对待中国史学遗产问题，这是首要问题。其中道理很简单，因为是讲的中国史学批评史，其话语体系构建的基本素材、内容、概念体系自亦建立在中国史学遗产的基础之上。早在八十多年前，毛泽东在《中国共产党在民族战争中的地位》一文中强调指出：

> 学习我们的历史遗产，用马克思主义的方法给以批判的总结，是我们学习的另一任务。我们这个民族有数千年的历史，有它的特点，有它的许多珍贵品。对于这些，我们还是小学生。今天的中国是历史的中国的一个发展；我们是马克思主义的历史主义者，我们不应当割断历史。从孔夫子到孙中山，我们应当给以总结，承继这一份珍贵的遗产。这对于指导当前的伟大的运动，是有重要的帮助的。[①]

毛泽东是在全面抗日战争初期民族危机深重的历史条件下写下的这段话。今天，在中华民族走向伟大复兴的征程中，我们重温这段话，更加深刻地领会到毛泽东的高瞻远瞩和对中华民族前途的坚定信念。从毛泽东的上述论点来看，重视史学遗产的研究，应是中国史学批评史话语体系构建中的第一个层面，没有这个层面的研究，则上述构建云云，说得严重一点，也只能是纸上谈兵。

---

① 毛泽东：《中国共产党在民族战争中的地位》，《毛泽东选集》第二卷，人民出版社 1991 年版，第 533-534 页。

其次，从史学遗产研究中揭示或提炼出与相关学科密切联系的概念和观念，是构建该学科话语体系的重要环节。马克思主义认为：

……概念、判断和推理的阶段，在人们对于一个事物的整个认识过程中是更重要的阶段，也就是理性认识的阶段。认识的真正任务在于经过感觉而到达于思维，到达于逐步了解客观事物的内部矛盾，了解它的规律性，了解这一过程和那一过程间的内部联系，即到达于论理的认识。重复地说，论理的认识所以和感性的认识不同，是因为感性的认识是属于事物之片面的、现象的、外部联系的东西，论理的认识则推进了一大步，到达了事物的全体的、本质的、内部联系的东西，到达了暴露周围世界的内在的矛盾，因而能在周围世界的总体上，在周围世界一切方面的内部联系上去把握周围世界的发展。

这种基于实践的由浅入深的辩证唯物论的关于认识发展过程的理论，在马克思主义以前，是没有一个人这样解决过的。马克思主义的唯物论，第一次正确地解决了这个问题，唯物地而且辩证地指出了认识的深化的运动，指出了社会的人在他们的生产和阶级斗争的复杂的、经常反复的实践中，由感性认识到论理认识的推移的运动。[①]

① 毛泽东：《实践论》，《毛泽东选集》第一卷，人民出版社 1991 年版，第 285-286 页。

这是马克思主义关于人的认识发展的科学的、精辟的论说。我们的先人不可能达到这样的认识高度，但从人的认识发展规律来看，他们也会自觉或不自觉地提出一些概念和观念，而后人则可根据这些概念和观念并结合自身所处的时代，考察这些概念和观念是怎样被提出来的，这些概念和观念是在怎样的程度上反映了那个时代的社会状况和人们的思想面貌的。

如《左传·宣公二年》记："赵穿攻灵公于桃园。宣子未出山而复。大史书曰：'赵盾弑其君。'以示于朝。宣子曰：'不然。'对曰：'子为正卿，亡不越竟，反不讨贼，非子而谁？'宣子曰：'呜呼！《诗》曰：我之怀矣，自诒伊戚。其我之谓矣。'孔子曰：'董狐，古之良史也，书法不隐。赵宣子，古之良大夫也，为法受恶。惜也，越竟乃免。'"[①] 从史学批评史的视角来看，这一记载中提出的重要概念，一是"良史"，一是"书法不隐"。这两个概念在中国史学史上有很大影响。但是，人们对这两个概念被提出来的历史背景却讨论得不多，以至于产生了种种歧义：有的观点认为，孔子只是表彰董狐"书法不隐"，并未称赞赵盾；有的观点认为，赵盾本是杀死晋灵公的幕后指挥与同党，不应受到赞扬；还有的观点认为，赵盾的罪名不论其"越境"与否，都是免不了的，《左传》这种记载表明《左传》作者见识的低下。[②] 笔者甚至还曾见过一篇未刊稿，认为董狐是在曲笔记载史事，因为赵盾并未"弑君"。上述诸多歧见的出现，多

① 《左传·宣公二年》，杨伯峻《春秋左传注》本，中华书局1981年版，第662–663页。
② 参见傅隶朴：《春秋三传比义》，中国友谊出版公司1984年版，第151–154页。

是因为没有对这一事件发生的时代及其特点作出考察，而是就事论事。其实，只要把这一事件放到它所处的春秋时期加以考察，董狐、赵盾、孔子的言行，都可迎刃而解，而这个“刃”就是“礼”。“礼”是当时的社会伦理准则，在“礼”的笼罩之下，董狐反驳赵盾的话是合于“礼”的，孔子赞扬董狐“书法不隐”也是合于“礼”的，孔子惋惜赵盾“为法受恶”则是从另一个角度来维护“礼”的。总之，把《左传》的这一记载置于当时历史条件下来看，自然是合理的。准此，则对于孔子提出的“良史”和“书法不隐”这两个概念就应作历史的看待。这从后人对司马迁的评价中可以看出有关概念内涵的变化。《汉书·司马迁传》记：“然自刘向、扬雄博极群书，皆称迁有良史之材，服其善序事理，辨而不华，质而不俚，其文直，其事核，不虚美，不隐恶，故谓之实录。”① 这里说的“良史”，包含了多种因素，已不同于“礼”笼罩下的“良史”；这里说的“其文直，其事核”等，也不同于“礼”笼罩下“书法不隐”所记载的史事。

然而，问题在于，上述概念在古人那里往往是模糊的，如《周书·柳虬传》记史官柳虬上疏写道：“古者人君立史官，非但记事而已，盖所以为监诫也。动则左史书之，言则右史书之，彰善瘅恶，以树风声。故南史抗节，表崔杼之罪；董狐书法，明赵盾之愆。是知直笔于朝，其来久矣。”② 又如刘知幾《史通·直书》篇写道：“如董狐之书法不隐，赵盾之为法受屈，彼我无

① 班固：《汉书》卷六二《司马迁传》，中华书局1962年版，第2738页。
② 令狐德棻：《周书》卷三八《柳虬传》，中华书局1971年版，第681页。

忤，行之不疑，然后能成其良直，擅名今古。”“若南、董之仗气直书，不避强御；韦、崔之肆情奋笔，无所阿容。”① 文中还有“征诸直词”“务在审实”等说法。由此可以看出，不论是柳虬还是刘知幾，对于“董狐书法”或“书法不隐”与“直笔于朝”或“征诸直词”之间的界限是模糊不清的。

上述事例表明，概念和观念是重要的，但只有考察清楚它们产生于或应用于一定时代的史学研究与社会条件时，才能显示出其重要性。正因为如此，学科话语体系的构建是一个艰难的过程，也是一个绕不过去的“关口”。

再次，对史学批评史上有关的概念、观念作创造性的转化和创新性的发展，使之构建成合理的体系。② 为此，要努力做好两件事。

第一，研究和阐述有关概念、观念提出的社会条件与历史根源。马克思、恩格斯指出：“不是意识决定生活，而是生活决定意识。”③ 如上所述，对于相同概念、观念应用于不同的历史条件与社会环境，其内涵往往有所不同，故必须研究、阐述清楚，使之有可能进入相关的概念或观念体系。对于不同历史条件和社会环境下提出的概念或观念，自应作同样的研究和阐述，并关注此概念或观念与彼概念或观念的关系，以丰富概念或观念的体系构成。

第二，根据唯物史观关于人的认识发展规律和基本原理，重

---

① 刘知幾：《史通·直书》，浦起龙《史通通释》本，上海古籍出版社 2009 年版，第 179、180 页。

② 参见习近平：《在哲学社会科学工作座谈会上的讲话》，《人民日报》2016 年 5 月 19 日。

③ 马克思、恩格斯：《德意志意识形态》，《马克思恩格斯文集》第一卷，人民出版社 2009 年版，第 525 页。

点考察中国史学批评史上那些具有某种合理因素的概念、观念，对其作出合理的解释，使之焕发出新的生命力。如前述刘知幾引用前人的观点用以评论史书，指出："夫史官执简，宜类于斯。苟爱而知其丑，憎而知其善，善恶必书，斯为实录。"① 这是包含了朴素辩证思想的观念。又如杜佑在评论前人的有关争论时，强调不可"将后事以酌前旨"，认为那是"强为之说"的做法。② 这是包含了历史地看待历史的思想，可以看作朴素的历史主义观念。再如章学诚在讲到历史撰述如何处理"天"与"人"的关系时，这样写道："盖欲为良史者，当慎辨于天人之际，尽其天而不益以人也。尽其天而不益以人，虽未能至，苟允知之，亦足以称著述者之心术矣。而文史之儒，竞言才、学、识，而不知辨心术以议史德，乌乎可哉？"③ 这可以看作是怎样处理历史撰述中史学家的主观意识与客观历史的关系，而其核心是尽可能反映客观（尽其天）又尽可能不加入人的主观（不益以人）；同时章学诚又指出，尽管达不到这样的境界，只要努力这样去做，也可以说是懂得著述的要求了。只有做到这种程度，才可称为史德。章学诚的这个观念，用今天的话来说，就是如何理解和处理历史撰述中的主、客体关系。

上述这些事例，在不同程度上都具有一定的合理因素，也都可以在唯物史观指导下给予合理的阐述，使其融入当今的史学研

---

① 刘知幾：《史通·惑经》，浦起龙《史通通释》本，上海古籍出版社2009年版，第374页。

② 参见杜佑：《通典》卷三一《职官十三·王侯总序》，中华书局1988年版，第850页自注。

③ 章学诚：《文史通义·史德》，叶瑛《文史通义校注》本，中华书局2014年版，第258页。

究而获得新的生命力。

准此，如果我们在上述几个层面用大气力、下大功夫，并不断取得成就，即是为创新性发展打下坚实的基础。

应当着重说明的是，概念和观念固然是学科话语体系构建中不可缺少的要素，但我们在认识、解说、运用它们的时候，应当用学科发展的历史以至社会发展的历史加以说明，而不是用它们来说明学科发展的历史以至社会发展的历史。这样，就可避免一种理论上的错误，即恩格斯所批评的那样："不是概念应当和对象相适应，而是对象应当和概念相适应了。"[①] 在中国史学批评史上，刘知幾认为司马迁《史记》为项羽立本纪、为陈涉立世家不合于体例，即意在历史应当适应于体例，而不是体例应当适应于历史，就是类似这种理论上的错误。同时，我们还应当关注恩格斯提出的如下这一观点，即："从我们接受了进化论的时刻起，我们关于有机体的生命的一切概念都只是近似地与现实相符合。"[②] 这里，恩格斯说的是自然科学方面的问题，在哲学社会科学领域也可以作为参考。如在中国史学批评史上很早就出现了"信史""实录"这样的概念，它们反映了中国史学求真的优良传统，但若以此为依据，认为"信史"绝无错误，"实录"绝无不实之处，这就过于绝对了；反之，如若发现"信史"也有错误记载、"实录"也有不妥之处，就认为无"信史""实录"可

① 恩格斯：《反杜林论》，《马克思恩格斯选集》第三卷，人民出版社 2012 年版，第 473 页。

② 恩格斯：《恩格斯致康拉德·施米特》（1895 年 3 月 12 日），《马克思恩格斯选集》第四卷，人民出版社 2012 年版，第 668 页。

言，这就走向历史虚无主义了。可见，对于类似这样的概念，应持有合理的认识和批判。总之，学科话语体系构建，既要大胆探索，又必须谨慎推进。

*　　　　*　　　　*

关于中国史学批评史的研究，现在尚处于起步阶段，我们的认识水平，也处于起步阶段，尤其是史学批评史研究的历史意义、社会意义、学术意义和理论意义，我们现在只有一点粗浅的认识，它的深刻的意义和重要价值，都有待于进一步的发掘、梳理和阐述。一方面我们在研究中要注意从宏观上把握史学批评的大势和发展中提出的重大问题，另一方面也要重视对于个案的分析判断。这样可以使全局同局部相联系、宏观与微观相联系，庶几写出一部比较深入的中国史学批评史。

2017 年 8 月初稿

2019 年 6 月改定

目　录

前　言……………………………………………………………… 1

一、时代风貌与史学面貌 …………………………………………… 1

二、民族史学与史学批评 …………………………………………… 4

第一章　少数民族史学批评的开展 ………………………………… 7

第一节　典籍传播与多民族文化交融 ……………………………… 7

一、经典阅读与经史翻译 …………………………………………… 7

二、史书民族文字译者的鉴识 ……………………………………… 27

第二节　辽金少数民族的史学批评 ………………………………… 32

一、辽代契丹人论史笔 ……………………………………………… 32

二、金代女真及其他少数民族的史学批评倾向 …………………… 34

第三节　元代少数民族的史学批评 ………………………………… 47

一、蒙古族皇帝及贵族基于修史的批评 …………………………… 47

二、色目文臣的史学追求与见解 …………………………………… 52

三、女真与拓跋后裔的史学批评主张 …… 59

第二章　史学名著的传播与史学批评 …… 63

第一节　《贞观政要》的广泛流传与普遍赞誉 …… 63

一、一部富有启迪意义的政治史 …… 63

二、辽夏金元时期《贞观政要》的流传 …… 65

三、《贞观政要》批评及影响 …… 69

第二节　《通鉴》学的新发展与相关评议 …… 73

一、金代《资治通鉴》的传播 …… 73

二、元代《通鉴》学的昌盛 …… 79

第三节　《文献通考》"序""按"中的评点 …… 89

一、通史体裁与典章制度史体例的认识 …… 89

二、部分史书长短得失的议论 …… 93

第四节　富有个性的史书评论 …… 98

一、正史的是非评判 …… 98

二、别史、杂史的褒贬评议 …… 109

第三章　党项西夏史学及史学批评 …… 127

第一节　党项族的史学活动 …… 129

一、党项族的兴起 …… 129

二、党项族的文化习俗 …… 132

三、文化的自觉和历史意识的产生 …… 136

四、政治色彩浓厚的文化特色 …… 139

第二节　西夏史学及史学批评 …… 146

一、党项西夏史学的产生 …… 146
二、主要的史学活动 …… 151

第四章　元修三史反映的史体论 …… 158
第一节　辽金宋三史编纂主导思想中的批评 …… 159
一、关于修史意义的论述 …… 159
二、正统观念引发的史书编纂思想的讨论 …… 165
三、文献取舍与书法批评 …… 173
第二节　《辽史》《金史》《宋史》的体例问题 …… 177
一、修史凡例所呈现的择善而从 …… 177
二、三史序论中体例的点评 …… 180

第五章　史学批评观念的阐释 …… 196
第一节　采撰、事实的理论探讨 …… 196
一、采撰原则 …… 196
二、史实的辨别与信史的要求 …… 208
三、"理"与"人情"概念的运用 …… 215
第二节　史例、史法、史意之论 …… 220
一、史例举例 …… 220
二、史法之论 …… 227
三、史意的解读 …… 237
第三节　良史认识的传承与发展 …… 239
一、关于史官之职的认识 …… 239
二、品评前代史家 …… 242

三、议论当代史官、史家 …… 253
四、良史之志与良史标准 …… 260

第六章　辽夏金元史学批评的特点及意义 …… 265
第一节　史学批评主体的多民族构成 …… 265
一、辽夏金政权史学批评主体的身份 …… 265
二、元代史学批评主体的民族属性 …… 268
第二节　史学批评的多层次与务实性 …… 270
一、立足于治国理政需要的史学批评 …… 270
二、以彰显史学文化为目的的史学评论 …… 276
三、旨在推进史学批评发展的理论探讨 …… 287
第三节　史学批评开展的意义 …… 295
一、推进多民族史学规范发展 …… 295
二、弘扬优秀的历史文化 …… 298

结　语 …… 301

主要参考文献 …… 306

索　引 …… 316

前　言

一、时代风貌与史学面貌

10 世纪至 14 世纪中叶的中国，契丹、党项、女真、蒙古族先后建立政权，在历史舞台上扮演了重要角色，也因此赋予其时代复杂而富于变化的历史内容。大致说来，这一时期辽夏金元政权的历史特征可概括为如下几点。

其一，辽夏金元四个政权的政治统治体系皆经历由简至繁渐趋完善的过程。诸政权的统治初期与中后期政治结构显著不同，大体上是由少数民族为主导向多民族联合协同共治转变。辽初，辽太祖耶律阿保机“变家为国”，仰仗契丹兵将的作战能力，疆土日增，使契丹政权声名远播。但战争状态下的辽朝无暇对契丹旧制作出重大调整，在契丹社会通行了三百余年的世选制很大程度上影响着辽代君主、官长的选举，在军事征服中壮大的契丹权贵把持着重要的权力。辽太宗耶律德光统治时期，由于渤海之地已归辽，继而燕云十六州也并入，又灭亡后晋，辽朝境内渤海人、汉人的比重大增，“以国制治契丹，以汉制待汉人”的因俗而治管理理念得到了执政者的认可。辽世宗耶律阮以后的七帝，尤其是辽景宗耶律贤、辽圣宗耶律隆绪统治时期，用人政策发生了重大变化，汉人有能力者被委以重任，以契丹皇帝为首的多民族联合执政的格局更趋合理。当然，契丹君主普遍重视契丹民族传统，辽朝的因俗而治是以契丹政治制度为根本的多制并存，四时捺钵制、斡鲁朵制、部族制使其政权的运作机制颇具民族特色，南北面官制、五京制、州县制又体现了兼容并包的一面。西夏立国之初亦多存党项旧制，与辽朝类似，但后来制度方面的融通越来越强。金代前期，即金太祖完颜阿骨打、金太宗完颜晟统治时期，以女真传统制度为主，由诸勃极烈组成朝政中枢，地方上推广猛安谋克制。金熙宗完颜亶即位后开始进行政治改革，废除勃极烈制代之以三省制，地方则采用猛安谋克与州县并行制。随着女真人大量迁往中原，濡染汉人风俗，汉化倾向明显，制度兼容甚至以汉制为主更是大势所趋。蒙元政权的政治体系前后差别也比较大，其前四汗统治时期多行蒙古旧制，至元世祖忽必烈即位后，接受各族谋臣的建议，开始“祖述变通”，既保持蒙古旧制，又采行汉法，千户制、分封制、怯薛制长期沿用，皇帝制度、中书省六部制、监察制度等也逐渐完备。总体上说，辽夏金元各政权的统治方略和制度体系包含民族性的内容，也都有包容性，因时因势而变是其政治统治表现出的主要特点。

其二，北方经营和开发成就显著。辽夏金元无一例外，立国的基础在北方，北方也是它们政治中心及核心区域所在。辽、西夏、金更是北方政权，在军事征服背景下，大规模的强制移民和为避战乱自发的移民，给北方带来劳动力的同时也带动了技术更新，客观上为其地经济的恢复和发展提供了助力。元代在统一局势下，着力经营其根本之地，在辽、西夏、金开发建设北方的基础上，元代北方经济结构日益完善，农牧并举，手工业、商业活跃，呈现出前所未有的繁荣景象，在社会稳定时期，当时的北方充满生机和活力。

其三，各民族的广泛接触和交往，使民族间的重新组合及融合成为其时代又一重要特征。辽夏金元从实质上说都是以少数民族为最高统治者的多民族政权，契丹、党项、女真和蒙古族在发展壮大过程中不同程度吸纳了其他民族，他们为防范征服民族的反叛，也有意识地推行民族迁徙和民族分化政策，使不同民族交错分布，形成大杂居小聚居的局面。在相对和谐的社会环境下，各民族长期的杂居共处，民族间的通婚，生产、生活中彼此互助，相互联系频繁，多种因素综合作用，多民族文化交融成为重要的历史发展趋势。

一个时代的史学是其时代历史的映照，辽夏金元政权历史演进所呈现的上述特征是其史学的历史基础，也孕育了其史学的气象和风格。这一时期这四个政权史学的发展几乎都经历了与其政权政治体系构建类似的发展过程，由无到有，由简到繁。就修史制度而言，诸政权由初期的临时委派官员负责史事记录，到设立修史机构，形成分工合理的组织体系，由重点关注政事记载，到追求多方面展示历史面貌，由主要关注当下，到顾及从前、过往及周围政权的历史文化。总体上看，辽夏金元时期的史学与此前汉唐史学一脉相承，从根本上说继承了中国史学优良的传统，承前启后，有传承，也有发展，尤其是其民族史学的发展凸显了时代风貌。

二、民族史学与史学批评

辽夏金元时期是民族史学发展的大时代。具体表现在其时的史职不再是汉族士人的专职，辽代的史官有汉人，也有契丹人；西夏的史官有汉人，也有党项人；金代的史官有汉人、女真人、契丹人，还有其他民族的人；元代的史官有汉人、契丹人、女真人、色目人（包括畏兀儿人、唐兀人、康里人等）、蒙古人。多民族的史官构成集中反映了多民族多元文化对史学的影响。这一时期的民族史撰述也取得了可观的成就，不仅一些传统经史之书被译成契丹文、党项文、女真文、蒙古文，还出现了以蒙古文书写的民族史著述。其间以汉文撰写的一些史书包含多民族历史内容，记述了多民族政权历史发展的方方面面，也反映了其时代的民族观、一体观及历史文化认同思想。

需要强调的是，作为多民族的政权，历史撰述承载众多民族历史在我国有悠久的传统。《春秋》《左传》《史记》《汉书》及其之后的很多史书都不同程度地记录了各个时期的民族情况，辽夏金元的史官、史家更是发扬这一传统，将民族史、民族关系史、多民族政权史作为核心内容予以记录。其中，实录就是其时民族史撰述中具有代表性的成果。就辽朝而言，修史活动开始较早，辽太宗会同四年（941）就诏令有司编《始祖奇首可汗事迹》，奇首可汗是辽代契丹人记忆中最早的领袖，编纂奇首可汗事迹，旨在追溯契丹祖源，弘扬契丹先祖的功绩，构建契丹民族史。辽太宗之后的辽世宗、辽穆宗、辽景宗理应有修史活动，但《辽史》简略，未见具体记载。辽圣宗统和年间以后，实录的编纂进上才屡有记载，最终一代史迹汇成耶律俨《皇朝实录》，流传至金元时期。西夏也有实录纂修，其情况不详。金朝实录编纂自金太宗天会六年（1128）访求祖宗遗事起，至金哀宗正大五年（1228）完成《宣宗实录》为止，整整百年，先后修纂完成了十部实录：《祖宗实录》《太祖实录》《太宗实录》《睿宗实录》《熙宗实录》《海陵实录》《世宗实录》《显宗实录》《章宗实录》《宣宗实录》，加上《卫王事迹》，一代之史仅缺金哀宗一朝，这些《实录》为元朝修《金史》提供了史实依据。元代承继辽夏金宋的文化遗产，多民族史学有进一步的发展，先后修撰了十七部实录，也编纂了反映蒙古民族早期历史的《蒙古秘史》，完成了《辽史》《金史》《宋史》三部正史之制作，典制体史书《文献通考》《经世大典》颇具规模，地理书《元一统志》气势恢弘，域外史和其他历史撰述也有成果。值得肯定的是，这一时期的民族史著述反映了民族特点和时代精神，在多个层面显示了民族史学的进步，包括史书编纂方法、表现形式和编纂思想，契丹族、党项族、女真族、蒙古族的历史在朝代史中得以兼顾，比如《金史》在《太祖本纪》之前设有《世纪》记载女真族先世主要历史人物及重要史实，元代用畏兀儿蒙古文所作的《蒙古秘史》采用了史事与史诗交织的形式，文字、文风都有蒙古民族特点。元末修辽、宋、金三史站在多民族国家的立场上，摒弃了偏狭的正统观，三史分修、各与正统。这也是多民族历史文化认同在史学思想上产生的积极影响。

值得重视的是，辽夏金元民族史学的进步，离不开各族各社会阶层有识之士对史学活动的关注、参与，他们在研读经史过程中所表达的对史家、史书、史学的认识，以及在参与社会与史学活动中自觉反思历史，遵从前人拟定的史学规范，认真分析历史与现实的问题而提出的看法，这些都不同程度上促进了史学的发展。可以明确，史学批评的广泛开展，为辽夏金元史学的制度化、民族史撰述质量的提升，以及史学观念、理论的形成发挥了积极的作用。本书将紧紧围绕着史学批评主题，就各族史官、史家，少数民族皇帝、各族文臣武将及普通士人的具体有针对性的批评言论进行分析，力图比较全面地总结不同学养、不同社会地位人们的史学批评思想，加深对这一时代史学批评推进史学发展及社会文明进步的理解和认识。

第一章　少数民族史学批评的开展

辽夏金元时期的史学发展具有明显的民族特色，不仅在史官和史家队伍中少数民族占有一定的比例，一些少数民族皇帝和贵族也积极接受和吸收中国传统的史学思想，而且随着多民族文化交融的深入，他们也形成了一定的史学批评观念。

第一节　典籍传播与多民族文化交融

一、经典阅读与经史翻译

（一）经典的流传与研读

辽夏金元都是由少数民族为主导建立的政权，但又都是汉族人数占绝对多数的多民族政权。因此，多民族联合执政是这四个政权实际的选择，在持续四百余年时间里，典籍是各民族文化交融的纽带和桥梁。需要说明的是，由于契丹、党项、女真、蒙古族文字都是建立政权后吸纳其他民族文字创制的，汉族文字产生较早且有丰富的典籍，因此汉文经典成为滋养各族人民的共同的精神食粮。

辽代从立国之初就确立了孔子神圣的地位。科举考试也主要从经、传、子、史内出题。金人李世弼撰有《登科记序》，他在文中提到金初“循辽旧”的科举考试“以《书》《诗》《易》《礼》《春秋》为次”[①]，说明辽代科举主要考五经及相关内容。高福顺研究认为，辽代科举考试内容之常态是如此，但也有超出“经传子史”范围的“即兴”或“时政”策试内容，但总体上还是以五经及其传疏为主的。[②] 科举对读书人学习具有导向作用，辽代汉族读书人普遍阅读五经子史，好学之士也往往博通经史或对某些经典之作有很深的造诣。据文献记载，太平十一年（1031）进士杨皙，“幼通《五经大义》”[③]；清宁五年（1059）进士王鼎，“幼好学，居太宁山数年，博通经史”[④]；辽穆宗时期入仕的王裕“涉猎四经”[⑤]；辽道宗清宁五年登甲科的梁援，“五岁诵《孝经》《论语》《尔雅》，十一通《五经大义》”[⑥]。辽代契丹人早就与中原政权有往来，也与汉人有接触，辽朝立国之初，辽太祖耶律阿保机和其长子耶律倍敬大功德者而推举孔子，建孔子庙，证明他们父子二人都有汉文化修养，耶律倍自幼聪敏

---

① 李世弼：《金登科记序》，王恽：《玉堂嘉话》卷五引，杨晓春点校本，中华书局 2006 年版，第 129 页。

② 高福顺：《科举与辽代社会》，中国社会科学出版社 2015 年版，第 79-81 页。

③ 脱脱等：《辽史》卷八九《杨皙传》，中华书局 1974 年版，第 1351 页。

④ 脱脱等：《辽史》卷一〇四《文学传下·王鼎传》，中华书局 1974 年版，第 1453 页。

⑤ 董□：《王裕墓志》，向南：《辽代石刻文编》，河北教育出版社 1995 年版，第 63 页。

⑥ 孟初：《梁援墓志》，向南：《辽代石刻文编》，河北教育出版社 1995 年版，第 520 页。

好学，长大后又“工辽、汉文章”[1]，他阅读的也主要是儒家典籍。辽初，“多预军谋”的耶律羽之也是文武兼备的人物，《辽史》其本传称他“幼豪爽不群，长嗜学，通诸部语”[2]。据其墓志铭，他习佛法，读儒书，所谓“于辅政之余，养民之暇，留心佛法，耽味儒书。入箫寺则荡涤六尘，退庙堂则讨论五典”[3]。辽太祖的弟弟迭剌的孙子耶律琮读书废寝忘食，《耶律琮神道碑》称其“讨六经而修德”[4]。辽代的一些文臣以经史所记引导为君者汲取历史的经验教训，比如室昉在统和元年（983）“进《尚书·无逸篇》以谏，太后闻而嘉奖”[5]；辽圣宗耶律隆绪阅读唐高祖、唐太宗、唐玄宗三纪，马得臣“录其行事可法者进之”[6]。有些辽代的帝王、贵族能够自觉学习儒家经典。比如，大安四年（1088）四月，辽道宗耶律洪基“召枢密直学士耶律俨讲《尚书·洪范》”[7]，他也曾亲自出题试进士，还诏令有司颁行《史记》《汉书》；[8] 辽景宗的外孙女秦晋国妃，自幼好学，其墓志曰：“妃幼而聪警，明晤若神。博览经史，聚书数千卷。……每商榷今古，谈论兴亡，坐者耸听。又好品藻人物，月旦雌黄，鉴别臧否，言亦屡中。治家严肃，童仆侧目。僻嗜书

① 脱脱等：《辽史》卷七二《宗室传·义宗倍传》，中华书局1974年版，第1211页。

② 脱脱等：《辽史》卷七五《耶律羽之传》，中华书局1974年版，第1238页。

③ 邢明远：《耶律羽之墓志》，向南、张国庆、李宇峰辑注：《辽代石刻文续编》，辽宁人民出版社2010年版，第4页。

④ 郭青：《耶律琮神道碑》，盖之庸编著：《内蒙古辽代石刻文研究》，内蒙古大学出版社2002年版，第46页。

⑤ 脱脱等：《辽史》卷七九《室昉传》，中华书局1974年版，第1271页。

⑥ 脱脱等：《辽史》卷八〇《马得臣传》，中华书局1974年版，第1279页。

⑦ 脱脱等：《辽史》卷二五《道宗本纪五》，中华书局1974年版，第296页。

⑧ 脱脱等：《辽史》卷二三《道宗本纪三》，中华书局1974年版，第275-276页。

传，晚节尤甚。历观载籍，虽古之名妃贤御，校其梗概，则未有学识该洽、襟量宏廓如斯之比也。”[①] 辽道宗耶律洪基不仅本人重视经典学习，也注意其子孙教育，他曾命令其孙耶律延禧写《尚书·五子之歌》[②]。契丹贵族普遍重视子弟的文化教育，年幼者多从汉人学习经史，苏辙《龙川略志》“契丹来议和亲”条提及：“燕人有梁济世为雄州谍者，尝以诗书教契丹公卿子弟，先得其国书本以献。”[③] 这里提到的雄州谍者梁济世正是借着给契丹公卿子弟教授诗书而窃得契丹国书，这条记载反映出契丹贵族子弟所受的教育也都是诗书教育。正因为辽朝贵族重视教育，使汉文经典得以在辽境流传，辽人所撰文章也常征引经典之句。学者孟广耀考索辽人引证儒家经书，列举和分析了辽人文章中所引《周易》《尚书》《诗经》《三礼》《左传》《论语》《孝经》《孟子》等书。[④]

西夏统治者同样尊重孔子，任用儒臣。宋人富弼在庆历四年（1044）曾上河北守御十二策，其中提到：“自契丹侵取燕、蓟以北，拓跋自得灵、夏以西，其间所生豪英，皆为其用。得中国土地，役中国人力，称中国位号，仿中国官属，任中国贤才，读中国书籍，用中国车服，行中国法令，是二敌所为，皆与中国等。”[⑤] 在这里富弼所讲契丹辽朝和西夏都接纳中国文化，“读中

---

① 陈觉：《秦晋国妃墓志》，向南：《辽代石刻文编》，河北教育出版社 1995 年版，第 341 页。
② 脱脱等：《辽史》卷二五《道宗本纪五》，中华书局 1974 年版，第 296 页。
③ 苏辙：《龙川略志》卷四“契丹来议和亲”，俞宗宪点校本，中华书局 1982 年版，第 21 页。
④ 孟广耀：《儒家文化——辽皇朝之魂》，哈尔滨出版社 1994 年版，第 229-241 页。
⑤ 李焘：《续资治通鉴长编》卷一五〇“仁宗庆历四年六月戊午”，中华书局 2004 年版，第 3640-3641 页。

国书籍”便是其中一个表现。虞集所撰《故西夏相斡公画像赞》也讲：“西夏之盛，礼事孔子，极其尊亲，以帝庙祀。乃有儒臣，蚤究典谟。通经同文，教其国都。遂相其君，作服施采。顾瞻学宫，遗像斯在。国废人远，人鲜克知。坏宫改作，不闻金丝。不忘其亲，在贤孙子。载图丹青，取征良史。”① 宋元两代人所了解的西夏都重视阅读和教授儒家典籍，但其经典流传情况后世所知有限。按照《宋史·夏国传》，宋仁宗嘉祐七年（1062），宋夏关系较为缓和，西夏有进献马匹之举，且索求九经与《唐史》《册府元龟》等书，宋仁宗诏令赐予九经，归还所献马匹。② 九经自然是儒家经典。从西夏文翻译的书籍来看，《贞观政要》也是西夏人喜爱读的史书。

金代“尊孔崇儒”的文教政策是在辽、宋文化的影响下形成的。因为金统治者直接继承了辽、北宋的文化遗产，同时将辽、北宋的文人、儒臣纳入金统治者阵营，当然也采用了他们的建议和主张。另外，女真有识之士，包括最高统治者在内的文化认同，同样在确立有金一代“尊孔崇儒”的文教政策中起到不可低估的作用。金太祖、金太宗重视文臣在治理国家方面的重要作用，他们求取能文之人、开科选取人才的同时，还将子孙的教育交给儒学之士。如金初贵族多招硕学之士教导子弟。金熙宗完颜亶幼年从学于原辽名士燕人韩昉③，海陵王完颜亮及其兄完颜

---

① 虞集：《故西夏相斡公画像赞，并序》，《虞集全集》，王颋点校本，天津古籍出版社2007年版，第321页。

② 脱脱等：《宋史》卷四八五《外国传·夏国传上》，中华书局1977年版，第14002页。

③ 徐梦莘：《三朝北盟会编》卷一六六引《金节要》，上海古籍出版社2008年版，第1197页。

充幼年都曾从学于名儒张用直[①]，完颜希尹（悟室）八子曾从学于洪皓[②]，可以说金代文化教育发展的定位，金太祖、金太宗时期已经初步确定。到金熙宗、海陵王、金世宗统治时期，因为他们都是在儒家文化熏陶下长大的帝王，他们将金代“尊孔崇儒”的文教政策进一步完善。一般说来，金代的教育体系是由汉、女真两套学校系统构成，但女真学校教授的内容同样也是儒家经典，只不过强调了女真语言和文字的学习，着力于女真民族文化的建设。“熙宗款谒先圣，北面如弟子礼”[③]，儒学的至尊地位已经确立。应该说，阅读儒家典籍是金代各族各阶层的人们谋求国家发展和提升自身素质的有效途径，而女真族皇帝在其中起了示范作用。在金代九帝中，熙宗、世宗、章宗对儒家经典以及诸史都投入大量的精力去研读，并在实践中加以灵活的运用。史载，金熙宗读《论语》《尚书》《春秋左氏传》《通历》《唐律》及诸史。[④] 金世宗阅读过《尚书》《贞观政要》《资治通鉴》《汉书》《唐史》等书，他常引经据典，并能以史为鉴多方类比以解决现实问题。比如，他曾对大臣们说：“《书》曰：‘汝无面从，退有后言。’朕与卿等共治天下，事有可否，即当面陈。卿等致位卿相，正行道扬名之时，偷安自便，徼幸一时，如后世何？”[⑤] 金章宗完颜璟因为是金世宗的嫡孙，从小被重点培养。他十岁时

---

① 脱脱等：《金史》卷一〇五《张用直传》，中华书局 1975 年版，第 2314 页。
② 脱脱等：《宋史》卷三七三《洪皓传》，中华书局 1977 年版，第 11559 页。
③ 脱脱等：《金史》卷一二五《文艺传上》序，中华书局 1975 年版，第 2713 页。
④ 脱脱等：《金史》卷一〇五《孔璠传》，中华书局 1975 年版，第 2311 页。
⑤ 脱脱等：《金史》卷一〇五《杨伯雄传》，中华书局 1975 年版，第 2319 页。

“始习本朝语言小字，及汉字经书，以进士完颜匡、司经徐孝美等侍读”①，他也喜欢读《春秋左氏传》②。金代学校所用的经史子集有通行的注本，由国子监统一印制③。金代科举考试规定在“四书”“五经”“十七史”中出题，旨在选拔综合性人才，但各科目侧重点不同，题目多体现统治者的意志，往往与当时的政治经济形势、社会所关注的问题密切相关，具有很明显的时事政治性，天会四年（1126）的真定榜，考官所出的策论题目是“上皇无道，少主失信”④。正是在尊孔崇儒文教政策的指导下，金代各族官吏及求学之士多能通经懂史，比如，完颜勖的儿子完颜宗秀，“涉猎经史，通契丹大小字”⑤；出于景祖一系的太尉讹论的少子完颜宗道，“通《周易》《孟子》”⑥；完颜希尹的孙子完颜守贞，“刚直明亮，凡朝廷论议及上有所问，皆傅经以对”⑦；完颜宗干的孙子永元，“幼聪敏，日诵千言。皇统元年，试宗室子作诗，永元中格。善《左氏春秋》，通其大义”⑧；由辽

---

① 脱脱等：《金史》卷九《章宗本纪一》，中华书局1975年版，第207页。

② 脱脱等：《金史》卷九五《移剌履传》，中华书局1975年版，第2100页。

③ 脱脱等：《金史》卷五一《选举志一》记载：“凡经，《易》则用王弼、韩康伯注，《书》用孔安国注，《诗》用毛苌注、郑玄笺，《春秋左氏传》用杜预注，《礼记》用孔颖达疏，《周礼》用郑玄注、贾公彦疏，《论语》用何晏集注、邢昺疏，《孟子》用赵岐注、孙奭疏，《孝经》用唐玄宗注，《史记》用裴骃注，《前汉书》用颜师古注，《后汉书》用李贤注，《三国志》用裴松之注，及唐太宗《晋书》、沈约《宋书》、萧子显《齐书》、姚思廉《梁书》《陈书》、魏收《后魏书》、李百药《北齐书》、令狐德棻《周书》、魏徵《隋书》、新旧《唐书》、新旧《五代史》、《老子》用唐玄宗注疏，《荀子》用杨倞注，《扬子》用李轨、宋咸、柳宗元、吴祕注，皆自国子监印之，授诸学校。”（中华书局1975年版，第1131–1132页）

④ 武玉环、高福顺、都兴智、吴志坚：《中国科举制度通史·辽金元卷》，上海人民出版社2017年版，第241页。

⑤ 脱脱等：《金史》卷六六《始祖以下诸子传》，中华书局1975年版，第1560页。

⑥ 脱脱等：《金史》卷七三《宗道传》，中华书局1975年版，第1677页。

⑦ 脱脱等：《金史》卷七三《守贞传》，中华书局1975年版，第1690页。

⑧ 脱脱等：《金史》卷七六《永元传》，中华书局1975年版，第1744页。

入金的韩企先，“博通经史，知前代故事，或因或革，咸取折衷”[①]；耨盌温敦兀带，“天会间，充女直字学生，学问通达，观书史，工为诗”[②]；唐括安礼，“好学，通经史，工词章，知为政大体”[③]；完颜承裕，“颇读孙、吴书”[④]；梁襄，“长于《春秋左氏传》，至于地理、氏族，无不该贯”[⑤]；刘景玄为学“无所不窥”，“六经、百氏外，世谱、官制、地理与兵家所以成败者为最详”[⑥]；吴庭秀，“博览强记，九经传注，率手自抄写，且讽诵不去口。史书又其专门之学”[⑦]；等等。甚至一些出身好的女性也好读典籍，金章宗母亲显宗孝懿皇后徒单氏，“好《诗》《书》，尤喜老、庄”[⑧]；金宣宗母亲显宗昭圣皇后刘氏，“性聪慧，凡字过目不忘。初读《孝经》，旬日终卷。最喜佛书”[⑨]。一些人研读经史子集而有收获，则成为经史诗赋研究的专门人才。比如，范拱，“九岁能属文，深于《易》学”[⑩]；张暐，“最明古今《礼》学”[⑪]；杨云翼，“所著文集若干卷，校《大金礼仪》若干卷，《续通鉴》若干卷，《周礼辨》一篇，左氏、庄、列赋

---

① 脱脱脱：《金史》卷七八《韩企先传》，中华书局1975年版，第1778页。
② 脱脱等：《金史》卷八四《耨盌温敦兀带传》，中华书局1975年版，第1884页。
③ 脱脱等：《金史》卷八八《唐括安礼传》中华书局1975年版，第1963页。
④ 脱脱等：《金史》卷九三《完颜承裕传》，中华书局1975年版，第2065页。
⑤ 脱脱等：《金史》卷九六《梁襄传》，中华书局1975年版，第2138页。
⑥ 元好问：《刘景玄墓铭》，狄宝心校注：《元好问文编年校注》，中华书局2012年版，第95页。
⑦ 元好问：《十七史蒙求序》，狄宝心校注：《元好问文编年校注》，中华书局2012年版，第1116页。
⑧ 脱脱等：《金史》卷六四《后妃传下》，中华书局1975年版，第1525页。
⑨ 脱脱等：《金史》卷六四《后妃传下》，中华书局1975年版，第1526页。
⑩ 脱脱等：《金史》卷一〇五《范拱传》，中华书局1975年版，第2312页。
⑪ 脱脱等：《金史》卷一〇六《张暐传》，中华书局1975年版，第2329页。

各一篇”[1]；赵秉文，“所著《易丛说》十卷、《中庸说》一卷、《扬子发微》一卷、《太玄笺赞》六卷、《文中子类说》一卷、《南华略释》一卷、《列子补注》一卷，删集《论语》《孟子》解各一十卷。生平文章号《滏水集》者，前后三十卷，《资暇录》十五卷”[2]。与辽朝相比，金代阅读经典的人群有进一步的扩大，按照《金史·完颜匡传》，金朝中后期，即使是皇族子弟也需要学习“国朝语”了[3]，因为汉语已成为最为通用的语言，女真人也不常用女真语，《金史》之《世宗纪》《章宗纪》和《世纪补》的相关记载也证实了这一点。[4] 而且，自金世宗朝，女真文所译汉文经史在有条不紊地进行，主要的典籍也有了女真文文本。总之，金朝科举的导向作用和金朝一些皇帝的率先垂范，金代各族从学者都把阅读经典视为为学的重要途径。

元朝实现了空前规模的大统一，受金、宋文化的影响，儒家

---

① 元好问：《内相文献杨公神道碑铭》，狄宝心校注：《元好问文编年校注》，中华书局2012年版，第163页。

② 元好问：《闲闲公墓铭》，狄宝心校注：《元好问文编年校注》，中华书局2012年版，第271页。

③ 脱脱等：《金史》卷九八《完颜匡传》记载：“大定十九年，章宗年十余岁……七月丁亥，宣宗、章宗皆就学，显宗曰：‘每日先教汉字，至申时汉字课毕，教女直小字，习国朝语。’”（中华书局1975年版，第2163页）

④ 脱脱等：《金史》卷八《世宗本纪下》记载，大定二十五年十二月丙子：“上问宰臣曰：‘原王大兴行事如何？’右丞斡特剌对曰：‘闻都人皆称之。’上曰：‘朕令察于民间，咸言见事甚明，予夺皆不失当，曹、豳二王弗能及也。又闻有女直人诉事，以女直语问之，汉人诉事，汉语问之。大抵习本朝语为善，不习，则淳风将弃。’”（中华书局1975年版，第191页）《金史》卷九《章宗本纪一》：“（大定）二十五年三月，万春节，复奉表朝贺。……十二月，进封原王，判大兴府事。入以国语谢，世宗喜，且为之感动，谓宰臣曰：‘朕尝命诸王习本朝语，惟原王语甚习，朕甚嘉之。’”（中华书局1975年版，第208页）《金史》卷一九《世纪补·显宗》：“（大定）十年八月，帝在承华殿经筵，太子太保寿王爽启曰：‘殿下颇未熟本朝语，何不屏去左右汉官，皆用女直人。’帝曰：‘谕德、赞善及侍从官，曷敢辄去？’爽乃揖而退。”（中华书局1975年版，第412页）

学说仍是其社会思想的主流。以中原传统文化为主的多民族文化共同发展是元代文化的一大特色。[①] 元人的经、史、子、集研读者大致包括这样四类人：儒士（包括理学家）、儒生（官私学校的学生）、蒙古王公贵族以及各级官吏。

蒙古社会原本没有儒士阶层，攻西夏、金过程中陆续得到儒学之士，一些人为其所用[②]，南宋灭亡后，其境内已有大量的儒士，他们多经过改朝换代的社会变迁，但阅读儒书仍然是他们不愿放弃的习惯。比如元好问笔下的高雄飞，“卓然以问学为业，真积力久，故胸中之言多六经、百氏、《史》、《汉》、陈、范之书，司马氏、范氏《通鉴》、《唐鉴》之学，六朝、唐以来之篇什，驰骋上下，累百数万言，往往见于成诵”[③]。其中的一些人以他们的政治主张影响蒙古王公贵族，更多的人成为文化知识的传授者，成为蒙古、色目、汉人等各族子弟的老师[④]，或成为服务于官府的胥吏。随着蒙古、色目人大量徙居中原而与汉民杂居共处，蒙古、色目人中也出现了士人阶层。萧启庆研究认为：“由于汉文化的吸引力、中原环境的熏染以及政治的诱因，‘弃

---

① 参见陈高华、张帆、刘晓：《元代文化史·绪论》，广东教育出版社 2009 年版，第 5 页。

② 宋濂等：《元史》卷一四六《耶律楚材传》记载，蒙古军攻下汴京后，除了在耶律楚材的请求下没有屠城外，“楚材又请遣人入城，求孔子后，得五十一代孙元措，奏袭封衍圣公，付以林庙地。命收太常礼乐生，及召名儒梁陟、王万庆、赵著等，使直释九经，进讲东宫。又率大臣子孙，执经解义，俾知圣人之道”。（中华书局 1976 年版，第 3459 页）

③ 元好问：《送高雄飞序》，狄宝心校注：《元好问文编年校注》，中华书局 2012 年版，第 1219 页。

④ 宋濂等：《元史》卷一四六《杨惟中传》记载：“皇子阔出伐宋，命惟中于军前行中书省事。克宋枣阳、光化等军，光、随、郢、复等州，及襄阳、德安府，凡得名士数十人，收伊、洛诸书送燕都，立宋大儒周惇颐祠，建太极书院，延儒士赵复、王粹等讲授其间，遂通圣贤学，慨然欲以道济天下。”（中华书局 1976 年版，第 3467 页）

弓马而就诗书’的蒙古、色目子弟与日俱增，而在科举制度恢复之后，蒙古、色目士人不仅人数大增，而且钻研愈广，从儒学的研习登入文学与艺术的殿堂。在蒙古、色目族群中，士人阶层遂告产生。”①

除了各族儒士阅读经史子集之外，元代各族学生大多以传统汉文典籍为教材，尤其是儒家经典。蒙古王公贵族为了更好地管理国家，也积极提升汉文化修养，他们请人讲授或自觉地有选择地学习一些经史。《元史·王鹗传》记载：“甲辰冬，世祖在藩邸，访求遗逸之士，遣使聘鹗。及至，使者数辈迎劳，召对。进讲《孝经》《书》《易》及齐家治国之道、古今事物之变，每夜分，乃罢。世祖曰：‘我虽未能即行汝言，安知异日不能行之耶！’岁余，乞还，赐以马，仍命近侍阔阔、柴祯等五人从之学。”②《元史·泰定帝本纪》也记载，泰定元年（1324）二月甲戌，“江浙行省左丞赵简，请开经筵及择师傅，令太子及诸王大臣子孙受学，遂命平章政事张珪、翰林学士承旨忽都鲁都儿迷失、学士吴澄、集贤直学士邓文原，以《帝范》《资治通鉴》《大学衍义》《贞观政要》等书进讲，复敕右丞相也先铁木儿领之。”③

值得注意的是，元代重视经典学习的皇帝会通过赐书督促臣下从经典中汲取政治智慧。比如，元仁宗爱育黎拔力八达在武宗朝被立为皇太子，他重视收求四方经籍，当时有人进《大学衍

---

① 萧启庆：《元朝多族士人圈的形成初探》，《内北国而外中国：蒙元史研究》，中华书局2007年版，第507页。

② 宋濂等：《元史》卷一六〇《王鹗传》，中华书局1976年版，第3756页。

③ 宋濂等：《元史》卷二九《泰定帝本纪一》，中华书局1976年版，第644页。

义》，他命令王约等节译，他认为《大学衍义》是能发挥资治作用的最重要的书，于是他命令有司“与《图像孝经》《列女传》并刊行，赐臣下”[①]。元英宗硕德八剌也很看重《大学衍义》有关修身治国方面内容，也曾以《大学衍义》印本颁赐群臣。[②]“四书”“五经”在元代成为各族科考必须学习的书籍，具体考试程式是：

> 蒙古、色目人，第一场经问五条，《大学》《论语》《孟子》《中庸》内设问，用朱氏章句集注。其义理精明、文辞典雅者为中选。第二场策一道，以时务出题，限五百字以上。汉人、南人，第一场明经经疑二问，《大学》《论语》《孟子》《中庸》内出题，并用朱氏章句集注，复以己意结之，限三百字以上；经义一道，各治一经，《诗》以朱氏为主，《尚书》以蔡氏为主，《周易》以程氏、朱氏为主，已上三经，兼用古注疏，《春秋》许用《三传》及胡氏《传》，《礼记》用古注疏，限五百字以上，不拘格律。第二场古赋诏诰章表内科一道，古赋诏诰用古体，章表四六，参用古体。第三场策一道，经史时务内出题，不矜浮藻，惟务直述，限一千字以上成。蒙古、色目人，愿试汉人、南人科目，中选者加一等注授。蒙古、色目人作一榜，汉人、南人作一榜。第一名赐进士及第，从六品；第二名以下及第二

---

① 宋濂等：《元史》卷二四《仁宗本纪一》，中华书局1976年版，第536页。
② 宋濂等：《元史》卷二七《英宗本纪一》，中华书局1976年版，第608页。

甲，皆正七品；第三甲以下，皆正八品，两榜并同。[①]

可见，元朝科举考试所考的内容紧紧围绕着“四书”“五经”，而且尽量采用程朱注释，有学者研究认为：“元代开始采用程、朱理学作为科举标准，并被明清两代延续，影响后世数百年。”[②] 应该说元代科举考试所考内容产生的影响还是较为深远的。元代的科举也不只是强调明经，词赋的重要性也有所体现，“古赋诏诰章表”依然要考便是明证。随着经史词赋的阅读越来越为各族人重视，相应的研究成果也层出不穷。经学阐释和研究性著述自元世祖忽必烈中统年间以后就不断有新作问世，比如，中统元年（1260）七月，李简《学易记》九卷成；中统四年（1263）二月，郝经《一王雅》成；至元二年（1265），郝经《春秋三传折衷》五十卷成；至元三年（1266），商挺、姚枢、窦默、王鹗、杨果编纂的《五经要语》完成；至元九年（1272）正月，郝经《周易外传》八十卷成；等等[③]。尤其是元灭宋后，儒者队伍进一步扩大，科举考试主要从“四书”“五经”内出题，经学的研究更加昌盛。

（二）不同民族译本的经史陆续出现

辽夏金元时期用多种民族文字翻译经史成为多民族史学发展

① 宋濂等：《元史》卷八一《选举志一》，中华书局1976年版，第2019页。

② 武玉环、高福顺、都兴智、吴志坚：《中国科举制度通史·辽金元卷》，上海人民出版社2017年版，第468页。

③ 周春健、吴国武：《辽金元经学学术编年》，凤凰出版社2015年版，第163、171、177、185、197页。

的一种新现象。清人钱大昕《元史艺文志》的经类中列有“译语”类，列出辽金元三朝以契丹字、女真字和蒙古字所译汉文经史、医学、文字等书和以汉文译蒙文史籍，共三十余部。[①] 通观《辽史》《金史》《宋史》《元史》，辽夏金元以民族文字所译的书籍不止三十余部。

辽朝建立之初，以契丹文翻译的汉文书籍主要基于实用的目的，或出于兼通契丹、汉文者个人的兴趣。比如，辽太祖的长子耶律倍，“通阴阳，知音律，精医药、砭焫之术，工辽、汉文章”，他曾译《阴符经》[②]。《辽史·耶律庶成传》也记载：“初，契丹医人鲜知切脉审药，上命庶成译《方脉书》行之，自是人皆通习，虽诸部族亦知医事。”[③] 这些都是旨在推广某种专门的技艺而进行的翻译。到辽兴宗重熙年间，萧韩家奴受诏译诸书，他欲帝知古今成败，于是翻译《通历》《贞观政要》和《五代史》。[④] 这是辽朝翻译的重要的汉文经史著作。需要说明的是，这次辽朝所译汉文的经史之书是最高统治者下诏命，指示文臣翻译的，与朝廷的指导方针紧密相关，但书籍的选择则体现了译者的识见。

西夏大概在元昊称帝立国前后也创制了文字，宋人称之为“蕃书”[⑤]。《宋史·夏国传》记载：“元昊自制蕃书，命野利仁荣

---

① 参见钱大昕《元史艺文志》，陈文和主编：《嘉定钱大昕全集》第 5 册，凤凰出版社 2016 年版，第 150 页。

② 脱脱等：《辽史》卷七二《宗室传·义宗传》，中华书局 1974 年版，第 1211 页。

③ 脱脱等：《辽史》卷八九《耶律庶成传》，中华书局 1974 年版，第 1349 页。

④ 脱脱等：《辽史》卷一〇三《文学传上·萧韩家奴传》，中华书局 1974 年版，第 1450 页。

⑤ 李蔚：《简明西夏史》，人民出版社 1997 年版，第 330–331 页。

演绎之，成十二卷，字形体方整类八分，而画颇重复。教国人纪事用蕃书，而译《孝经》《尔雅》《四言杂字》为蕃语。”[①] 据聂鸿音《补〈西夏艺文志〉》，西夏人用西夏文翻译的经史之书不只是《宋史》所记的这些，还包括《论语注》《孟子》《孟子注》《孝经传》《十二国》《贞观政要》。[②] 此外，西夏人还翻译了唐代于立政编撰的类书《类林》。[③]

建立金朝的女真族初无文字，灭辽后，获契丹人、汉人，习学契丹字、汉字，其统辖的区域内最初通行的文字是汉字和契丹字。金太祖完颜阿骨打很快意识到女真族也应有自己的文字，他命令完颜希尹、耶鲁创制女真文字，希尹等依仿汉人楷字，因契丹字制度，合女真语，制定了女真字，天辅三年（1119）颁行，此即女真大字。后来，金熙宗完颜亶统治时期又有女真小字制成，天眷元年（1138）颁行。女真字创制成功后，金朝的最高统治者急于发展民族教育以提高女真人的文化素质，于是女真学随之兴起。女真学是以教授女真文字和女真文翻译的汉文经史为主的官学。将翻译的经史作为女真人习学的教材，同时，女真策论进士考试也主要考儒家经史的内容，这使女真文翻译经史的工作得到了朝廷的支持而卓有成效。女真文翻译的汉文经史的影响面也因此扩大。据《金史》记载，大定四年（1164），金世宗诏以女真字译书籍。大定五年（1165），翰林侍讲学士徒单子温进

① 脱脱等：《宋史》卷四八五《外国传·夏国传上》，中华书局 1977 年版，第 13995 页。
② 聂鸿音：《补〈西夏艺文志〉》，《古籍整理研究学刊》1990 年第 6 期。
③ 史金波、关志国：《中国民族史学史纲要》，中国社会科学出版社 2018 年版，第 177 页。

所译《贞观政要》《白氏策林》等书，大定六年（1166），又进《史记》《西汉书》，诏令颁行。此后，参加译经史的人员越来越多，著作佐郎温迪罕缔达、编修官宗璧、尚书省译史阿鲁、吏部令史杨克忠、翰林修撰移剌杰、应奉翰林文字移剌履等都参与其中。[①] 大概在大定年间金朝成立了译经所，专门负责翻译汉文经典。大定二十三年（1183），译经所进所译《易》《书》《论语》《孟子》《老子》《扬子》《文中子》《刘子》和《新唐书》，金世宗对宰臣说："朕所以令译五经者，正欲女直人知仁义道德所在耳。"[②] 这一年，金世宗也以女真字《孝经》千部分赐护卫亲军。大定二十八年（1188），金世宗谕宰臣："女直进士惟试以策，行之既久，人能预备。今若试以经义可乎？"宰臣云："五经中《书》《易》《春秋》已译之矣，俟译《诗》《礼》毕，试之可也。"[③]金代金世宗大定年间以女真文翻译的汉文经史书籍约有十几部，包括一些子书。而儒家的经书大部分已经译出，如《尚书》《周易》《春秋》《论语》《孟子》《孝经》等；《诗》《礼》等也纳入翻译计划；《史记》《汉书》《新唐书》《贞观政要》《诸葛孔明传》等前代重要史籍也译成了女真文。到金章宗明昌五年（1194），又设置弘文院，译写经书，经史翻译得以继续进行。[④] 由于翻译汉文经史与发展女真教育、选拔女真进士相结合，所以金代的女真文经史的出现对于提升女真人的文化素

---

① 脱脱等：《金史》卷九九《徒单镒传》，中华书局1975年版，第2185-2186页。
② 脱脱等：《金史》卷八《世宗本纪下》，中华书局1975年版，第184-185页。
③ 脱脱等：《金史》卷五一《选举志一》，中华书局1975年版，第1142页。
④ 脱脱等：《金史》卷一〇《章宗本纪二》，中华书局1975年版，第232页。

质、培养金代女真族人才起了重要作用。金世宗的儿子显宗完颜允恭对此深有感触，他曾听完颜匡和驼满九住讨论伯夷、叔齐，他说："不以女直文字译经史，何以知此。主上立女直科举，教以经史，乃能得其渊奥如此哉。"① 也就是说，金朝的统治者已经明了以女真文字翻译经史的积极影响。

元朝幅员辽阔，民族众多，通行的文字主要有三种：蒙古文、汉文和回回文，其中蒙古文有畏兀字蒙古文和八思巴蒙古文，回回文是指亦思替非文字，即波斯文②。实际上，各族所使用的文字不限于这三种。随着吐蕃地区归入元朝的版图，藏文也有一定的影响力。元朝也注意发展不同民族的文化，在成吉思汗时期，就命蒙古人习学畏兀字。至元六年（1269），元世祖出于文治建设的考虑，又颁行八思巴所造"新字"，其诏书有言："朕惟字以书言，言以纪事，此古今之通制。我国家肇基朔方，俗尚简古，未遑制作，凡施用文字，因用汉楷及畏吾字，以达本朝之言。考诸辽、金，以及遐方诸国，例各有字，今文治浸兴，而字书有阙，于一代制度，实为未备。故特命国师八思巴创为蒙古新字，译写一切文字，期于顺言达事而已。自今以往，凡有玺书颁降者，并用蒙古新字，仍各以其国字副之。"③ 为推广蒙古新字，就在颁行蒙古新字的当年，设置了诸路蒙古字学④。至元

---

① 脱脱等：《金史》卷九八《完颜匡传》，中华书局1975年版，第2164页。

② 萧启庆：《元朝的通事与译史：多元民族国家中的沟通人物》，《内北国而外中国：蒙元史研究》，中华书局2007年版，第429页。

③ 宋濂等：《元史》卷二〇二《释老传》，中华书局1976年版，第4518页。

④ 宋濂等：《元史》卷八一《选举志一》，中华书局1976年版，第2028页。

二十四年（1287），总制院使桑哥、左丞帖木儿等奏："前者麦术丁说有来：'亦思替非文书，学的人少有。这里一两个人好生的理会得有，我则些少理会得。咱每后底这文书莫不则那般断绝了去也么？教学呵，怎生？'道有来。"朝廷采纳了麦术丁的建议。[1] 至元二十六年（1289），尚书省臣建议设学，于是始设置回回国子学。元仁宗延祐元年（1314），又设回回国子监，培养的生员日后多成为百司庶府的译史。[2] 在朝廷重视蒙古族文字建设和防止其他民族文字"断绝"的文化政策下，不同民族的文字在各族沟通与交流中发挥了积极的作用。

元代的经史翻译同样得到了一些皇帝的特别关注。至元元年（1264），忽必烈"敕选儒士编修国史，译写经书，起馆舍，给俸以赡之"[3]。这是忽必烈实行文治的一项重要举措。这一举措也直接影响了此后元代的经史翻译。需要说明的是，元代占有广大汉地后，不太熟悉汉地传统的元代的皇帝急需从汉文史书中汲取治国的经验教训，这使元代以蒙古文翻译的汉文史籍对中国传统史学中具有"资治"作用的史书情有独钟，比如《资治通鉴》《贞观政要》《尚书》等。元朝的皇帝曾多次下诏译刊《资治通鉴》，史载至元十九年（1282），刊行蒙古畏兀儿字所书《资治通鉴》[4]；延祐元年（1314），元仁宗认为《资治通鉴》载前代兴亡治乱，命集贤学士忽都鲁都儿迷失及李孟选择其重要的内容译

---

① 《通制条格校注》卷五"亦思替非文书"，方龄贵校注本，中华书局2001年版，第247页。
② 宋濂等：《元史》卷八一《选举志一》，中华局1976年版，第2028－2029页。
③ 宋濂等：《元史》卷五《世祖本纪二》，中华书局1976年版，第96页。
④ 宋濂等：《元史》卷一二《世祖本纪九》，中华书局1976年版，第242页。

写进奏；[①] 泰定帝也曾命为其进讲的经筵官翰林侍讲学士阿鲁威、直学士燕赤等译《资治通鉴》。[②]《通鉴节要》更是被蒙古文译写后作为元代教授蒙古国子学诸生和诸路蒙古字学生徒的教材。[③]《贞观政要》也受到了元朝统治者的推崇而得到译刊和传播。《元史·仁宗本纪》载："帝览《贞观政要》，谕翰林侍讲阿林铁木儿曰：'此书有益于国家，其译以国语刊行，俾蒙古、色目人诵习之。'"[④] 至顺三年（1332），元文宗也命奎章阁学士院以国字译《贞观政要》，锓板模印，以赐百官。[⑤] 色目人察罕曾译《贞观政要》献朝廷，[⑥] 曹元用也译《贞观政要》为国语，行于一时[⑦]。此外，察罕也曾受诏译唐太宗的《帝范》[⑧]。元仁宗统治时期，元明善曾受命译《尚书》"关政要者"[⑨]。宋儒真德秀所作《大学衍义》因其关涉修身治国而受到重视。元世祖时，有儒士赵璧受到礼遇，敕其学习国语，译《大学衍义》。[⑩] 至大元年（1308），元武宗即位，诏立其弟爱育黎拔力八达为皇太子（即后来的元仁宗），身为皇太子的爱育黎拔力八达就"求经籍"，有进《大学衍义》者，他命詹事王约等节译，并指出：

---

① 宋濂等：《元史》卷二五《仁宗本纪二》，中华书局1976年版，第565页。
② 宋濂等：《元史》卷三〇《泰定帝本纪二》，中华书局1976年版，第679页。
③ 宋濂等：《元史》卷八一《选举志一》，中华书局1976年版，第2028页。
④ 宋濂等：《元史》卷二四《仁宗本纪一》，中华书局1976年版，第544页。
⑤ 宋濂等：《元史》卷三六《文宗本纪五》，中华书局1976年版，第803页。
⑥ 宋濂等：《元史》卷一三七《察罕传》，中华书局1976年版，第3311页。
⑦ 宋濂等：《元史》卷一七二《曹元用传》，中华书局1976年版，第4028页。
⑧ 宋濂等：《元史》卷一三七《察罕传》，中华书局1976年版，第3311页。
⑨ 宋濂等：《元史》卷一八一《元明善传》，中华书局1976年版，第4172页。
⑩ 宋濂等：《元史》卷一五九《赵璧传》，中华书局1976年版，第3747页。

"治天下，此一书足矣。"命加以刊行而赐臣下。[①] 延祐四年(1317)，翰林学士承旨忽都鲁都儿迷失、刘赓等译之进上，元仁宗看后对群臣说："《大学衍义》议论甚嘉，其令翰林学士阿林铁木儿译以国语。"[②] 此后，《大学衍义》得以在蒙古人中传播。

在汉文译成蒙文的史书中，除了前代史书之外，也有一些元朝当代史书。它们大致包括两类：一是实录，一是有关典章制度的诏诰和法规书。按照传统的修史制度纂修的诸帝实录，往往要经过奏读才能纂定，而元朝的皇帝精通汉语者较少，所以要经过通晓蒙、汉两种文字的人员翻译，这在元朝从元世祖时开始逐渐成为制度。史载，元世祖至元二十三年（1286），翰林承旨撒里蛮言："国史院纂修太祖累朝实录，请以畏吾字翻译，俟奏读然后纂定。"这个建议得到了元世祖的批准。[③] 之后，至元二十五年（1288），司徒撒里蛮等进读《祖宗实录》，元世祖对进读的畏吾儿文本的实录进行了审查。元贞二年（1296），兀都带等进所译太宗、宪宗、世祖实录，元成宗指出了其中记载错误之处。[④] 通过这样的奏读形式使元朝的皇帝加强了对实录的监控，同时促进了翻译史书工作的开展，也推动了少数民族史学的发展。除实录之外，元朝以汉文编纂的一些《圣训》类的政书，在泰定帝统治时期多敕令译为蒙文，如《列圣制诏》、《大元通

---

① 宋濂等：《元史》卷二四《仁宗本纪一》，中华书局1976年版，第536页。
② 宋濂等：《元史》卷二六《仁宗本纪三》，中华书局1976年版，第578页。
③ 宋濂等：《元史》卷一四《世祖本纪十一》，中华书局1976年版，第294页。
④ 宋濂等：《元史》卷一九《成宗本纪二》，中华书局1976年版，第407页。

制》、《帝训》(《皇图大训》)、《世祖圣训》等，其目的大概是想要蒙古贵族遵循祖宗教诲，所以《元史·泰定帝本纪》是这样评论泰定帝的："泰定之世，灾异数见，君臣之间，亦未见其引咎责躬之实，然能知守祖宗之法以行，天下无事，号称治平，兹其所以为足称也。"[①] 言其"能知守祖宗之法以行"，与其敕令翻译政书当有直接的关系。

在元代翻译的经史书籍中，也有一些由蒙古文译成汉文的书。对蒙文、汉文都有很深造诣的元代回回史学家察罕不仅将汉文史籍《帝范》《贞观政要》翻译成蒙古文，也将蒙古文《脱必赤颜》译为汉文，命名为《圣武开天纪》。这反映出元代的民族史学较辽金时期有更进一步的发展。

综上所述，辽金元时期不同民族文字翻译的史书的大量出现，为这一时期史学的发展增添了新的色彩。尤其是元朝，以民族文字翻译的史书大量增多，极大地推动了少数民族史学的发展，使其史学所呈现出的多民族特色更加突出。这些史书，从其语言表述形式上看，具有多民族的特点；从史学思想上看，也呈现出多民族的特色。各族史家参与其中，在不同民族语言互动中增强了多民族国家多元一体的意识。

二、史书民族文字译者的鉴识

前述以契丹文、西夏文、女真文、蒙古文翻译的汉文经典著

① 宋濂等：《元史》卷三〇《泰定帝本纪二》，中华书局1976年版，第687页。

作，或以汉文翻译的古文著作，译者在其中作出了突出贡献，他们承担起多民族文化沟通的责任，成为社会文明进步的引领者。

萧韩家奴在众多汉文史书中选择《通历》《贞观政要》《五代史》这三部书，以史为鉴的思想非常明确。从这三部书的内容看，《通历》是唐朝马总撰写的一部自太古至隋朝的编年体通史，着重记载历代君主的事迹；《贞观政要》是唐朝吴兢撰写的一部按专题记述的政治史，主要记载唐太宗贞观年间君臣探讨治道的言论；《五代史》是宋初官修的史书，记述了五代梁、唐、晋、汉、周五个政权五十三年的历史，辽朝初年与这些政权多有外交往来，彼此间也有冲突和战争。可能在萧韩家奴看来，这三部书正好包含了贯通古今的历史内容，而且侧重于记述君主治国的事迹和言论。可以明确的是，萧韩家奴希望辽兴宗能够从前代留下的史书中获取历史的经验教训。南宋朱熹论读史时讲过一句话："读史当观大伦理、大机会、大治乱得失。"[①] 瞿林东先生认为朱熹的这句话反映出他的史学批评思想，可以作为史学批评的一条重要标准看待。[②] 虽然萧韩家奴没有作出朱熹这样简明而深刻的概括，但他选择《通历》《贞观政要》《五代史》来使契丹皇帝知晓古今成败的想法与朱熹所讲颇为一致。进一步探寻萧韩家奴的思想根源，是否可以这样认为，萧韩家奴为使辽朝皇帝知晓古今成败而翻译这些史书，实际上是把以契丹贵族为主而建立

---

① 黎靖德编：《朱子语类》卷一一《学五·读书法下》，王星贤点校本，中华书局 1986 年版，第 196 页。

② 瞿林东：《中国古代史学批评纵横》，中华书局 1994 年版，第 85 页。

的辽政权视为唐、五代等政权的后继者，因此往古的经验和教训、近世的历史演进都是可资鉴戒的。从一定意义上说，萧韩家奴的思想代表了辽人对历史进程的认识和对政治文化传承的理解，也是辽人古今观念的反映。这里需要强调的是，契丹族史家萧韩家奴对古今的认识与其他朝代的史家没有实质性的不同，他所认为的“古”与“今”是从太古到唐、五代，并没有囿于族别的差异。透过他的古今认识，我们看到了契丹人的历史认同。

西夏以西夏文翻译的经书、史书前述已经提及，其译者人数应不少，汉文化修养也应很高。虞集《故西夏相斡公画像赞》中所讲的斡公斡道冲就是其中的佼佼者。斡道冲其实出自史官世家，虞集序文提到：“八岁以《尚书》中童子举，长通五经，为蕃汉教授，译《论语注》，别作《解义》二十卷，曰《论语小义》。又作《周易卜筮断》，以其国字书之，行于国中，至今存焉。”[1] 斡道冲选择翻译《论语注》，甚至把自己研究《周易》而形成的成果以“国字”即西夏文书写传播，不仅推广了西夏文且传播了儒家经典，实际目的可能是为了提高西夏文学习者的思想文化水平。

金代以女真文翻译汉文经史大多是在官府直接组织下完成的，先后由译经所和弘文院负责其事。金世宗、金章宗也多次下达诏令，最高统治者重视经史翻译，自然所产生的效果也是显著的。探寻金人经史翻译的思想渊源，无论是发展女真学，还是教

---

① 虞集：《故西夏相斡公画像赞，并序》，《虞集全集》，王颋点校本，天津古籍出版社 2007 年版，第 321 页。

化女真人，金人都是把汉文经史视为优秀的历史文化遗产来继承的。所以他们对这些经史教育所寄寓的期望很高。他们想从经史学习中增长见识、知晓仁义道德、提高女真人的整体素质。这种思想认识主要是基于对文化的认同，而这种认同所达到的效果是使传统的经史之书发挥其传承学术和教化民众的功用。同时，金朝经史之书在包括女真人在内等各族受教育者中的传播，也推动了各民族历史思想的进步。金世宗时的女真族大臣唐括安礼就有着比较进步的民族观，他把女真猛安户和汉户视为一家。他指出："圣主溥爱天下，子育万国，不宜有分别。"甚至特别强调保持女真国俗，极力主张维护女真人利益的金世宗，在某些时候也有"天下一家"的思想①。可以说金代这种各民族"一家"观念的发展与经史的广泛传播有因果的关系，更为多民族统一的实现奠定了思想基础。

从元代所翻译经史的类别看，元朝的统治者是较为务实的，他们诏命翻译经史之书的目的很明确，即旨在为现实统治服务。所以对有关典章制度的政书和有关治国安邦的经史尤为重视。这也反映出元朝的蒙古族统治者对以往朝代统治方法和统治经验的认同。这种认同同样肯定了这些经史的价值。就其社会影响而言，与金人经史翻译为发展民族教育不完全相同，元人的经史翻译，受益最大的是蒙古族统治者，他们从历史上具有"资治"作用的史书中寻找了一些治理天下的良方。自忽必烈以后的蒙古

① 脱脱等：《金史·唐括安礼传》记载，金世宗对女真人有超迁格提出质疑说："天下一家，独女直有超迁格，何也？"（中华书局 1975 年版，第 1965 页）

族君主多注重遵循或效法以往朝代的“宏规”“定制”。1271年，忽必烈在《建国号诏》中明确提出“奄四海以宅尊”“绍百王而纪统”的政治宣言。在这个宣言里，他把所建立的政权纳入中国历代政权之列，同时也强调了其“舆图之广，历古所无”的特色。此后，元代其他蒙古族皇帝继续从这些经史中汲取政治智慧，自觉地向历史上圣明的君主看齐，学习他们的为政之道。如元顺帝一次曾猎于柳林凡三十五日，监察御史绰台、宋绍明进谏，得到赐金币的嘉奖。绰台等固辞，元顺帝说：“昔魏徵进谏，唐太宗未尝不赏，汝其受之。”[①] 这些做法表明元朝蒙古族皇帝通过学习传统的经史，已从思想意识上成为“中国之主”，成为君主专制中央集权政治体制的维护者。正因如此，元朝在承袭与变通中维系和发展了君主治国之术，丰富了多民族统一国家的制度体系，出现了多种文化的交融与互鉴。

综上，辽夏金元时期的经史翻译虽然并不等同于历史撰述，但是这四朝以少数民族文字翻译汉文经史直接促进了民族史学的进步，同时也迅速提高了少数民族的文化水平，尤其是居于统治地位的契丹人、党项人、女真人、蒙古人的进步最为显著。今天看来，辽夏金元时期经史翻译更有其思想的价值，尽管各朝经史翻译的目的各不相同，体现在翻译之书的选择上也不尽相同，但是它们对古今、治统却有着较为一致的认识，即认为以往的朝代与当时的朝代间有着割舍不断的联系。正是这种历史认同，使中

① 宋濂等：《元史》卷三九《顺帝本纪二》，中华书局1976年版，第838页。

国作为政治实体在多民族重新组合的辽夏金元时期得以延续和发展，多民族一体、一家、同为中华的观念和意识也得到增强，使辽夏金元时期成为中国历史上多民族统一国家发展的重要阶段。

第二节　辽金少数民族的史学批评

一、辽代契丹人论史笔

辽代修史活动开始较早，史载，会同四年（941），辽太宗耶律德光就诏令有司编《始祖奇首可汗事迹》[①]，奇首可汗是十世纪契丹人可知最早的祖先。但由于当时战争不断，史学活动并没有广泛开展，所谓“神册、会同年间，日不暇给”[②]。从简略的《辽史》看，辽代的主要修史活动是在辽中期以后，即辽圣宗、辽兴宗、辽道宗、辽天祚帝统治的一百三十余年间。当时史官的主要任务是记录本朝的大事，修起居注、日历、实录。这些修史活动除了汉族史官参加之外，契丹族史官、史家也参与其中，当然也得到了契丹族皇帝的关注。《辽史·萧韩家奴传》记载：

> 韩家奴每见帝猎，未尝不谏。会有司奏猎秋山，熊虎伤死数十人，韩家奴书于册。帝见，命去之。韩家奴既出，复书。他日，帝见之曰：“史笔当如是。”[③]

---

① 脱脱等：《辽史》卷四《太宗本纪下》，中华书局1974年版，第49页。
② 脱脱等：《辽史》卷九《景宗本纪下》，中华书局1974年版，第105页。
③ 脱脱等：《辽史》卷一〇三《文学传上·萧韩家奴传》，中华书局1974年版，第1449页。

这则史料记述了辽重熙年间辽兴宗耶律宗真与时任翰林都林牙、兼修国史的萧韩家奴对史书记事原则的看法。无疑，萧韩家奴是相当有勇气的史官，敢于为求信史而违忤君命，自觉传扬晋之董狐、齐之南史的精神。当然，辽兴宗对于萧韩家奴的“复书”最终没有怪罪，反而肯定他的忠于职守，同样是至为难得之举，说明他也清楚史官记事应遵循“直书”原则。辽兴宗所说“史笔当如是”及他任命萧韩家奴的诏谕也证实了这一点。他称：“文章之职，国之光华，非才不用。以卿文学，为时大儒，是用授卿以翰林之职。朕之起居，悉以实录。”①

辽道宗耶律洪基统治时期有一个重视本朝历史编纂的契丹族文臣耶律孟简，他在大康年间曾诣阙上表称：“本朝之兴，几二百年，宜有国史以垂后世。”他还编写了耶律曷鲁、耶律屋质、耶律休哥三位有影响的契丹族名臣的事迹进献朝廷。皇帝“命置局编修”，他对其他编修官员所说的话也谈及“史笔”，他说：

> 史笔天下之大信，一言当否，百世从之。苟无明识，好恶徇情，则祸不测。故左氏、司马迁、班固、范晔俱罹殃祸，可不慎欤！②

耶律孟简的这句话包括两层意思：其一，史官记事应求“大信”，因史官所记影响深远，所谓“一言当否，百世从之”；

① 脱脱等：《辽史》卷一〇三《文学传上·萧韩家奴传》，中华书局1974年版，第1449页。
② 脱脱等：《辽史》卷一〇四《文学传下·耶律孟简传》，中华书局1974年版，第1456页。

其二，史官应有“明识”，他似乎读过《旧唐书·刘子玄传》，刘知幾（字子玄）在讲“史才三长”中的“史识”时，就突出了“好是正直，善恶必书”[①]。显然，耶律孟简的“史笔天下之大信”就是要求史官们如实记述历史，也要客观评价历史，不能“好恶徇情”。当然，他所举的例子并不准确，司马迁、班固等的罹祸并不是好恶徇情导致的结果。

需要说明的是，有关辽朝的史书极其有限，我们难以详细了解辽人的史学思想，但从上述所列举的辽兴宗、萧韩家奴、耶律孟简的片言只语看，可以肯定，辽代的契丹人中已有人具备了一定的史学批评意识。

二、金代女真及其他少数民族的史学批评倾向

金代少数民族贵族和士人汉文化修养普遍较高，他们多喜读史书，见于记载的金朝君臣关于史学的讨论多有女真和契丹官员参与，一定程度上反映了金代少数民族的史学批评见解。

（一）记事贵实

金代第四任皇帝海陵王完颜亮在金末文士刘祁看来是有文才的君王[②]，宋人传闻也称完颜亮“颇知书”[③]。完颜亮统治时期金朝官修史书虽没有可观的成就，但史官搜集史料的工作及编修实录也在持续进行。完颜亮任命平章政事萧裕兼任监修国史的口谕

---

① 刘昫等：《旧唐书》卷一〇二《刘子玄传》，中华书局1975年版，第3173页。
② 刘祁：《归潜志》卷一，崔文印点校本，中华书局1983年版，第3页。
③ 岳珂：《桯史》卷八《逆亮辞怪》，吴企明点校本，中华书局1981年版，第95页。

证实了这一点，他说："太祖以神武受命，丰功茂烈光于四海，恐史官有遗逸，故以命卿。"① 可见，完颜亮力图从史官管理者的调整入手加强采撰并提升实录编纂的水平，使诸如金太祖开国的丰功伟绩等内容没有遗漏地得到更全面的记述。

金世宗完颜雍是汉文化修养很高的女真族皇帝。他十分关注修史工作，他的言论中也有关于前代史书文字表述真实与否的评论。如大定十九年（1179），金世宗与宰臣论史事，他说："朕观前史多溢美。大抵史书载事贵实，不必浮辞谄谀也。"② 在金世宗看来，记事贵实，因此史文也应趋于平实。金世宗曾对宰臣说："海陵时，修起居注不任直臣，故所书多不实。可访求得实，详而录之。"当时的参政孟浩听后说："良史直笔，君举必书，自古帝王不自观史，意正在此。"③ 金世宗对于海陵起居注的不实是从采撰的角度展开的批评，孟浩则是从史实是否得以准确记录的人为原因作出的回应。以丞相监修国史的徒单克宁也曾因为金世宗过问史事上奏说："臣闻古者人君不观史，愿陛下勿观。"④ 可能由于金世宗的即位非正常授受，他确实很在意史官对其行事的记述。史载，大定十二年（1172）十一月戊子，"上屏侍臣，与宰臣议事，记注官亦退，上曰：'史官记人君善恶，朕之言动及与卿等所议，皆当与知，其于记录无或有隐，可以朕

① 脱脱等：《金史》卷一二九《佞幸传·萧裕传》，中华书局 1975 年版，第 2790 页。

② 脱脱等：《金史》卷七《世宗本纪中》，中华书局 1975 年版，第 172 页。

③ 脱脱等：《金史》卷六《世宗本纪上》，中华书局 1975 年版，第 143 页。《金史·孟浩传》对金世宗和孟浩的言论记载与此本纪略有不同，第 1980 页。

④ 脱脱等：《金史》卷九二《徒单克宁传》，中华书局 1975 年版，第 2050 页。

意谕之。’”[①] 从金世宗嘱咐宰臣的话语可知，他是知道史官“书法无隐”的传统的，他当然也有意识地注重自己的言行。大定十八年（1178）正月庚戌，“修起居注移剌杰上书言：‘每屏人议事，虽史官亦不与闻，无由纪录。’上以问平章政事石琚、右丞唐括安礼，对曰：‘古者，天子置史官于左右，言动必书，所以儆戒人君，庶几有所畏也。’”[②] 这是金代关于史官职责的一次讨论。讨论的缘起是契丹族史官移剌杰因皇帝和大臣每每“屏人议事”使他难以很好完成修起居注的职责而上书皇帝。金世宗为此询问了石琚和唐括安礼，石琚是当时通经史的汉人宰相，唐括安礼则是女真执政。对于这次讨论，《金史·石琚传》有更详细的记述：

> 上以问宰相，琚与右丞唐括安礼对曰：“古者史官，天子言动必书，以儆戒人君，庶几有畏也。周成王翦桐叶为圭，戏封叔虞，史佚曰：‘天子不可戏言，言则史书之。’以此知人君言动，史官皆得记录，不可避也。”上曰：“朕观《贞观政要》，唐太宗与臣下议论，始议如何，后竟如何，此政史臣在侧记而书之耳。若恐漏泄几事，则择慎密者任之。”朝奏屏人议事，记注官不避自此始。[③]

---

① 脱脱等：《金史》卷七《世宗本纪中》，中华书局1975年版，第157页。
② 脱脱等：《金史》卷七《世宗本纪中》，中华书局1975年版，第169页。
③ 脱脱等：《金史》卷八八《石琚传》，中华书局1975年版，第1962页。

从他们的讨论可以明确，金世宗君臣赞同古时所赋予的史官的职责，愿意按照西周与唐朝的做法，因此史官在朝堂议事时在侧得到允许。这次讨论，金世宗与唐括安礼的参与，说明当时女真人中有人对史学传统有所知晓并愿意遵照传统行事。当然，这次讨论也反映出金朝史官因为不参与议政，其所记录的内容可能是执政者授意的或较为公开的事情。这从金代一些参与修史的官员的上书、奏请可以得到印证。大定年间以谏议大夫兼起居注的契丹族官员移剌子敬上奏金世宗言及："陛下凡与宰臣谋议，不可不令史官知之。"[①] 其实直到金宣宗统治时期，抹撚尽忠的进言还提到："记注之官，奏事不当回避，可令左右司官兼之。"[②]

元好问所撰《故金尚书右丞耶律公神道碑》还记载了金世宗朝就《海陵实录》记事问题君臣之间所进行的一次辩论：

> 世宗朝，御史大夫张景仁领国史，公为编修，受诏修《海陵实录》。他日世宗问侍臣："海陵弑熙宗，血溅于面，沾及衣袖，景仁何为隐而不书？"或曰："景仁事海陵，颇被任使，故为讳之。"世宗作色曰："朕不谓景仁乃有是心。"公曰："臣与景仁尝有隙，必不妄为盖蔽，然景仁未尝有是心也。"世宗曰："景仁与卿何隙？"曰："臣以小字为史掾，景仁以汉文为史官，予夺之际，意多不相叶，且谓臣藏匿《辽史》，秩满，移文选部，使不得调，此私隙也。

① 脱脱等：《金史》卷八九《移剌子敬传》，中华书局1975年版，第1989页。
② 脱脱等：《金史》卷一〇一《抹撚尽忠传》，中华书局1975年版，第2229页。

今对上问，公言也。臣不敢以私害公。”世宗又曰：“隋炀帝弑逆，血溅于屏，史亦书之，卿谓景仁无是心，何不如《隋史》书之？”曰：“炀帝自讳其恶，故史臣不载之帝纪，而详见于他传，此所谓暗而章者也。海陵以废昏为辞，明告天下，居之不疑，此不同也，且与之弑君而不辞血溅之罪，虽不书可也。”世宗怒遂解。①

从上述金世宗与耶律履的对话看，金世宗亲自审查了《海陵实录》，他对领国史的张景仁关于海陵弑君之事的记录并不满意。原因在于关于海陵王弑杀金熙宗的细节实录中记述得不够。金世宗因此怀疑张景仁有为海陵掩盖罪恶之嫌。契丹族编修官耶律履所作解释反映了他对《隋书》编次和史书文字表述的思考和认识。在君主干预修史的背景下，史官为写出真实的历史，或在编次上下功夫，帝纪不载而于他传中详载，即所谓“暗而章”；或在史文表述上费心思，即什么要明确记载，什么可以不书。当然，对于后者，耶律履的分析意在说服金世宗《海陵实录》已明示海陵弑君的大罪，所以“血溅之罪”就无关宏旨，可以不书了。

值得注意的是，金世宗与辽兴宗一样，他虽心知肚明史官作史要本于史实，在言论上也反复强调直笔，但出于政治目的，他也鼓励臣民揭露海陵王的罪恶。一些人为了得到当朝者的重用，

① 元好问：《故金尚书右丞耶律公神道碑》，狄宝心校注：《元好问文编年校注》，中华书局 2012 年版，第 705-706 页。

或言过其实，史官亦不敢触怒当时的皇帝，致使《海陵实录》存在有不实的内容。金宣宗朝拟依据《海陵庶人实录》编写《卫王事迹》，当时史官向贾益谦采访卫绍王朝事，正直的贾益谦对史官所说的话就直指《海陵实录》问题的症结。他说："知卫王莫如我。然我闻海陵被弑而世宗立，大定三十年，禁近能暴海陵蛰恶者，辄得美仕，故当时史官修实录多所附会。卫王为人勤俭，慎惜名器，较其行事，中材不及者多矣。吾知此而已，设欲饰吾言以实其罪，吾亦何惜余年。"贾益谦的话传至朝堂，"朝议伟之"[①]。"朝议"肯定贾益谦大概出于两方面的原因：一方面是赞许他耿直忠诚，另一方面则是因为他所说的是实情，即《海陵实录》所记海陵之事确实多有政治因素的干扰。后来，元人苏天爵也曾有言："海陵被弑，诸公逢迎，极力诋毁，书多丑恶。"[②] 可见，追求信史肯定是金世宗等女真贵族所推崇的史学观念，但一旦直笔不利于其统治时，他们就给史官施压，史官屈从于权贵而难以坚守职业操守。因此，虽然人们都认为直笔是应该恪守的记史原则，然而曲笔却或多或少存在于官府所修的众多史书中。

（二）评论史书，重视史之鉴戒

辽金与两宋南北分治，尽管对峙的双方常常有书禁以防时政、边防等信息为对方掌握，但人为的障碍并未能阻隔相互间的

① 脱脱等：《金史》卷一〇六《贾益谦传》，中华书局1975年版，第2336页。

② 苏天爵：《滋溪文稿》卷二五《三史质疑》，陈高华、孟繁清点校本，中华书局1997年版，第422页。

书籍流通。[1] 辽人和金人不仅可以读到以往朝代的典籍，就是同时代宋人的书籍大多也能得见。一些少数民族可以读用本民族文字翻译的典籍，汉文化修养较高者直接阅读汉文书籍。尤其是金代有些皇帝会把自己读史的体会与臣下交流，他们针对具体的史书也往往有简短的评论，这些评论同样具有史学批评的内涵。

金熙宗完颜亶曾对侍臣说："朕每阅《贞观政要》，见其君臣议论，大可规法。"[2] 显然，金熙宗领会了《贞观政要》有益于治国理政的撰述宗旨，因此他肯定了《贞观政要》一书的立意。

耶律履是辽东丹王耶律倍七世孙（《金史》称移剌履），他二十余年身居史职，也是当时以学问著称的契丹饱学之士。金章宗完颜璟在为金源郡王时，"每以经、史疑义为质"。耶律履也很关注这位金世宗的接班人的学习，曾问："殿下注意何经？"完颜璟回答《左氏春秋》，耶律履则说："左氏虽授经圣人，率多权诈，驳而不纯。《尚书》《孟子》载圣贤纯一之道，愿留意焉。"[3] 在耶律履看来作为郡王习学的书籍，《尚书》和《孟子》要比《左传》好，他从思想性上肯定了《尚书》《孟子》，而对《左传》有所批评。其本传也记载他对《春秋》的看法："初，河溢曹州，帝问曰：'《春秋》二百四十二年，不言河决，何也？'履曰：'《春秋》止是鲁史，所以鲜及他国事。'"[4] 把

---

① 刘浦江：《文化的边界——两宋与辽金之间的书禁及书籍流通》，张希清、田浩、黄宽重、于建设主编：《10—13世纪中国文化的碰撞与融合》，上海人民出版社2006年版，第138页。

② 脱脱等：《金史》卷四《熙宗本纪》，中华书局1975年版，第74页。

③ 元好问：《故金尚书右丞耶律公神道碑》，狄宝心校注：《元好问文编年校注》，中华书局2012年版，第698页。

④ 脱脱等：《金史》卷九五《移剌履传》，中华书局1975年版，第2101页。

《春秋》定位为鲁史，说明耶律履对于《春秋》的认识是基于其内容而不是如经学家们那样赋予它崇高的地位。

金末文史大家元好问可以说是汉化程度极高的少数民族学者，他是拓跋鲜卑的后裔，其父《元德明传》提及“系出拓拔魏”[①]。元好问“为文有绳尺，备众体”，被称为“一代宗工”。[②]元好问的一生既是文学创作的一生，也是与史学有密切关联的一生[③]。他有在史馆工作的经历，有强烈的存史意识，其著述多是他亲身经历或听闻的人物和事件的记录，尤其是金朝灭亡前后，他的文章多蕴含历史的内容而具有史学的价值。比如，天兴二年（1233），蒙古兵围汴京，金哀宗完颜守绪将出奔，元好问建议：“请小字书国史一本，随车驾所在，以一马负之。”[④] 其建议得到当时宰相的认可，但并没有得以实行。他也以碑铭表志碣来存史，所撰《漆水郡侯耶律公墓志铭》表明了他的一些想法，他惋惜《辽史》简册的散失，提及宋人所撰《续资治通鉴长编》《亡辽录》《北顾备问》等书多敌国诽谤之辞[⑤]，都是在强调保存真实可信史料的重要。元好问在晚年想参考金代历朝实录写一部金朝史，他的设想在其与友人书信中有所表露：“惟有《实录》一件，只消亲去顺天府一遭，破三数月功，披节每朝终始及大政

---

① 脱脱等：《金史》卷一二六《元德明传》，中华书局1975年版，第2742页。

② 脱脱等：《金史》卷一二六《元德明传附好问传》，中华书局1975年版，第2742页。

③ 张博泉：《元好问与史学》，《晋阳学刊》1985年第2期。

④ 元好问：《南冠录引》，姚奠中主编，李正民增订：《元好问全集》卷三七，山西古籍出版社2004年版，第775页。

⑤ 元好问：《漆水郡侯耶律公墓志铭》，姚奠中主编，李正民增订：《元好问全集》卷二七，山西古籍出版社2004年版，第582-583页。

事、大善恶系废兴存亡者为一书，大安及正大事则略补之。此书成，虽溘死道边无恨矣！”[①] 在元好问看来，一部朝代史关键要讲明其历程、重要政治事件和关系其废兴存亡的大是大非。他写《南冠录》本记家史，却欲以一己之力尽力保存他所知道的金朝晚期的历史。他讲：“崔子之变，历朝《实录》，皆满城帅所取。百年以来，明君贤相可传后世之事甚多，不三二十年，则世人不复知之矣！予所不知者亡可奈何；其所知者，忍弃之而不记邪？故以先朝杂事附焉。合而一之，名曰《南冠录》。”[②] 他甚至在金诗选集《中州集》中也注入了史学的内涵，即在每个诗人的诗作前加上诗人的小传。元好问在其所撰《陆氏通鉴详节序》中也论及前代史书，他认为《陆氏通鉴详节序》荟萃司马温公的《资治通鉴》所载“大政事、大善恶”，“盖有不可胜学者”[③]。值得注意的是，他同样认为“大政事、大善恶”是《资治通鉴》这部书的精华所在，从中可见他对这部“百代不刊之典”的评价也是着眼于其所记的大事和大是大非。元好问所作《集诸家通鉴节要序》还论及弋唐佐所编《通鉴节要》一书，因为这是一部资料汇编的书，元好问的评论重点在于它的编次上。他说：“唐佐学有源委，读书论文精玩旨意，随疑订正，必理顺而后

---

① 元好问：《与枢判白兄书》，姚奠中主编，李正民增订：《元好问全集》卷三九，山西古籍出版社 2004 年版，第 807 页。

② 元好问：《南冠录引》，姚奠中主编，李正民增订：《元好问全集》卷三七，山西古籍出版社 2004 年版，第 775 页。

③ 元好问：《陆氏通鉴详节序》，姚奠中主编，李正民增订：《元好问全集》卷三六，山西古籍出版社 2004 年版，第 749 页。

已。故其所编次，部居条流，截然不乱。”① 可以肯定，元好问对于史书的编次崇尚的是结构严整、条理分明。

综合审视上述金代少数民族人士关于史书的评论，可以明确的是，史书是否记载大政事和是否讲明大善恶，是他们评定史书优劣的主要标准。他们普遍关注的是史书的鉴戒作用，而对于史书体裁、体例方面论及较少。这表明了一种思想倾向，即他们更在意史书的社会影响，而较少究心于史书的史学价值。这代表了金代少数民族有识之士关于史学的基本理论的把握及其价值取向。究其原因，一方面可能与见诸史书记载的评论者多为上层统治人物有关，他们选择阅读的史书也大多是政治史，其读史的出发点即是努力从中汲取统治经验和教训，以史为鉴的目的十分明确。另一方面，金代的少数民族史官、史家如耶律履、元好问等，他们并不是专门研究史学之人，他们有更广泛的学术追求，或研经或主要致力于文学创作，因此他们的史书评论主要体现在弘扬中国史学经世致用的传统上，而不是以探究史书结构和理论见长。

（三）评价史家、史官，强调明识

何为良史？金代女真人及其他少数民族士人也有自己评判的尺度。与重视史书的鉴戒功用相关联，他们的良史标准尤为在意史官识见的高下。

南宋张棣撰写的《正隆事迹》记载了金代海陵王完颜亮读

---

① 元好问：《集诸家通鉴节要序》，姚奠中主编，李正民增订：《元好问全集》卷三六，山西古籍出版社2004年版，第753页。

史时的一些言论：

> 亮以渐染中国之风，颇有意于书史。一日，读《晋书》至《苻坚传》，废卷失声而叹曰："雄伟如此，秉史笔者不得正统帝纪归之，而以列传第之，悲夫！"又一日，与翰林承旨完颜宗秀、左参知政事蔡松年语："朕每读《鲁语》至于夷狄虽有君，不如诸夏之亡也，朕窃恶之！岂非渠以南北之区分，同类之比周，而贵彼贱我也！"二子皆唯唯而对。①

从这段记述所反映的内容看，海陵王完颜亮愤愤不平于苻坚不入帝纪，他对于《鲁语》有关夷夏的看法也很反感。其实，他的不平和反感反映出金代女真上层统治者的正统观念，出于民族统治的考虑，他们也对前代史官的尊夏轻夷持有异议。同时，海陵王的言论也表明他不认同《晋书》撰者的是非标准，更厌恶《鲁语》编者的"贵彼贱我"，换言之，海陵王完颜亮对以往的历史观念和史学思想并不是全盘吸收，有扬弃，敢质疑，对秉史笔者的评判更着眼于其史识。

金世宗也曾评论过前代史家。大定二十年（1180）十月壬寅，金世宗对宰臣说："近览《资治通鉴》，编次累代废兴，甚有鉴戒，司马光用心如此，古之良史无以加也。"② 可见，金世宗的"良史"考量的是史家的"用心"。他认为司马光的《资治

① 张棣：《正隆事迹》，傅朗云编注：《金史辑佚》，吉林文史出版社1990年版，第223页。
② 脱脱等：《金史》卷七《世宗本纪中》，中华书局1975年版，第175页。

通鉴》“编次累代废兴，甚有鉴戒”就是一个很好的“用心”，应该说金世宗对司马光的这句简单评价所隐含的史学批评内容并不简单，他既考虑到司马光所著《资治通鉴》的编次和采撰，更考虑其立意，这是对司马光的学识予以充分肯定。

元好问关于金代王若虚的评价一定程度上反映了他的史才标准。他所撰《内翰王公墓表》称王若虚：

> 学无不通，而不为章句所困。颇讥宋儒经学以旁牵远引为夸，而史学以探赜幽隐为功。谓天下自有公是，言破即足，何必呶呶如是？其论道之行与否云：“战国诸子之杂说寓言，汉儒之繁文末节，近世士大夫参之以禅机、玄学，欲圣贤之实不隐，难矣。”经解不善张九成，史例不取宋子京，诗不爱黄鲁直。著论评之，凡数百条，世以刘子玄《史通》比之。……秉史笔十五年，新进入馆，日有记录之课。书吏以呈宰相，必问：“王学士曾点窜否？”又善持论。[①]

这里，元好问对王若虚的评价大致包括三方面：博学、有才华、善持论。这样的评价大体上是对刘知幾的“史才三长”论的应用。元好问所撰《故金尚书右丞耶律公神道碑》言及耶律履在大定年间所以为通儒、为良史、为名卿材大夫时所举的证据

① 元好问：《内翰王公墓表》，姚奠中主编，李正民增订：《元好问全集》卷一九，山西古籍出版社2004年版，第443-444页。

也反映了他对良史的认识。他提到："好问尝从事史馆，每见荐绅先生谈近代贤臣，莫不以公为称首。公自初入馆，即被顾问，忠言嘉谋不可一二数。"① 在这里，元好问突出强调耶律履的识见高明而为史馆众臣一致称许。

汇总有限的金代少数民族对史家评价的片言只语，大致说来，他们的良史标准尤为在意史官识见的高下。他们于史才三长中着重考量史家的"用心"和识见，即"史识"。或许他们认为史官、史家本应为积学且才华出众之士，所以史识才是显示他们优劣短长的核心指标。他们的认识虽有偏向，却也没有超出史才三长论的范畴，可以说他们评判史家的标准依然以传承为主。若说他们的评论中有一些不同于以往朝代的内容，则海陵王完颜亮的言论似乎有独到之处。完颜亮质疑《晋书》不将苻坚入本纪，反感《鲁语》的"贵彼贱我"，有别于传统的思想。究其原因，毫无疑问与其身份和立场有关。他作为女真族皇帝，寻求得到多民族臣民的拥护，为了维护其统治，不可能赞同从前的华夷之辨，他必然要强调他的理由。为此，他主张的正统不本于观念，而是基于实功，他认为"自古帝王混一天下，然后可为正统"②。今天看来，海陵王对《晋书》和《鲁语》的评论代表了金朝一些少数民族的新思想倾向，即淡化华夷之辨，强调功业之实，以实现天下统一为正统。可以说因为时代的不同和个人身份的特

① 元好问：《故金尚书右丞耶律公神道碑》，苏天爵编：《元文类》卷五七，商务印书馆1958年版，第825页。

② 脱脱等：《金史》卷八四《耨盌温敦思忠传》，中华书局1975年版，第1883页。

殊，他看问题的视角发生了变化，形成了不囿于成见而有一定新意的史学见解。

第三节　元代少数民族的史学批评

一、蒙古族皇帝及贵族基于修史的批评

元代的修史活动开始于元世祖忽必烈即位之初，一些文臣的建议在其中产生了积极的影响。金末状元王鹗在中统二年（1261）七月向元世祖提及唐太宗、宋太宗建有机构，“作养人才”，同时请求以宰相为监修国史，监修辽、金史，并主持采访遗事。[①] 到中统三年（1262）八月，元世祖“敕王鹗集廷臣商榷史事”，王鹗等“乞以先朝事迹录付史馆”。[②] 中统四年（1263）四月，王鹗又请求“延访太祖事迹付史馆”[③]。至元元年（1264）二月，元世祖敕令“选儒士编修国史，译写经书，起馆舍，给俸以赡之”[④]，可以说王鹗的不断努力终于有了结果。同年九月，翰林国史院正式设立[⑤]，当时翰林国史院的官员主要负责纂修实录。对于本朝实录，蒙古贵族很重视，至元二十三年（1286）十二月戊午，翰林国史院长官翰林承旨撒里蛮上奏言，希望国史

① 宋濂等：《元史》卷四《世祖本纪一》，中华书局1976年版，第71-72页。
② 宋濂等：《元史》卷五《世祖本纪二》，中华书局1976年版，第86页。
③ 宋濂等：《元史》卷五《世祖本纪二》，中华书局1976年版，第92页。
④ 宋濂等：《元史》卷五《世祖本纪二》，中华书局1976年版，第96页。
⑤ 宋濂等：《元史》卷五《世祖本纪二》，中华书局1976年版，第100页。

院所修实录经过翻译“奏读”，然后“纂定”。[①]“奏读”其实就是翰林国史院编纂的实录要经过皇帝的审查。至元二十五年（1288）二月庚申，“司徒、撒里蛮等进读《祖宗实录》，帝曰：‘太宗事则然，睿宗少有可易者，定宗固日不暇给，宪宗汝独不能忆之耶？犹当询诸知者。’”[②]从元世祖所说的这段话看，他对实录所记内容有自己的判定标准，他可能并不知道史书的采撰原则，但他所说的话却是有道理的。蒙古国早期的情况自然因“日不暇给”没有留下多少资料，但宪宗蒙哥统治时期的情况不仅史官经历过，可能一些重要事件的当事人尚在，所以他希望他们追忆或寻访知情者再为补充。

元世祖的嫡子真金自小跟随儒臣姚枢、窦默学习，至元十年（1273）被立为皇太子。他注重提升自己的为政素质，主动学习“祖宗典则”和前代经典。《元史·裕宗传》记载：“每与诸王近臣习射之暇，辄讲论经典，若《资治通鉴》《贞观政要》，王恂、许衡所述辽、金帝王行事要略，下至《武经》等书，从容片言之间，苟有允惬，未尝不为之洒然改容。”[③]从真金主动了解“祖宗典则”和讲论的书以史书为主可以推知他对史书的鉴戒作用还是颇为认同的。在真金的影响下，他的儿子都能自觉从史书中汲取智慧。比如，真金长子甘麻剌“抚循部曲之暇，则命也灭坚以国语讲《通鉴》”[④]。真金第三子元成宗铁穆耳不仅关注

---

① 宋濂等：《元史》卷一四《世祖本纪十一》，中华书局1976年版，第294页。
② 宋濂等：《元史》卷一五《世祖本纪十二》，中华书局1976年版，第308-309页。
③ 宋濂等：《元史》卷一一五《裕宗传》，中华书局1976年版，第2889页。
④ 宋濂等：《元史》卷一一五《显宗传》，中华书局1976年版，第2893页。

读史，他在审查史官所进读的实录时也能提出一些修改的意见。《元史·成宗纪》记载；元贞二年（1296）十一月己巳，“兀都带等进所译太宗、宪宗、世祖《实录》，帝曰：‘忽都鲁迷失非昭睿顺圣太后所生，何为亦曰公主？顺圣太后崩时，裕宗已还自军中，所计月日先后差错。又别马里思丹炮手亦思马因、泉府司，皆小事，何足书耶？’”① 可见，元成宗对进读《实录》的审查主要关注两点：一是史事真实性问题，二是记述内容要有选择，大事记，小事不必记。他所给出的指导性意见大体上是与传统史学的记事原则相符的，大概与其所受教育有关系。

元仁宗爱育黎拔力八达也是好读史书的皇帝，他阅读《贞观政要》，认为它“有益于国家”。同样具有资治作用的《资治通鉴》也为他所看重。史载：延祐元年（1314）四月，“帝以《资治通鉴》载前代兴亡治乱，命集贤学士忽都鲁都儿迷失及李孟择其切要者译写以进”②。元仁宗父亲为真金第二子答剌麻八剌，元仁宗自幼受过很好的教育是肯定的。他对史官的职责也有一定的认识，《元史·仁宗纪》在皇庆元年（1312）正月有载：

壬戌，升翰林国史院秩从一品。帝谕省臣曰：“翰林、集贤儒臣，朕自选用，汝等毋辄拟进。人言御史台任重，朕谓国史院尤重，盖御史台是一时公论，国史院实万世

① 宋濂等：《元史》卷一九《成宗本纪二》，中华书局1976年版，第407页。
② 宋濂等：《元史》卷二五《仁宗本纪二》，中华书局1976年版，第565页。

公论。”①

元仁宗很在意万世公论，所以他将翰林国史院的官阶提高，同时由他掌握翰林国史院官员的选任，这是当权者掌控修史的体现，但它也从侧面反映出元仁宗对史官责任的认识。他应该读过《新唐书》，很可能他是从盛唐侍中韦安石论史官之责中得到的启发。② 对于元仁宗的这一认识，明人胡粹中有评价说：“元世诸君，虽不习于文字之学，其所禀风气完固，天资淳厚，故发言往往暗合理道。如仁宗谓‘人言御史台任重，朕谓国史院尤重，盖御史台是一时公论，国史院是万世公论’，至哉言乎！虽知道之君子，不是过也。”③

元朝最重视文治的皇帝是元文宗图帖睦尔，其哥哥元明宗和世㻋曾讲：“朕弟曩尝览观书史，迩者得无废乎？听政之暇，宜亲贤士大夫，讲论史籍，以知古今治乱得失。卿等至京师，当以朕意谕之。”④ 元明宗的这句话表明其弟弟元文宗一向喜好书史，也反映出元明宗本人也是知晓史之为用的。元文宗在保存翰林国史院的基础上，又创立了奎章阁学士院。之所以元文宗又设立一个奎章阁学士院，其中的一个目的在于他要“准唐、宋《会

① 宋濂等：《元史》卷二四《仁宗本纪一》，中华书局1976年版，第549页。

② 欧阳修、宋祁：《新唐书》卷一一五《朱敬则传》提到：“侍中韦安石尝阅其稿史，叹曰：‘董狐何以加！世人不知史官权重宰相，宰相但能制生人，史官兼制生死，古之圣君贤臣所以畏惧者也。’”（中华书局1975年版，第4220页）

③ 胡粹中：《元史续编》卷八，《景印文渊阁四库全书》第三三四册，台湾商务印书馆1983年版，第511页。

④ 宋濂等：《元史》卷三一《明宗本纪》，中华书局1976年版，第696页。

要》”，修本朝典制史，即《经世大典》，[①] 另一个目的，则是基于辅政的考虑，他要学习历史和祖宗之明训，希望学士们经常能陈说于前[②]。前一个目的显然具有史学意义，后一个目的则具有政治意义。

元朝最后一个皇帝元顺帝妥懽贴睦尔统治时期官府修史所取得的成果最为丰硕，当时的元朝翰林国史院史官除了继续纂修本朝实录之外，还撰写了后妃、功臣列传，以及《大元通制》《六条政类》等，同时编纂完成了《辽史》《金史》《宋史》。元顺帝关于史学也有一些心得，史载：

> （至正）五年，三史成。十月，阿鲁图等既以其书进，帝御宣文阁，阿鲁图复与平章政事帖木儿塔识、太平上奏：“太祖取金，世祖平宋，混一区宇，典章图籍皆归秘府。今陛下以三国事绩命儒臣纂修，而臣阿鲁图总裁。臣素不读汉人文书，未解其义。今者进呈，万机之暇，乞以备乙览。”帝曰：“此事卿诚未解，史书所系甚重，非儒士泛作文字也。彼一国人君行善则国兴，朕为君者宜取以为法；彼一朝行恶则国废，朕当取以为戒。然岂止儆劝人君，其间亦有为宰相事，善则卿等宜仿效，恶则宜监戒。朕与卿等皆当取前

---

① 宋濂等：《元史》卷三三《文宗本纪二》，中华书局 1976 年版，第 740–741 页。

② 宋濂等：《元史·文宗本纪三》记载：“（至顺元年二月）奎章阁学士忽都鲁都儿迷失、撒迪、虞集辞职，诏谕之曰：‘昔我祖宗睿知聪明，其于致理之道，自然生知。朕以统绪所传，实在眇躬，夙夜忧惧，自惟早岁跋涉艰阻，视我祖宗，既乏生知之明，于国家治体，岂能周知。故立奎章阁，置学士员，日以祖宗明训、古昔治乱得失陈说于前，使朕乐于听闻。卿等其推所学以称朕意，其勿复辞。’”（中华书局 1976 年版，第 751 页）

代善恶为勉。朕或思有未至，卿等其言之。”①

元顺帝认为人君的所作所为关系国之兴亡，人君如何行事、宰相等如何行事都可以从史书中得到启迪。他所说“史书所系甚重，非儒士泛作文字也”，显示出他有较高的史学素养，他特别重视史书纂修的原因正在于此。他要从中汲取政治经验，他看到了以史为鉴的必要性。

综上所述，元代有些蒙古族皇帝和贵族已接触了一些史书，对于史书要真实记录历史及史书与其他文字的不同有了明确的认识，他们出于统治的需要，特别强调史书明治乱兴亡的鉴戒作用。

二、色目文臣的史学追求与见解

一般认为蒙元时期的色目人是来自西北的各族，包括一些来自欧洲的人。他们种类较多，主要有唐兀、回回、畏兀儿、康里、哈剌鲁人等。元代色目人总体上社会地位较高，他们中一些文臣、文人也进入史官行列，并参与元朝的重要史学活动，他们所作的一些文章也反映了他们的史学批评见解。下面就以史书明确记载的几位色目史家、史官为例作具体的分析。

察罕，《元史》称其为“西域板勒纥城人”，是一位博学的人，“通诸国字书”。他的史学成就主要体现在翻译史书方面，

① 宋濂等：《元史》卷一三九《阿鲁图传》，中华书局 1976 年版，第 3361–3362 页。

他曾翻译《贞观政要》献给元仁宗，而且受诏翻译《帝范》，并受命译《脱必赤颜》《纪年纂要》《太宗平金始末》等书。[①] 值得注意的是，察罕所撰《安南志略序》篇幅虽短，却也能略窥其史学识见。他所评论的是一部区域史——《安南志略》，他充分肯定了黎景高（黎崱，字景高）所著的这部反映一方之史地的书在内容上的详实，所谓："其谱系官爵之沿革、山川郡邑之先后、礼乐刑政之原、兵农财食之计、行李之使、出入年月、词人咏士朝辨藻品，一览而尽得之。"对于《安南志略》所取得的成就和史学价值，察罕的评价是："由其知之也习，故其言之也详，其有裨于迁、固之遗逸多矣。"他还说："今黎侯之言，信而有征，异时列之史馆，将不在迁、固下；若其人所存，则又非简策之所能既。"需要说明的是，他所褒扬的"裨于迁、固之遗逸""信而有征"都是具有一定史学批评内涵的定性评价，他甚至从史料价值的角度给予黎景高以"将不在迁、固下"的褒扬。就其所使用的方法看，他采用的是比较的方法。他开篇就说："南粤之记尚矣，自迁、固所载，靡得而详焉。岂非以中州之士而志粤者鲜欤？"[②] 他清楚地阐明了方志之书记一方之史优于其他史籍的特点及其原因。

马祖常，字伯庸，雍古部族人，曾兼国史院编修官，"奉诏修《英庙实录》，译润《皇图大训》《承华事略》，编集《列后

① 宋濂等：《元史》卷一三七《察罕传》，中华书局1976年版，第3309-3311页。
② 黎崱：《安南志略》卷首《安南志略序》（一），武尚清点校本，中华书局2000年版，第1页。

金鉴》《千秋记略》共若干卷”[①]。《元史》本传称：“祖常工于文章，宏赡而精核，务去陈言，专以先秦两汉为法，而自成一家之言。”[②] 但他的史学见解在其传世的文章中较少流露，仅见有三篇文章涉及关于史官的评价。其一是他写于元文宗至顺元年（1330）的《滋溪文稿》跋文，该文涉及对苏天爵的一句简评：“而吾伯修方读经稽古，文皆有法度，当负斯文之任于十年后也。”[③] 其二是他所撰写的《翰林学士元文敏公神道碑》，该文较全面记述了参与纂修《成宗实录》《武宗实录》《仁宗实录》的史官元明善的家世、生平，并评论了元明善在元代的学术地位。他认为元明善为“有元古文之宗”“资颖悟绝出，读书目所过即记。诸经皆有师法，尤深于《春秋》”，其文“出入秦汉之间，本之于六经，以涵泳其膏泽，参之于诸子百家以骋其辨。刻而不见其迹，新而必自己出，蔚乎其华敷，镄乎其古声”。[④] 其三是他所撰写的《集贤直学士贡文靖公神道碑铭》，就是他给贡奎写的神道碑铭，贡奎也是曾参与《成宗实录》《仁宗实录》撰修的史官。马祖常在文中称他：“公年十岁，辄能属文，已有闻于人。及壮，读书并日夜，忘寝食，于经、子、史传，无所不治。于其章义辞句，类数名制，委曲纤妙，无不究诣。于文章辩议闳

① 苏天爵：《滋溪文稿》卷九《元故资德大夫御史中丞赠摅忠宣宪协正功臣魏郡马文贞公墓志铭》，陈高华、孟繁清点校本，中华书局1997年版，第144页。

② 宋濂等：《元史》卷一四三《马祖常传》，中华书局1976年版，第3413页。

③ 苏天爵：《滋溪文稿》卷首，陈高华、孟繁清点校本，中华书局1997年版，第3页。

④ 马祖常：《翰林学士元文敏公神道碑》，李修生主编《全元文》卷一〇四〇（第32册），凤凰出版社2004年版，第479-482页。

放，俊傀不狃，卑近必以古归，故出而名振江之南。”[①] 尽管马祖常没有探讨史家修养的理论问题，但他评论的三位史官有共同特点，即博学、好古、能文，这可能是他心目中史官应具备的素养。当时担任史职的文臣确实都是博学者，并善为文章，同时有稽古的兴趣，也就是说，元代翰林国史院官员的选拔大多也是遵循这样的标准的。

赵世延，字子敬，“其先雍古族人”，“天资秀发，喜读书，究心儒者体用之学”。元文宗至顺元年（1330），“诏世延与虞集等纂修《皇朝经世大典》，世延屡奏：‘臣衰老，乞解中书政务，专意纂修。’”赵世延历省台五十余年，“负经济之资，而将之以忠义，守之以清介，饰之以文学，凡军国利病，生民休戚，知无不言，而于儒者名教尤拳拳焉。为文章，波澜浩瀚，一根于理。尝较定律令，汇次《风宪宏纲》行于世”[②]。赵世延的文章流传下来的不多，《南唐书序》对他的史学批评思想有所反映。他指出：“至山阴陆游，著成此书，最号有法，传者亦寡。后世有能秉《春秋》直笔、究明《纲目》统绪之旨者，或有所考而辩之。姑识其端以俟君子。余前忝史馆，朝廷命议修宋、辽、金三史而未暇，他日，太史氏复申前议，必将有取于是书焉。”[③] 他认为陆游的《南唐书》是“有法”之书，但他并没有作深入的探讨，希望后世有秉持《春秋》直笔原则，通晓《纲目》统

① 马祖常：《集贤直学士贡文靖公神道碑铭》，李修生主编：《全元文》卷一〇四〇（第32册），凤凰出版社2004年版，第483页。

② 宋濂等：《元史》卷一八〇《赵世延传》，中华书局1976年版，第4163-4167页。

③ 赵世延：《南唐书序》，苏天爵编：《元文类》卷三三，商务印书馆1958年版，第441页。

绪之宗旨的人有所考辨。从赵世延提出的这个希望看，他是对以往直书原则与政治标准有所了解的，当然，他更重视史书的史料价值。他认为陆游的这部史书将会对元朝修宋、辽、金三史具有启发意义。

赡思，“其先大食国人”，“生九岁，日记古经传至千言。比弱冠，以所业就正于翰林学士承旨王思廉之门，由是博极群籍，汪洋茂衍，见诸践履，皆笃实之学，故其年虽少，已为乡邦所推重”。元文宗朝，“诏预修《经世大典》，以论议不合求去”，此后他多历官台宪，但学问未废。《元史》其本传称：“赡思邃于经，而《易》学尤深，至于天文、地理、钟律、算数、水利，旁及外国之书，皆究极之。家贫，饘粥或不继，其考订经传，常自乐也。所著述有《四书阙疑》《五经思问》《奇偶阴阳消息图》《老庄精诣》《镇阳风土记》《续东阳志》《重订河防通议》《西国图经》《西域异人传》《金哀宗记》《正大诸臣列传》《审听要诀》，及文集三十卷，藏于家。”① 正是因为赡思对经史都有研究，所以他有自己的见解，论议与众不同。可惜的是，他的文字流传下来的同样不多。他所撰的《宝庆四明志重刻序》突出反映了他的史学造诣，他以简洁的文字比较了两《唐书》的价值，认为欧阳修《新唐书》以“纪录森严，文章煊赫”而大行于世，致使刘昫《旧唐书》“废弛几绝”，然而，“笔削既加，损益交变，而详略互见，旁求广索者亦或有取焉，故赖以不泯。于

① 宋濂等：《元史》卷一九〇《儒林传二·赡思传》，中华书局1976年版，第4351、4353页。

是《唐书》有新、旧之称”。他肯定了欧阳修等所撰《新唐书》在编次上和文笔上的优长，也指出刘昫等《旧唐书》有《新唐书》不能完全替代的史料上的价值，为“旁求广索者”所重视。赡思对两《唐书》价值的评判并不是他文章的重点，他以此为基础旨在分析三部《四明志》各自的价值。其文为：

> 四明有志久矣，而著述非一，可稽者惟宋乾道间郡守张津重缮大观初所编为七卷，及宝庆间庐陵罗濬复演为二十有一，而各以图冠其首。国朝袁翰林桷命十有二考以成书，盖变体也。文富事明，气格标异，诚为奇特，乃大掩前作。然濬之书，讵可全废哉？俾与《旧唐》为徒以备参考，亦自有补，乃命梓刻于郡学。[①]

赡思的这段文字涉及对元朝袁桷所作《四明志》的评价，他认为与宋代两部《四明志》相比，袁桷的书不仅“变体”，而且“文富事明，气格标异，诚为奇特”，远远超过前作。同时，他也指出宝庆间罗濬所著《四明志》也不能全废，如同《旧唐书》可以备参考一样有其价值。显然，赡思对宋、元两代所著《四明志》的比较，主要着眼点在体、文、事、气格四个方面，显示出他超越一般文士的卓识，其所说的“气格”当指史书整体布局。

---

① 赡思：《宝庆四明志重刻序》，李修生主编：《全元文》卷一〇二六（第32册），凤凰出版社2004年版，第231–232页。

赡思在其所撰《河防通议序》中也阐述了金代都水监编《河防通议》和他进一步编纂的《河防通议》的特点：

> 水功有书尚矣，《禹贡》垂统于上，而《河渠书》《沟洫志》缵绪于下。后世间亦有述，逮宋、金而河徙加数，为害尤剧，故设备益盛，而立法愈密，其疏导则践禹迹而未臻，其壅塞则拟宣房而过之矣。金时都水监有书详载其事，目曰《河防通议》，凡十五门，其体制类今簿领之书，不著作者名氏，殆胥吏之纪录也，今都水监亦存而用之。愚少尝学算数于真定，壕寨官张祥瑞之授以是书，且曰："此监本也，得之于太史若思。"后十五年复得汴本，其中全列宋丞司点检周俊《河事集》，视监本为小异，虽无门类，而援引经史，措辞稍文，论事略备。其条目纤悉，则弗若之矣。署云"朝奉郎尚书、屯田员外郎、骑都尉沈立撰"。愚患二本之得失互见，其丛杂纷纠，难于讨寻，因暇日擿而合之为一，削去冗长，考订舛讹，省其门，析其类，使粗有条贯，以便观览，而资实用云。①

赡思主要评论了三本水功之书。一本是金都水监胥吏编纂的《河防通议》，分十五门，是类书的体例；另一本是署名沈立的书，内容上增列宋人周俊的《河事集》，征引经史，文字表述

① 赡思：《河防通议序》，李修生主编：《全元文》卷一〇二六（第32册），凤凰出版社2004年版，第236页。

"稍文"，论事"略备"，但条目不如金人"监本"；赡思自编《河防通议》以金代监本和沈立本为基础，考订史实、疏通文字、条分缕析，更便于人们观览。赡思也肯定了《禹贡》及正史《河渠书》《沟洫志》等以往水功之书的贡献。

从赡思针对具体的史书所撰的两个书序看，他对史书的体例、记事和论事、文字表述、气格等都有关注，说明他的心目中对于史书的主要构成要素已有衡量的尺度和规范。

从察罕、马祖常、赵世延、赡思文章中所传递的史学批评思想看，由于他们都曾任过史官，也都参与过元代重大史学活动，因此，他们的识见与蒙古族皇帝和贵族相比学术倾向更强。对于史书的评判，他们更在意其征信、补遗、存史等方面的学术价值，而对于史官、史家的评价，他们强调的是才学、撰史的立意、为文的法度。

三、女真与拓跋后裔的史学批评主张

除了蒙古人、色目人之外，元代还有可确定的其他少数民族的史家、史官，比如下面要提到的孛术鲁翀和元明善。

孛术鲁翀，女真人，自幼勤学，长大后得到翰林学士承旨姚燧的赏识。姚燧曾推荐他参与《世宗实录》的纂修，元武宗至大四年（1311），他为翰林国史院编修官，后被授予翰林修撰，奉旨预修《大元通制》。他所撰《大元通制序》着重阐明一部法规类政书的分类及其实用价值，证明他注重史学的体例与功用。

元明善，字复初，"其先盖拓跋魏之裔"，通经读史，对

《春秋》深有研究。他曾参与修纂《成宗实录》《顺宗实录》《武宗实录》《仁宗实录》。[①] 元明善所撰的《安南志略序》《跋卢龙赵氏族谱后》《云南志略序》，多少反映了他审视史籍及其撰者的视角。大致说来，三篇文章有一个共同的特点，就是都注重考察所评论史书撰者的志向和追求。比如，《安南志略序》中有言：

往年王师伐罪安南，安南族子彰宪侯图存国中，率三万人求降，而黎君（指安南儒士黎崱）在焉。俄而彰宪为我战殁，黎君得至朝廷，遂为我臣。每哀彰宪之志不伸，而名亦䵝泯，常怀报国之愿，乃撰《安南志》二十卷，可谓详矣。其区区之志，固可慨矣。虽然，是书也，岂徒得其沿革风土之详而已？有志于功者，盍取订之。[②]

这里，元明善特别指明黎崱怀念旧人的情怀与报国之志，同时他也提起人们注意《安南志》"岂徒得其沿革风土之详而已"，还有其他值得"有志于功者"考订的内容。可以推测，他是指安南兴亡的鉴戒作用值得深思和探讨。而《跋卢龙赵氏族谱后》一文，他赞扬了赵氏族谱的撰者，肯定他们的相互接续使赵氏四百余年十三世的情况都得以记载，他认为一个族谱的成功撰写"不徒伟人硕士，丰功盛烈，以永今垂，亦肖子哲孙，克衍其

① 宋濂等：《元史》卷一八一《元明善传》，中华书局1976年版，第4171–4172页。

② 黎崱：《安南志略》卷首《安南志略序》（三），武尚清点校本，中华书局2000年版，第2页。

世，世为之谱，乃能是蕃且大也”[①]，并指出“夫赵君之藏之也，不但厚于其家而已也”，意在言明赵氏族谱的保存所具有的启迪意义。元明善在《云南志略序》中提到：“余读李君之书，深悲李君之志。李君之志，岂徒谓其井疆俗产而已！”在他看来，李京著《云南志略》不单纯是为了记述云南之地的地理、风俗、物产，联系他所说的“斯民也，吾圣祖神灵之所及，执事者可不究其所以治乱而拯之乎”[②]，可知，他认为李京所追求的是如何有效地因地制宜地管理云南之地。

孛术鲁翀和元明善从民族上分属于女真族、鲜卑族的后裔，在元代，他们已被归入“汉人”的行列，他们的文化底蕴更加深厚。孛术鲁翀由于留下的相关文章较少，尚不足以反映他的史学思想深度。元明善之文则显示出他对于史家评判有一定倾向性，即他试图从史书撰者的“志”的角度更广泛地揭示史书的价值，某种程度上可以说，其史学批评思想已超越被动接受而有所创新了。

综上，元代少数民族无论是汉文化程度不高的蒙古人，还是汉文化修养较高的色目人，以及几乎在文化素养上与汉人无差异的女真人和鲜卑人的后裔，他们中关注或参与修史工作的人大多对具体的史官、史家、史书或史学活动有过评论，他们的评论或多或少地具有了史学批评的内涵，只是层次上有一定的差异，而

① 元明善：《跋卢龙赵氏族谱后》，李修生主编：《全元文》卷七五七（第24册），江苏古籍出版社2001年版，第291页。

② 元明善：《云南志略序》，李修生主编：《全元文》卷七五七（第24册），江苏古籍出版社2001年版，第292页。

且他们的评论多数并没有上升到理论的高度。但是元代少数民族关于史学批评的言论或文章依然值得重视，因为从中既可以窥见他们对史学文化的接受、认同，还可了解他们品鉴史官、史家、史书的能力和水平，对于深入领会元代民族史学的发展大有裨益。

第二章 史学名著的传播与史学批评

以往朝代的史学名著同样为辽夏金元时期的人所看重，比如《贞观政要》《资治通鉴》等书不仅流传广泛，还得到了上至皇帝下至普通士人一致的好评，甚至形成研究的热潮。此外，《文献通考》以及其他正史、别史、杂史富有个性的评议丰富了其时史学批评的内涵。

第一节 《贞观政要》的广泛流传与普遍赞誉

一、一部富有启迪意义的政治史

《贞观政要》是唐代史学家吴兢撰写的一部政治史。唐代的贞观年间是历史上少有的政治清明的时期，是中国古代治世的典范。其时，唐太宗统治集团能够以史为鉴、抚民以静、重视立法、强调安定，而唐太宗本人亦勇于自律、善于纳谏、任人唯贤,[①] 社会呈现升平景象。瞿林东指出：“有辉煌的天下，乃有反映辉煌的天下的书。”他认为“贞观之治”与《贞观政要》便是突出的一例。[②]《贞观政要》是一个进取时代的记忆和记录。吴兢撰写《贞观政要》，既有感于贞观年间的政化的可资借鉴，也仰仗于贞观及其后所修的详备的《太宗实录》。众所周知，贞观年间也是一个重视修史的时期，官府编纂前代史成就斐然，二十四史之中有六部成于贞观之时，占总数的四分之一。在唐太宗督促下，本朝史也有很大进展，房玄龄等人编纂的国史主要包括《高祖实录》《太宗实录》。之后，唐高宗李治统治时期史官承担了续修《太宗实录》的责任，唐高宗反复要求史官：“必须穷征索隐，原始要终，盛业鸿勋，咸使详备。”[③] 正因为唐初国史编纂如此尽心尽力，中唐以后的“朝野士庶”对贞观政化才有比较系统的了解，居史职的吴兢更是“成诵在心”[④]。吴兢在史馆曾与刘知幾共事，熟悉修史工作，他撰写的《贞观政要》可谓独具匠心。近人陈寅恪认为：“唐代祖宗功德之盛，莫过于太宗，而《太宗实录》四十卷部帙繁重，且系编年之体，故事迹不易检查。斯《太宗实录》之分类节要本，即吴兢《贞观政要》一书所以成为古今之要籍也。”[⑤] 也就是说，在陈寅恪看来，吴兢对《太宗实录》的“分类节要”是成功的，一方面他克服了

① 参见赵克尧、许道勋：《唐太宗传》，人民出版社 1984 年版，第 97-199 页。
② 瞿林东：《史学与史学评论》，安徽教育出版社 1998 年版，第 580 页。
③ 王钦若等：《册府元龟》卷五五六《国史部·采撰二》，中华书局 1960 年版，第 6682 页。
④ 吴兢：《贞观政要》卷首，谢保成《贞观政要集校》本，中华书局 2003 年版，第 3 页。
⑤ 陈寅恪：《元白诗笺证稿》，生活·读书·新知三联书店 2015 年版，第 136 页。

《太宗实录》部帙繁重的问题，篇幅上大大缩减，仅有十卷四十篇，另一方面他改变了编年叙事的体例，事类分明，更便于读者阅读和理解。具体说来，《贞观政要》所记述的贞观君臣论政，经过吴兢的提炼和编次，具有了独特的风格：其一，内容上突出贞观政化的规制，彰显“人伦之纪”与“军国之政”；其二，表述形式上灵活有序。《贞观政要》大体是在《太宗实录》的基础上化繁为简而成，改编年为专题而有似类书，然而每个专题的若干章的排序依时间先后，往往从贞观初年说起，依次论至贞观末年，前后事件之间的关联和思想的演变清楚明确。《贞观政要》无疑是一部集历史叙事与历史研究为一体的史学著作，其书不同于《太宗实录》之处，不只是它的化繁为简，还在于它融入了作者对贞观政治的认识，寄寓了当时朝野士庶的致治追求，并提出了一些带有普遍性的治国理政的问题。也正因为如此，《贞观政要》得到唐以后求治的君臣和学人的普遍赞誉，进而使它得到持久而广泛的传播。

二、辽夏金元时期《贞观政要》的流传

《贞观政要》问世后，最初的确有过短暂的沉寂，这当与唐玄宗后期的怠政，以及安史之乱之后社会的动荡有直接的关系。然而，吴兢的《贞观政要》毕竟牵系君主统治的问题，关切治国之术者必然会发现它切实的价值。实际上，《贞观政要》很快就打破沉寂而引起人们的关注，呈现出非同凡响的影响力。中晚唐时，最迟至唐代宗时期就有人把它列入国史的组成部分，当时

有洋州刺史赵匡上“举选议”，其中“举人条例”提及《贞观政要》，即：“国朝自高祖下及睿宗实录并《贞观政要》共为一史。”① 也正是从唐代宗时开始，唐朝的一些皇帝阅读的书目中就列有《贞观政要》，唐代宗、唐宪宗、唐文宗、唐宣宗都曾阅读过《贞观政要》。唐以后的五代，乱世中仍可见求治心切的人，史载：后唐明宗李嗣源曾“召学士读《贞观政要》《太宗实录》，有致治之志”②。《全唐文》收录有五代后晋高祖的《令百官上封事御札》，文很短，其中责令百官上封事的话提及《贞观政要》：“食禄于朝，卒无一言，可不知《贞观政要》说：‘言而不用，朕所甘心，用而不言，谁之责也。’”③ 看来晋高祖石敬瑭接受了贞观君臣的求谏进谏的政治运作模式。两宋时，《贞观政要》成为当时的知识精英必读的书。北宋政治家曾巩自年少时即读《唐书》和《贞观政要》，对贞观之世充满向往，自恨不能生于其时，长大后又好问当世事，《贞观政要》培养了他的洞察力。④ 宋初三先生之一的石介和北宋仁宗朝名相王曾都认真阅读过《贞观政要》，编纂《新唐书》的史臣所作《太宗本纪》后赞，依赵克尧、许道勋的研究，当是从《贞观政要序》演化而来的。⑤ 辽夏金元时期更是把《贞观政要》推广到契丹、党

① 赵匡：《举选议》，董诰等：《全唐文》卷三五五，中华书局 1983 年版，第 3604 页。

② 司马光：《资治通鉴》卷二七八“后唐纪七·明宗长兴四年（933）”，中华书局 2011 年版，第 9224 页。

③ 晋高祖：《令百官上封事御札》，董诰等：《全唐文》卷一七七，中华书局 1983 年版，第 284 页。

④ 曾巩：《曾巩集》卷五二《上欧蔡书》，陈杏珍、晁继周点校本，中华书局 1984 年版，第 707 页。

⑤ 赵克尧、许道勋：《唐太宗传》，人民出版社 1984 年版，第 415 页。

项、女真、蒙古族中。这几个政权的一些皇帝及各族士人都很珍视它。为了使少数民族的君臣能够更深刻领悟这部书的意蕴，其时陆续出现契丹文、西夏文、女真文、蒙古文的译本。据《契丹国志》记载，辽圣宗耶律隆绪好读《贞观政要》，因此他对唐朝的君臣事迹较为熟悉，他也把唐太宗、唐玄宗视为榜样。[①] 辽兴宗朝契丹族大儒萧韩家奴曾受命翻译诸书，他翻译的三部书中就有《贞观政要》（其他两部是《通历》《五代史》）。黑水城遗址发现的西夏文《贞观政要》译本虽仅存残卷，[②] 但仍然可以推知这部书在西夏同样受到一些党项贵族的青睐。《金史》提及金熙宗完颜亶、金世宗完颜雍、金哀宗完颜守绪都曾研读过《贞观政要》。《贞观政要》也大受元代君臣的推崇。如前文所述，《贞观政要》也是真金等所讲论的经典。康里人不忽木入国子监学习，元世祖忽必烈到国子监欲检查学子们所写的字，年仅十六岁的不忽木独自书写《贞观政要》数十事进上。[③] 不忽木和太子真金一样是汉族儒臣的弟子，无疑他们深受王恂、许衡的影响。在元代的帝王中，元仁宗爱育黎拔力八达、元文宗图帖睦尔都读过《贞观政要》，他们也曾诏令各族臣民认真学习这部经典。应该说君主和士人构成了《贞观政要》一书稳定的读者群

---

① 叶隆礼：《契丹国志》卷七《圣宗天辅皇帝》记载："（帝）好读唐《贞观事要》（当是《贞观政要》的误写），至太宗、明皇实录则钦伏，故御名连明皇讳上一字；又亲以契丹字译白居易《讽谏集》，召番臣等读之。尝曰：'五百年来中国之英主，远则唐太宗，次则后唐明宗，近则今宋太祖、太宗也。'"（贾敬颜、林荣贵点校本，上海古籍出版社1985年版，第71页）

② 从现代学者的研究看，西夏文译本的《贞观政要》有俄藏和英藏，其来源地都是内蒙古额济纳旗黑水城遗址。（参见聂鸿音：《〈贞观政要〉的西夏文译本》，《固原师专学报》1997年第1期；王荣飞：《英藏西夏文译〈贞观政要〉初探》，《西夏研究》2012年第3期）

③ 宋濂等：《元史》卷一三〇《不忽木传》，中华书局1976年版，第3164页。

体。可以肯定，他们阅读《贞观政要》的体会不尽相同。君主们多重视其记述的贞观年间为政经验的启迪意义，士人们审视其资政作用也兼及其学术价值。他们之所以对《贞观政要》发生兴趣却有近乎相同的原因：第一，求治需求的驱使；第二，《贞观政要》所承载的治世历史的感召。《贞观政要》所具有的史学价值与社会需求相契合是其长期流传的主要原因。此外，还需要强调的是，《贞观政要》的广泛传播得益于一些有政治影响的重要人物的积极推扬。比如金熙宗完颜亶曾对其侍臣说："朕每阅《贞观政要》，见其君臣议论，大可规法。"韩昉回答说："皆由太宗温颜访问，房、杜辈竭忠尽诚。其书虽简，足以为法。"[①]显然，他们都认识到《贞观政要》所记的君臣议论有值得效法学习的宝贵的历史经验，可以肯定他们在朝堂上的讨论交流对促进《贞观政要》在金代的传播有积极作用。金世宗大定年间用女真文翻译的汉文典籍包括《贞观政要》，[②]翻译者希望更多女真人知晓这部书的意图是明确的。元仁宗爱育黎拔力八达阅读《贞观政要》而对翰林侍讲阿林铁木儿说："此书有益于国家，其译以国语刊行，俾蒙古、色目人诵习之。"[③]响应皇帝的号召，"通诸国字书"的色目人察罕翻译《贞观政要》献给元仁宗。[④]

---

① 脱脱等：《金史》卷四《熙宗本纪》，中华书局1975年版，第74页。

② 脱脱等：《金史》卷九九《徒单镒传》记载："大定四年，诏以女直字译书籍。五年，翰林侍讲学士徒单子温进所译《贞观政要》《白氏策林》等书。六年，复进《史记》《西汉书》，诏颁行之。"（中华书局1975年版，第2185页）

③ 宋濂等：《元史》卷二四《仁宗本纪一》，中华书局1976年版，第544页。

④ 宋濂等：《元史》卷一三七《察罕传》，中华书局1976年版，第3311页。

曹元用也译《贞观政要》为国语。[①] 至顺三年（1332），元文宗命奎章阁学士院以国字译《贞观政要》，锓板模印，以赐百官。[②] 可见，在元代仅蒙古文译本就有多种，不同民族文字的译本的出现扩大了《贞观政要》的传播范围，使其成为各族共同的经典。当然，《贞观政要》被少数民族皇帝认可，是与汉族谋臣的努力分不开的，比如，泰定元年（1324），泰定帝欲使太子及诸王大臣子孙接受经史教育，命令平章政事张珪、翰林学士承旨忽都鲁都儿迷失、学士吴澄、集贤直学士邓文原“以《帝范》《资治通鉴》《大学衍义》《贞观政要》等书进讲”[③]，这一举措就是接受江浙行省左丞赵简的建议。少数民族皇帝的赞赏，或者皇帝身边的谋臣的推荐，具有导向作用，为《贞观政要》广泛而持久地流传增加了助力。

三、《贞观政要》批评及影响

人们研读《贞观政要》，自然对此书有一定的认识。此时期确实有一些评论见诸记载，比如前面提到的金熙宗完颜亶和元仁宗爱育黎拔力八达及一些士人的评论。而《贞观政要》批评产生的影响，主要体现在史学和政治两个方面。

就《贞观政要》的史学影响而言，有人称颂吴兢的撰述旨趣，愿意成为其仿效者，于是有一些仿作、改作和研究性著作接

① 宋濂等：《元史》卷一七二《曹元用传》，中华书局1976年版，第4028页。
② 宋濂等：《元史》卷三六《文宗本纪五》，中华书局1976年版，第803页。
③ 宋濂等：《元史》卷二九《泰定帝本纪一》，中华书局1976年版，第644页。

续不断地出现。金代有一项成果，即《贞观政要申鉴》，它是赵秉文任益政院说书官时，考虑到皇帝“一日万几，岂能遍览”，便对《贞观政要》作了进一步研究，“撮其枢要”，并附有个人见解，写成“特于鉴戒申重”的《贞观政要申鉴》①。元代关于《贞观政要》的研究也形成一项重要成果——戈直的《贞观政要集论》。戈直为元代大儒吴澄的门人，他在整理《贞观政要》“传写谬误”的同时，采辑唐宋诸儒之论，“间以己意”而作《贞观政要集论》②。全书汇集了唐代柳芳，后晋刘昫，宋代宋祁、孙甫、欧阳修、曾巩、司马光、孙洙、范祖禹、马存、朱黼、张九成、胡寅、吕祖谦、唐仲友、叶适、林之奇、真德秀、陈惇修、尹起莘、程奇及吕氏《通鉴精义》二十二家之说，以及戈直自己的看法。③ 显然，这部书是适应元代君臣研读《贞观政要》的需要而产生的。许衡的门人许约也曾向当时的皇帝（元仁宗）建言，希望他命翰林编集一本如《贞观政要》一样的书，汇集“世祖嘉言圣德，与凡政事之弛张、贤哲之谋谟、人材之进退、财用之出纳，及命将出师、混一区宇、远谋宏略”等内容④。

人们对《贞观政要》的批评体现在政治上，则是使《贞观

---

① 赵秉文：《闲闲老人滏水文集》卷一五《贞观政要申鉴》引，孙德华点校本，科学出版社 2016 年版，第 323 页。

② 吴兢：《贞观政要》叙录，谢保成《贞观政要集校》本，中华书局 2003 年版，第 30 页。

③ 永瑢等：《四库全书总目》卷五一“史部七·杂史类”《贞观政要》条，中华书局 1965 年版，第 463 页。

④ 许约：《建言五事》，李修生主编：《全元文》卷五五五（第 17 册），江苏古籍出版社 2000 年版，第 301 页。

政要》成为帝王治国理政的“教科书”，成为帝王们潜心研读或与大臣探讨的重要经典。比如，金末，金哀宗于正大三年（1226）设置益政院于内庭，请学识渊博的数人兼职，“日以二人上直，备顾问”，他们选讲的内容出自《尚书》《资治通鉴》《贞观政要》[①]。元代吴澄曾任职经筵，进讲《贞观政要》。他在其所撰序文中也指出，虽然《贞观政要》不如《周颂》之诗、《召诰》《立政》《无逸》之书那样“义理昭融，教戒深切”，但“譬之行远必自迩，譬之登高必自卑”，却是不可缺的。他也充分肯定《贞观政要》“事核辞质，读者易晓”的特点[②]。郭思贞曾为奎章阁大学士，他所撰序文中提到：“史臣吴兢，类为政要，凡命令政教，敷奏复逆，询谋之同，謇谔之异，所以植国体而裕民生者，赫赫若前日事。”[③] 也是从记事内容上高度评价了《贞观政要》关乎实际的价值。虞集为《贞观政要集论》所作的序更提到当时为元朝皇帝的经筵官诸公都认为《贞观政要》“切近事情”[④]，因此他们极力劝勉君主研读它，并从中寻求治国良方。元人戈直的《贞观政要集论》自序开篇就讲到：“《贞观政要》者，唐太宗文皇帝之佳言善行、良法美政，而史臣吴兢编类之书也。自唐世子孙，既已书之屏帷，铭之几案，祖述而宪章

---

① 脱脱等：《金史》卷五六《百官志二》，中华书局1975年版，第1280页。

② 吴澄：《贞观政要集论序》，李修生主编：《全元文》卷四八五（第14册），江苏古籍出版社1999年版，第345页。

③ 吴兢：《贞观政要》附录一“郭思贞序”，谢保成《贞观政要集校》本，中华书局2003年版，第576页。

④ 虞集：《贞观政要集论序》，李修生主编：《全元文》卷八一九（第26册），凤凰出版社2004年版，第100页。

之矣。至于后世之君，亦莫不列之讲读，形之论议，景仰而效法焉。”戈直也简要分析了贞观之政独赫然耳目之间的原因，在他看来，与史事远近有关系，也有记事文字表述的因素。他认为：“盖两汉之时世已远，贞观之去今犹近。迁、固之文高古尔雅，而所纪之事略；吴氏之文质朴该赡，而所纪之事详。”① 直到元顺帝至正十六年（1356），李好文在上皇太子的书中还强调通过学习经典之大意可达到太平之治，其中也提到《贞观政要》。② 总的看来，辽夏金元四朝的君臣重视《贞观政要》都是基于书中所载唐太宗君臣的言行可为鉴戒，可为法则，有益于国家。

需要强调的是，无论是关于《贞观政要》的批评在史学层面上的推进作用，还是在帝王阅读与借鉴层面的政治文化熏陶感染，都与诸皇朝的政治统治有紧密的关联。吴兢的仰慕者不断推出的仿效《贞观政要》的新作，依然着眼于治国理政，与经筵讲述讨论《贞观政要》的目标完全一致，都有效地传递了贞观年间的为政理念，有益于致治文化的传承，为最高统治集团处理国政的具体事务提供了交流的媒介和参照。由于各族统治者及其辅佐者在国政的决策上担负着主要的责任，他们从经典中汲取的政治观念往往化为现实政策的指导思想，可以说贞观政化和历代有为之君的治国经验成为典则，在很大程度上激励了一代又一代人们去努力构建良好的政治秩序，推进社会的进步。从这个意义

① 吴兢：《贞观政要》附录一“戈直序”，谢保成《贞观政要集校》本，中华书局2003年版，第577页。

② 宋濂等：《元史》卷一八三《李好文传》，中华书局1976年版，第4218页。

上讲，关于《贞观政要》的评论具有显著的政治意义和社会意义，其根本所在是对后世历朝统治者的政治观念和施政实践产生积极的影响。

第二节 《通鉴》学的新发展与相关评议

一、金代《资治通鉴》的传播

《资治通鉴》是宋英宗诏令司马光选辟官属编集的编年史通史，自宋英宗治平三年（1066）置局始，至宋神宗元丰七年（1084）完成，前后用时十九年。司马光《进书表》称其书的撰述有言："每患迁、固以来，文字繁多，自布衣之士，读之不遍，况于人主，日有万机，何暇周览！臣常不自揆，欲删削冗长，举撮机要，专取关国家兴衰，系生民休戚，善可为法，恶可为戒者，为编年一书，使先后有伦，精粗不杂。"[①] 可见其编纂宗旨与《贞观政要》类似。司马光的撰述初衷同样是总结历史的经验教训，史鉴的目的十分明确，但其篇幅更宏大，其展示的历史更久长，将自战国至五代凡一千三百六十二年的君臣事迹汇聚为一书之中。《资治通鉴》的编纂成功，引起当时和后世广泛的关注，得到宋金元明清历代君臣和学人的重视，倡导学习者有之，认真研读者有之，甚至形成了专门之学——《通鉴》学。

就目前所掌握的资料看，辽朝人是否见过《资治通鉴》还

① 司马光：《进书表》，《资治通鉴》书末，中华书局2011年版，第9739页。

不确定。金朝人最早接触到《资治通鉴》大概在金灭北宋之时。《三朝北盟会编》记："金人索监书：藏经、苏黄文及古文书、《资治通鉴》诸书。"[①] 在宋金军事较量过程中，取胜的金朝以武力做后盾劫夺了宋朝人口、器物、书籍，《资治通鉴》是他们索要的书籍中的一部。《金史》之《宗翰传》《宗望传》也有记载，天会四年（1126）闰十一月，金军攻克宋都城汴京。金天会五年（1127）即宋靖康二年四月，金朝军事统帅宗翰、宗望掳掠宋二帝（徽宗、钦宗）北归，同时携带大量的物质，其中就有宋宫廷的图书。《宋史·钦宗本纪》对此有更详细记载："夏四月庚申朔，大风吹石折木。金人以帝及皇后、皇太子北归。凡法驾、卤簿，皇后以下车辂、卤簿，冠服、礼器、法物，大乐、教坊乐器，祭器、八宝、九鼎、圭璧，浑天仪、铜人、刻漏，古器、景灵宫供器，太清楼秘阁三馆书、天下州府图及官吏、内人、内侍、技艺、工匠、娼优，府库畜积，为之一空。"[②] 这里提到的"太清楼秘阁三馆"是北宋皇家藏书处，自然应收藏有《资治通鉴》。另外，《金史·赤盏晖传》记载，赤盏晖跟随金军南进至余杭，返回时，"载《资治通鉴》版以归"[③]。也就是说，除了刊印的书籍，《资治通鉴》版也被军将带入金朝。赤盏晖本是旧辽降将，他把《资治通鉴》版作为战利品带回，表明他重视典籍的收集。金人之所以把书籍作为索要的物品，与其

① 徐梦莘：《三朝北盟会编》卷七三"靖康中帙四十八"，上海古籍出版社 2008 年版，第 548 页。

② 脱脱等：《宋史》卷二三《钦宗本纪》，中华书局 1977 年版，第 436 页。

③ 脱脱等：《金史》卷八〇《赤盏晖传》，中华书局 1975 年版，第 1806 页。

立国之初推行的文化政策有一定的关系。早在金太祖命将攻辽之时，就曾发布诏令："若克中京，所得礼乐仪仗图书文籍，并先次津发赴阙。"[①] 其时金朝的最高统治者已经意识到要接受辽朝宝贵的文化遗产。金初，女真贵族文化水平并不高，其文化政策的制定，多接纳降金的原辽旧臣的建议，《金史·刘彦宗传》记载："明年，再伐宋，已围汴京，彦宗谓宗翰、宗望曰：'萧何入关，秋毫无犯，惟收图籍。辽太宗入汴，载路车、法服、石经以归，皆令则也。'二帅嘉纳之，执二帝以归。"[②] 可见，金朝将领进入宋时的收书举动有其文化政策的指导，更有如刘彦宗一样知晓历史的文臣的指点。《资治通鉴》书籍及《资治通鉴》版入金后，最初传播的范围可能并不广，但金中后期情形不同了，其上层人物，尤其是女真皇帝和文武官吏对《资治通鉴》普遍有了一定的认识。金熙宗朝时任左丞相完颜亮过生日时，金熙宗赠送给完颜亮的生日礼物就有司马光画像[③]，说明他已将司马光视为偶像级人物。金世宗所读书中就有《资治通鉴》，他还给予这部史书很高的评价，称其"编次累代废兴，甚有鉴戒"[④]。女真贵族完颜承晖，最初袭父职为谋克，后官至宰相，但生活俭朴，"常置司马光、苏轼像于书室，曰：'吾师司马而友苏公。'"[⑤] 金人耶律履在任礼部郎中兼同修国史、翰林修撰时曾评论过司马

① 脱脱等：《金史》卷二《太祖纪》，中华书局1975年版，第36页。
② 脱脱等：《金史》卷七八《刘彦宗传》，中华书局1975年版，第1770页。
③ 脱脱等：《金史》卷一三二《逆臣传·大兴国传》，中华书局1975年版，2822页。
④ 脱脱等：《金史》卷七《世宗本纪中》，中华书局1975年版，第175页。
⑤ 脱脱等：《金史》卷一〇一《承晖传》，中华书局1975年版，第2227页。

光，他赞赏司马光推广《孝经》的做法，在大定二十六年（1186）表进《孝经指解》，他申明理由说："宋仁宗时，司马光以为古文《孝经》先秦所传，正得其真。因为《指解》上之。臣愚，窃观近世，皆以兵、刑、财、赋为急，而光独以童蒙所训者进之君，正以孝为百行之本，其至可以通神明、动天地。为人君者，诚取其辞旨，措之天下四方，则元元之民受赐溥矣。臣窃慕焉，故敢以为例。"[①] 当然，耶律履关于司马光的这段评论不关乎史学，重点是治国理政，是对作为政治家的司马光引导君王树立良好风俗的认同。金哀宗时，设益政院于内庭，选择"学问该博、议论宏远者"数人，备顾问，所讲除了《尚书》《贞观政要》，还有《资治通鉴》。[②]

金代《通鉴》学虽不如宋朝，但也是金代史学的成就之一。元好问《陆氏通鉴详节序》论及金代专门之学有言："中州文明百年，有经学，有《史》《汉》之学、《通典》之学，而《通鉴》则不能如江左之盛。唯蔡内翰伯正甫珪、萧户部真卿贡、宗室密国公子瑜璹之等十数公，号称专门而已。近岁，此学颇行河朔，武臣宿将讲说记诵，有为日课者，故时人稍稍效之。"[③]元好问点名的蔡珪、萧贡、完颜璹，《金史》都有传，但都没有提及他们研究《资治通鉴》的成果。仅元好问在《中州集》"密国

① 元好问：《故金尚书右丞耶律公神道碑》，狄宝心校注：《元好问文编年校注》，中华书局2012年版，第698页。

② 脱脱等：《金史》卷五六《百官志二》，中华书局1975年版，第1280页。

③ 元好问：《陆氏通鉴详节序》，狄宝心校注：《元好问文编年校注》，中华书局2012年版，第1433页。

公璹”小传中有所涉及：“明昌以来诸王法禁严，诸公子皆不得与外间交通。故公得穷日力于书，读《通鉴》至三十余过。是非成败，道之如目前。”[①] 元好问还在其所写《如庵诗文序》中提到：“（密国公）于书无所不读，而以《资治通鉴》为专门。驰骋上下千有三百余年之事，其善恶是非、得失成败，道之如目前。穿贯他书，考证同异，虽老于史学者，不加详也。”[②] 综合元好问的两处记载，完颜璹不仅仅熟读《资治通鉴》，对其中是非成败了如指掌，且有考证研究，只可惜他的研究没有片言流传至今。据《金史》记载，卫绍王统治时期，文坛领袖杨云翼曾受命编修《续资治通鉴》，当也属于金代《通鉴》学成果之一。

金人出于敬仰司马光而传播、研读《资治通鉴》，所以他们关于司马光和《资治通鉴》的议论多是赞扬。王庭直《重立司马温公神道碑记》有言：“司马温公，于有宋熙宁间，致君泽民，成人行己。文章政事，丰功硕德，炳炳烺烺，著于天下，昭于后世，前贤述之备矣。”[③] 元好问讲：“温公修此书十五余年，虽相业未究，而能成百代不刊之典，以与左丘明氏并传，立功、立言，皆圣哲之能事，在公为无憾。”[④] 从现有传世的金人著述看，王若虚对《资治通鉴》有深入的研究。他虽然没有针对

---

① 元好问编：《中州集》卷五“密国公璹”小传，张静《中州集校注》本，中华书局2018年版，第1412页。

② 元好问：《如庵诗文序》，狄宝心校注：《元好问文编年校注》，中华书局2012年版，第1487页。

③ 王庭直：《重立司马温公神道碑记》，张金吾编纂：《金文最》，中华书局1990年版，第299页。

④ 元好问：《陆氏通鉴详节序》，狄宝心校注：《元好问文编年校注》，中华书局2012年版，第1433页。

《资治通鉴》作专篇评论，但《滹南遗老集》中有多处引述或点评《资治通鉴》，比如《〈孟子〉辨惑》《诸史辨惑》《〈新唐书〉辨》《议论辨惑》《著述辨惑》《谬误辨惑》《文辨》《君事实辨》《臣事实辨》等，而以《诸史辨惑》《〈新唐书〉辨》商讨比较为多，从记事、用语、议论等多方面讨论其得失。总体上看，王若虚视《资治通鉴》为一部优秀的史学著作，他说："《通鉴》一书，妙绝古今，虽万世不能易也。"[①] 但对于《资治通鉴》这部不朽的史学名著，在王若虚看来仍然存在记事、议论、材料取舍、用字方面的问题，对此，他也有批评。这与他关于史例的认识有一定的关系，后面将有专门的阐述。王若虚对于刘恕所作《资治通鉴外纪》持否定的意见，他认为刘恕不遵从司马光的看法，《资治通鉴外纪》"勉强牵合"，不如不作。[②]

金元之际，致力于《资治通鉴》传播和研究的人还有弋唐佐、张晋亨，也被元好问撰文表彰。元好问大概于蒙古海迷失后元年（1249）[③] 和蒙古宪宗五年（1255）[④] 分别撰写了《集诸家通鉴节要序》和《陆氏通鉴详节序》。前一文元好问赞扬了弋唐佐汇总诸家《通鉴》成一书的编次之功，后一文肯定了陆氏《通鉴》的传播之力。傅骏研究认为，张晋亨根据宋陆唐老等

---

① 王若虚：《滹南遗老集》卷三〇《议论辨惑》，胡传志、李定乾《滹南遗老集校注》本，辽海出版社 2006 年版，第 344 页。

② 参见王若虚：《滹南遗老集》卷三一《著述辨惑》，胡传志、李定乾《滹南遗老集校注》本，辽海出版社 2006 年版，第 347 页。

③ 《元好问文编年校注》所推定的撰文年为蒙古海迷失后元年己酉年。（狄宝心校注，中华书局 2012 年版，第 1018 页）

④ 《元好问文编年校注》所确定的撰文年为蒙古宪宗五年乙卯年。（狄宝心校注，中华书局 2012 年版，第 1436 页）

《通鉴》节本刊刻的《增修陆状元集百家注资治通鉴详节》和弋唐佐的书在卷次和史文内容上几乎完全相同，都收录了《通鉴外纪》《举要历》《纪传总括》《帝王图系》等篇章，节要正文都有百卷，并附有宋及前代注文和诸儒议论。只是张晋亨刊刻的书另有卷首一卷、目录三卷，从两本的渊源看，都是编辑南宋《通鉴》节要本而成。[①] 这说明金元之际南宋《通鉴》学的一些成果已传入北方。可能正是由于张晋亨、弋唐佐等人的努力推扬《资治通鉴》，在金元之际，也就是元好问所说的“近岁”，《通鉴》学开始出现风行的势头，尤其是河朔一带，“武臣宿将讲说记诵”是其中重要表现。比如，金元之际，身经百战、建有无数战功的出将入相的史天泽就是典型代表。王磐所撰《中书右丞相史公神道碑》有记述说：“公平生喜《资治通鉴》，每公务之暇，即取读之，有不解，则以问人，必解而后已。虽公务远适，亦恒以数册自随，每举一事，辄能推究始终，折衷是非，虽老师宿儒有不及者。”[②] 另外，由金入元的真定人贾居贞，“从帝（元世祖）北征，每陈说《资治通鉴》，虽在军中，未尝废书”[③]。

二、元代《通鉴》学的昌盛

《资治通鉴》在元代受重视的程度远超金代。一方面执政者视其为为政的教科书，另一方面学人继承司马光的事业不断有续

① 傅骏：《金元通鉴学之研究》，复旦大学博士学位论文，2007 年，第 25 页。

② 王磐：《中书右丞相史公神道碑》，李修生主编：《全元文》卷六二（第 2 册），江苏古籍出版社 1999 年版，第 278 页。

③ 宋濂等：《元史》卷一五三《贾居贞传》，中华书局 1976 年版，第 3622–3623 页。

作、改作、注释等成果问世。就前者而言，第一章已经提及《资治通鉴》有多种蒙古文译本。元代中期成为蒙古族皇帝认真学习的经典之一。大德元年（1297），元成宗铁穆耳命焦养直进讲《资治通鉴》，[①] 泰定帝泰定元年（1324）确定为当时经筵进讲的书籍之一，[②] 元末康里人巎巎为经筵官，他因讲《资治通鉴》而劝谏元顺帝修史[③]。《通鉴节要》被译写完成后还成为蒙古国子学诸生和诸路蒙古字学学生使用的教材。就后者来说，元代《通鉴》学成果丰硕。钱大昕《元史艺文志》列举其时出现的与《资治通鉴》研究有关的著述16种，即郝经《通鉴书法》、金履祥《通鉴前编》、何中《通鉴纲目测海》、胡三省《音注资治通鉴》与《释文辨误》、尹起莘《通鉴纲目发明》、王幼学《通鉴纲目集览》、刘友益《通鉴纲目书法》、徐昭文《通鉴纲目考证》、金居敬《通鉴纲目凡例考异》、吴迂《重订纲目》、徐诜《续通鉴要言》、曹仲野《通鉴日纂》、董蕃《通鉴音释质疑》、潘荣《通鉴总论》、汪从善《通鉴地理志》。[④] 其实，从元人的相关文章看，还有王义山的《长编纲要》也应作于宋末元初，[⑤] 胡氏《季汉正义》当作于宋元之际，[⑥] 陈子经的《通鉴续编》当作

---

① 宋濂等：《元史》卷一六四《焦养直传》，中华书局1976年版，第3859页。

② 宋濂等：《元史》卷二九《泰定帝本纪一》，中华书局1976年版，第644页。

③ 宋濂等：《元史》卷一四三卷《巎巎传》，中华书局1976年版，第3415页。

④ 钱大昕：《元史艺文志》，陈文和主编：《嘉定钱大昕全集》第5册，凤凰出版社2016年版，第153-154页。

⑤ 王义山：《上待制刘后村论提纲衍义书》，李修生主编：《全元文》卷七六（第3册），江苏古籍出版社1999年版，第26页。

⑥ 关于该书的作者，林景熙《〈季汉正义〉序》仅言“胡君”。[李修生主编：《全元文》卷三七一（第11册），江苏古籍出版社1999年版，第35-36页]

于元末[①]。这些著述或为阐释《资治通鉴》《资治通鉴纲目》书法之作，或为注释、评论性著作，其中占较大比重的是对《资治通鉴纲目》的研究之作。

值得重视的是，由于《通鉴》学的昌盛，元代《资治通鉴》及《通鉴》学成果的评论也是异彩纷呈。

表现之一，关于《资治通鉴》体裁、书法与内容的认识。宋元之际儒者戴表元在其所撰《通鉴痦辩序》中提到："《通鉴》者，众史书之雄都要府、五通八达之衢者也。《通鉴》未出之前，稽古之士，一史不窥以为缺。《通鉴》既出，众史书事以略废，是天下之货，一日不劳而致之矣。"[②] 在这段文字中，戴表元实际上赞扬了《资治通鉴》通史的规模，肯定了《资治通鉴》总括古今历史的丰富内涵。朱德润关于《资治通鉴》的评论则强调了司马光编年体裁的选择与关"国家兴衰，生民休戚"内容的选择，指出司马光的编年体继承了《春秋》的义例，所产生的影响是："一变班、马旧史之习"，而汇总"君臣、父子之是非得失"，则使人们"得便观览"，且"善可为法，恶可为戒"。[③] 认为两项选择，一方面有益于史书编纂的进步，另一方面有益于社会的发展。元末明初的梁寅对于司马光的《资治通鉴》是有褒有贬的。他认可《资治通鉴》在史学上的重要地位，

---

① 陈基：《通鉴续编序》，李修生主编：《全元文》卷一五三五（第 50 册），凤凰出版社 2004 年版，第 325 页。

② 戴表元：《剡源集》卷七《通鉴痦辩序》，《戴表元集》，陆晓冬、黄天美点校本，浙江古籍出版社 2014 年版，第 156 页。

③ 朱德润：《跋司马温公于范忠宣手帖上书通鉴稿》，李修生主编：《全元文》卷一二七五（第 40 册），凤凰出版社 2004 年版，第 535-536 页。

历数自荀悦《汉纪》到吴兢、韦述的《唐春秋》都用编年之体，但终不能行于世，而“司马公为《通鉴》，并包历代而一览具见，其左氏以来之所未有者乎”！他赞同司马温公撰述的主旨和断限，当然，他也简单罗列了他认为的《资治通鉴》的过失，即“若其大失者，莫甚于黜昭烈，进曹氏。至于四皓之辅太子，为以子制父；姚崇所陈十事，为以臣要君而不书者，亦大拘矣。然则论其删述，固有大功，而考其去取，岂无或失？此所以犹有待于《纲目》之作乎！”[①] 可以肯定，从思想观点上梁寅是信服朱子的，因此他盛赞《资治通鉴纲目》，认为朱子《资治通鉴纲目》之作，“褒贬甚明，但其文亦史笔之常，初非以私意加损之也”，指出：“所谓师《春秋》之意，而不师其辞者，非朱子之心欤？”[②] 可见，梁寅是从儒家的价值观念出发品鉴史书优劣的。在梁寅所评论的十余部史书中，他给予赞美的首推《资治通鉴纲目》。

表现之二，基于推扬正统思想而展开的《资治通鉴》与《通鉴》学评论。元代关于正统的思想承接金宋有更进一步的发展，体现在对《资治通鉴》及《资治通鉴纲目》等书的批评上比较突出。大德五年（1301），戎益所撰《翰林待制刘德渊墓表》记载刘德渊对《资治通鉴》有深入研究，“敷析温公《通鉴》数百条，扶翊章武，俾成正统。及见考亭《纲目》书，多

① 梁寅：《史论一·资治通鉴》，李修生主编：《全元文》卷一五一二（第49册），江苏古籍出版社1999年版，第468-469页。

② 梁寅：《史论一·通鉴纲目》，李修生主编：《全元文》卷一五一二（第49册），江苏古籍出版社1999年版，第469-470页。

所吻合，沾沾而喜曰：‘吾天地间可谓不孤矣！’”[①] 说明刘德渊着力于申明正统。王义山在其所撰《上待制刘后村论提纲衍义书》中对《资治通鉴纲目》有这样一段评论：“其纲，则仿《春秋》而兼采群史之长；其目，则仿左氏而参合诸儒之粹。自周威烈而下，显德以前，善可为法、恶可为戒者，粲乎其备于此书矣。”[②] 王义山对《资治通鉴纲目》一书长期研读，使其有了续写纲目的想法，于是他依据《续资治通鉴长编》举纲撮要，又取尹起莘的《通鉴纲目发明》体例而作《长编纲要》（即《宋史提纲》[③]）。王义山本人为他这部书写了两篇文章，即《上待制刘后村论提纲衍义书》和《宋史提纲序》，这两篇文章都交代了撰述《长编纲要》的缘起、目的，阐明了其书的内容特点，而且都提到了后村先生（刘克庄）对其书的评价，称其书符合《孟子》书法，有关于世道，指斥陈平甫《备要》为壁角里文字。另外，唐元所撰《通鉴发明序》论及《资治通鉴纲目》有言：“今考《纲目》所书，多史迁以来不正明其罪，有待文公之特笔，其定名分，正国统，重名节，黜奸邪，凛凛可畏，可谓善继志于仲尼矣。”[④] 应该说无论刘克庄还是王义山、唐元都是朱子理学的信徒，他们的评判侧重书法和义例，以《资治通鉴纲

① 戎益：《翰林待制刘德渊墓表》，李修生主编：《全元文》卷一〇二一（第32册），凤凰出版社2004年版，第127页。

② 王义山：《上待制刘后村论提纲衍义书》，李修生主编：《全元文》卷七六（第3册），江苏古籍出版社1999年版，第25页。

③ 燕永成：《南宋纲目体本朝史的编修及其流变》，《文史哲》2014年第6期。

④ 唐元：《通鉴发明序》，李修生主编：《全元文》卷七六四（第24册），江苏古籍出版社2001年版，第452页。

目》或《孟子》书法为合理，旨在推扬正统思想。林景熙肯定胡氏《季汉正义》改编《三国志》，称其“以翼前修而扶正统”，他还论述道：“《通鉴》，《鲁史》也；《纲目》，《春秋》也。《鲁史》载二百四十二年行事，至《春秋》，笔削严矣。或问紫阳夫子曰：‘《通鉴纲目》，主意安在？’答曰：‘主正统。’每阅其编，如书莽大夫、魏荀攸、晋处士、唐特进，笔削一字间。况老瞒汉盗，玄德汉胄，史不当黜胄而与盗，故以蜀汉系统上承建安，下接泰始，而正统于是大明，用《春秋》法也。”①他将《资治通鉴》比作《鲁史》，《资治通鉴纲目》比之《春秋》，他同样认同朱熹《资治通鉴纲目》改编《资治通鉴》以正正统的做法。吴澄赞扬朱熹《资治通鉴纲目》：“直书甲子干支，大书小习，以别国统离合，明如日星矣。”②冯鲁山指出：“《纲目》之书，朱夫子约《通鉴》而修之也。温公易纪传为编年，有是非，无褒贬，则犹史也。《纲目》，其目则史，而其纲则实为《春秋》之继矣。其书莫大于明正闰，辨内外，正君臣。至于始终兴废，灾祥沿革，与夫号令征伐，生杀除拜，凡可以志盛衰，示劝戒，莫不寄意焉。其辞极严，其义极精，有非涉猎所能究知者。”③ 这是冯鲁山对《资治通鉴纲目》一书的看法。他认为正因为《资治通鉴纲目》这么丰富的思想内涵，在辞、义方

① 林景熙：《季汉正义序》，李修生主编：《全元文》卷三七一（第11册），江苏古籍出版社1999年版，第35页。

② 吴澄：《甲子年表图序》，李修生主编：《全元文》卷四八五（第14册），江苏古籍出版社1999年版，第346页。

③ 冯鲁山：《通鉴纲目书法序》，李修生主编：《全元文》卷九三四（第28册），凤凰出版社2004年版，第588-589页。

面又严整、精到，所以刘友益《通鉴纲目书法》才有推明其义例的必要。他肯定《通鉴纲目书法》揭示了朱子之书的“微辞奥旨”，称其为例虽然不完全仿效《春秋》，“确乎其为千三百六十二年之《春秋》”①。欧阳玄也肯定了《通鉴纲目书法》的创作，他评论说：“庐陵刘先生研覃于是三十余载，比辞而核研，推事以求度，纲举目张，如指诸掌，曰《通鉴纲目书法》，亶其严乎！余从友人鄂省宰属冯君子羽得而读之，三复叹之曰：《春秋》微《公》、《穀》、啖、赵诸说犹可，《纲目》微刘氏书，诚不可也！”② 认为刘氏之书发明《资治通鉴纲目》的书法极其成功，比辞、推事严谨，不可替代。许有壬也肯定刘友益《通鉴纲目书法》之作，认为它也是《资治通鉴纲目》所不可无者，正如《资治通鉴》与《资治通鉴纲目》彼此“相有而不可相无”③。刘友益之子刘椝对其父的书也有评价：“先君子《通鉴纲目书法》，义例贯通，始终如一，洞见朱夫子笔削之旨，有非私智臆说之所可及也。”④ 刘椝在肯定其父《通鉴纲目书法》义例及洞见的同时，对于其父之书与《资治通鉴纲目》略有异同之处作出了说明，未敢断其是非，存疑以待同志考证。正是由于强调正统，杨维桢赞扬《资治通鉴纲目》之作：“以致尊昭烈，续

---

① 冯鲁山：《通鉴纲目书法序》，李修生主编：《全元文》卷九三四（第28册），凤凰出版社2004年版，第589页。

② 欧阳玄：《圭斋文集》卷七《庐陵刘氏通鉴纲目书法后序》，《欧阳玄全集》，汤锐校点整理本，四川大学出版社2010年版，第137-138页。

③ 许有壬：《纲目书法序》，李修生主编：《全元文》卷一一八六（第38册），凤凰出版社2004年版，第89页。

④ 刘椝：《书法凡例后跋》，李修生主编：《全元文》卷一四八二（第48册），凤凰出版社2004年版，第576页。

江左，两魏之名不正而言不顺者，大正于宋朱氏之《纲目》焉。或问朱氏述《纲目》主意，曰在正统，故《纲目》之挈统者在蜀晋，而抑统者则秦昭襄、唐武氏也。至不得已以始皇之廿六年而始继周，汉始于高帝之五年而不始于降秦，晋始于平吴而不始于泰和，唐始于群盗既夷之后而不始于武德之元，又所以法于《春秋》之大一统也。”[①] 周伯琦认为《资治通鉴纲目》“书法以正统，书事以提纲”，达到树立正统，分别尊卑高下、刚柔善恶的效果。[②] 应该说《资治通鉴纲目》所强调正统的影响面相当广，比如陈著入元后不仕，教授儿子，编《历代纪统》以为启蒙之书[③]，其书“取历代史，自三皇讫于祥兴，撰为四言，叶以声韵”。陈旅评价《历代纪统》说：“若胡氏叙古为《千文》《蒙求》之类，辞约而事备，笔直而义婉，一日成诵，则数千百年之事粲然在胸中矣。然名其书曰《历代纪统》者，则以为帝王之统出于天，虽偏弱如蜀汉、东晋，皆天统所在。当时敌国虽强大，据有中土，要不得紊失统也。是统一正，则人心之天理可得而言矣。此朱子所以为《纲目》之书，而公之所以教其子也。呜呼！公之意微也。”[④]

---

① 贝琼：《杨维桢传》，《杨维桢集》附录一，邹志方点校本，浙江古籍出版社 2017 年版，第 1175-1176 页。

② 周伯琦：《通鉴外纪序》，李修生主编：《全元文》卷一三八八（第 44 册），凤凰出版社 2004 年版，第 537 页。

③ 陈著，字子微，他所著书，元人陈旅为其所作序称《历代纪统》，而周伯琦《通鉴外纪序》和张绅《通鉴续编叙》都称其所著为《历代统纪》，按理，陈旅为其书作序，当不至于出错，后两位为其他书作序提及可能有误。

④ 陈旅：《历代纪统序》，李修生主编：《全元文》卷一一七〇（第 37 册），凤凰出版社 2004 年版，第 268 页。

表现之三，从史书立意评判《通鉴》学成果的创作。汪克宽撰有《通鉴纲目凡例考异》，在其序文中，他明确表达了创作的缘起：“《纲目凡例》与《纲目》之书，皆自朱子手笔，褒善贬恶，明著义例，悉用《春秋》法，一字不苟。然学者抄录，书肆传刻，久而漏误者多。尹氏《发明》，乃或曲为之说。”他于是将关系“义例之切要者”，附于《凡例》之后，希望“初学受读者可以无惑”。[①] 许谦对其师金履祥的《通鉴前编》的评价是：“乃用邵氏《皇极经世历》、胡氏《皇王大纪》之例，损益折衷。一以《尚书》为主，下及《诗》《礼》《春秋》，旁采旧史诸子，表年系事，复加训释。断自唐尧以下，接于《通鉴》之前，勒为一书，名曰《通鉴前编》，凡有十八卷，举要三卷。既成，以授门人许谦，曰：二帝三王之盛，其微言懿行，宜后王所当法；战国申、商之术，其苛法乱政，亦后王所当戒。自周威烈王二十三年以后，司马公既已论次，而春秋以前迄无编年之书，故是编不可以不著也。”[②] 可见，《通鉴前编》是以经为本的《通鉴》学著作，许谦对其史料本于《书》《诗》《礼》《春秋》而兼采子史的取舍原则，以及用邵氏、胡氏之例，及断限自唐尧至战国周威烈王二十三年都作了介绍，认同其师著述的立意。应该说，直至元末，《资治通鉴纲目》的影响依然很大，效仿《资治通鉴纲目》之作也被一些学者极力推崇。元末张绅也评价了

① 汪克宽：《通鉴纲目凡例考异序》，李修生主编：《全元文》卷一五九四（第52册），凤凰出版社2004年版，第121、125页。

② 许谦：《许白云先生文集》补遗《通鉴前编序》，《许谦集》，蒋金德点校本，浙江古籍出版社2015年版，第1016页。

陈桱（字子经）的《通鉴续编》，称其："合《史》《汉》《通鉴外纪》《前编》诸书为一家，使观者自开辟以至宋末数千载之事一览无遗。"认为"其纪年，司马氏之补遗也"，其书法"紫阳先生之《纲目》也"，其体"盖亦本于《春秋》者"。[①] 显然，张绅对于陈桱的《通鉴续编》从编纂方法和强调正统两方面都予以赞赏。元末明初的戴良在他为陈桱《通鉴前编举要新书》所作的序中除了叙述陈子经之书编纂的缘起、内容之外，也表达了自己对《资治通鉴》《资治通鉴纲目》及陈子经《通鉴前编举要新书》的看法。他提到：

> 余窃闻之，纪事莫如《书》，亦莫如《春秋》。古史之体可见者，此二书而已。而二书所载是非得失兴坏理乱之故，其事至博，然其为言不过如此而止，可谓得其要矣。其言要，故学者不可不尽心。能尽心然后能自得之，杨子云所谓"知言之要"者是已。然而此二书也，盖尝经乎圣人之手，所以由圣人之后，历千百年未有能几乎此者也。至汉太史公，乃始仿《书》为《史记》。宋文正公又仿《春秋》为《通鉴》。盖《史记》则每事别纪，以具其事之始末，《通鉴》则编年通纪，以见其事之先后，皆可谓杰出之材矣。然其义例或缪于圣人，而且编次太详，学者不能阅之而终篇。于是紫阳朱子复取而删之，为《纲目》若干卷。其立

① 张绅：《通鉴续编叙》，李修生主编：《全元文》卷一七七六（第58册），凤凰出版社2004年版，第362-363页。

言严而正，简而要，盖纯乎《春秋》之法矣。则圣人之后，不失古史之体者，惟《纲目》一书近之。今夫子经所述，岂非得乎《纲目》之指归者乎？[①]

从这段文字可见，戴良认为史书渊源于《尚书》《春秋》。戴良是尊经的儒者，认为经书经过圣人笔削，后世难能企及，但后世中才华卓著者可仿《尚书》《春秋》之体，他认为太史公司马迁是仿《尚书》之体而为《史记》，而文正公司马光则仿《春秋》而为《资治通鉴》。他肯定他们二人的史学才能，但并不赞赏他们的义例，他认可的是朱熹《资治通鉴纲目》，他认为陈子经之书也是深得《资治通鉴纲目》的精髓。

总结金元时期《通鉴》学成果，《资治通鉴纲目》及其仿作大受追捧是不争的事实，贯彻正统观念成为时人的撰述重点。

第三节　《文献通考》“序”“按”中的评点

一、通史体裁与典章制度史体例的认识

马端临《文献通考》是继杜佑《通典》之后又一部典制体通史。在其书“自序”中，作者在表达撰述初衷时论及史书体裁、体例：

① 戴良：《通鉴前编举要新书序》，李修生主编：《全元文》卷一六二八（第53册），凤凰出版社2004年版，第237页。

《诗》《书》《春秋》之后，惟太史公号称良史，作为纪、传、书、表，纪、传以述理乱兴衰，八书以述典章经制，后之执笔操简牍者，卒不易其体。然自班孟坚而后，断代为史，无会通因仍之道，读者病之。至司马温公作《通鉴》，取千三百余年之事迹，十七史之纪述，萃为一书，然后学者开卷之余，古今咸在。然公之书详于理乱兴衰而略于典章经制，非公之智有所不逮也，编简浩如烟埃，著述自有体要，其势不能以两得也。①

在这段文字中，马端临强调了“会通因仍之道”，肯定司马迁创立纪传体通史之功，委婉地批评了班固断代为史，并对司马光《资治通鉴》一书的通史规模给予赞赏，但他也指出因著述体要的原因，《资治通鉴》在历史内容的详略安排上有得有失。瞿林东认为马端临的“著述自有体要，其势不能以两得也”，是指出了历史编纂上的一个理论问题，即史书体裁和史书内容的一致性。② 在马端临看来，司马光所选体裁并不合适，他认为“理乱兴衰”不相因，而“典章经制”实相因。对于这一点瞿林东认为：“从本质上看，治乱兴衰还是有共同之处可以探讨的；而典章制度在相因之中也必有相革之处。‘相因’‘不相因’不应作绝对的看待。”③ 马端临的某些观点与杜佑接近，所以他称赞

① 马端临：《文献通考》卷首“自序”，中华书局2011年版，第1页。
② 瞿林东：《略说古代史家史学批评的辩证方法》，《求是学刊》2010年第5期。
③ 瞿林东：《略说古代史家史学批评的辩证方法》，《求是学刊》2010年第5期。

《通典》“肇自上古，以至唐之天宝，凡历代因革之故，粲然可考”。正是由于重视历代因革之故的记述，他才作典章制度通史《文献通考》。他对《通典》有承袭也有发展，他明确说明如田赋、钱币、户口、职役、征榷、市籴、土贡、国用、选举、学校、职官、郊社、宗庙、王礼、乐、兵、刑、舆地、四裔诸门类，“俱效《通典》之成规”，内容上有所变化，所谓“自天宝以前，则增益其事迹之所未备，离析其门类之所未详；自天宝以后至宋嘉定之末，则续而成之”。而经籍、帝系、封建、象纬、物异五门类为他采摭诸书而成。[①] 可以明确的是，就史书体裁内容而言，马端临倾心于通史撰述，究心典章经制的因革之故，其目标是完成一部有关典章经制的集大成之作。

马端临考察学术史，论及目录学分类的发展，也涉及史学发展史的梳理。他提到：“按班固《七略》无史门，故以古来及秦、汉之史，附于《春秋》之末。后世史书渐多，故志艺文者，以史自为一部，难以厕之圣经之后矣。”[②] 他的《经籍考》也涉及正史分类问题的认识：“班孟坚《艺文志》，《七略》无史类，以《世本》以下诸书附于《六艺略》《春秋》之后。盖《春秋》即古史，而《春秋》之后，惟秦、汉之事，编帙不多，故不必特立史部。后来传代既久，史言渐多，而述作之体亦不一，《隋志》史之类已有十三门，唐以后之志皆因之。然《汉志》所录《世本》以下九书，《隋志》则以《太史公书》入正史门，《战

① 马端临：《文献通考》卷首“自序”，中华书局2011年版，第1-3页。
② 马端临：《文献通考》卷一八二《经籍考九》，中华书局2011年版，第5372页。

国策》《楚汉春秋》入杂史门，而其余诸书，则后学所不尽见，无由知其合入何门矣，故姑以此九者尽置之正史之首云。”[①] 两处按语均论及经籍分类的问题，对于史部由《春秋》的附庸而独立为一部并分成若干门类，他认为是后代“史言渐多”的结果。至于史书具体的门类，群志大同小异，他在比较后取其合理者而遵从。比如，他就《实录》的归类曾有“按”言：“实录即是仿编年之法，惟《唐志》专立实录一门，《隋史》以实录附杂史，《宋志》以实录附编年，今从《宋志》。”[②] 他也指出诏令应并入起居注门。[③] 正是基于目录分类的认识，马端临也评论了杂史、杂传体裁和归属问题。他评论说：“杂史、杂传，皆野史之流，出于正史之外者。盖杂史，纪、志、编年之属也，所纪者一代或一时之事；杂传者，列传之属也，所纪者一人之事。然固有名为一人之事，而实关系一代一时之事者，又有参错互见者。前史多以杂史第四，杂传第八，相去悬隔，难以参照，今以二类相附近，庶便检讨云。”[④] 从马端临的这段评论可知，他兼顾杂史、杂传的体裁和内容而考虑它们的分类问题，不完全按照前史。当然，他也特别强调了对前史分类的更改要详细考订。他另外还有按语表达其对史学分类的看法：“夹漈言古今编书所不能分者五，可以订历代艺文志之失。所谓‘见名不见书，看前不看后’者，尤足以究其所失之源。然愚尝考之，经录犹无此患，

① 马端临：《文献通考》卷一九一《经籍考十八》，中华书局2011年版，第5557页。
② 马端临：《文献通考》卷一九一《经籍考十八》，中华书局2011年版，第5558页。
③ 马端临：《文献通考》卷一九一《经籍考十八》，中华书局2011年版，第5559页。
④ 马端临：《文献通考》卷一九五《经籍考二十二》，中华书局2011年版，第5649页。

而莫谬乱于史。盖有实故事而以为杂史者，实杂史而以为小说者。又有《隋志》以为故事，《唐志》以为传记，《宋志》以为杂史者。若一一考订，改而正之，则既不欲以臆见改前史之旧文，且所录诸书，盖有前史仅存其名，晚学实未尝见其书者，则亦无由知其编类之得失，是以姑仍其旧。而于所录先儒议论诸书本末，则必详加考订，俾以类相从，而不尽仍前史之旧云。”①可见，马端临很谨慎地对待史书的分类，不主观臆断，而是详加考订，尽量达到以类相从，对于有录无书者则仍旧不作无依据的更改。

二、部分史书长短得失的议论

马端临《文献通考》“自序”和《经籍考》的部分“按”，论及一些史书，一定程度上反映了他的史学批评见解。尽管马端临认同杜佑的《通典》所创立的典制体裁，但他对《通典》的优劣也有评判，他指出：

> 有如杜书纲领宏大，考订该洽，固无以议为也。然时有古今，述有详略，则夫节目之间，未为明备；而去取之际颇欠精审，不无遗憾焉。盖古者因田制赋，赋乃米粟之属，非可析之于田制之外也。古者任土作贡，贡乃包篚之属，非可杂之于税法之中也。乃若叙选举则秀、孝与铨选不分，叙典

① 马端临：《文献通考》卷一九五《经籍考二十二》，中华书局 2011 年版，第 5651 页。

> 礼则经文与传注相汩，叙兵则尽遗赋调之规而姑及成败之迹。诸如此类，宁免小疵。至于天文、五行、艺文，历代史各有志，而《通典》无述焉。马、班二史各有诸侯王、列侯表，范晔《东汉书》以后无之，然历代封建王侯未尝废也。王溥作唐及五代《会要》，首立帝系一门，以叙各帝历年之久近，传授之始末，次及后妃、皇子、公主之名氏封爵，后之编会要者仿之，而唐以前则无其书。凡是二者，盖历代之统纪，典章系焉，而杜书亦复不及，则亦未为集著述之大成也。①

可见，马端临对于《通典》的纲领、考订还是充分肯定的，但他也批评了《通典》分门别类不够“明备”及取舍之际“颇欠精审”，并举例说明诸如田制等分类问题。在他看来，《通典》没有能够把前代史书及唐、五代《会要》中所涉及的内容全部囊括，天文、五行、艺文、封建等舍弃不记，内容上还不够完备。总体上看，他对《通典》的优点和不足的评判是中肯的。

马端临也仔细研读了郑樵的《通志·略》，他对《通志·略》作了细致的分析：

> 按郑氏此书，名之曰《通志》，其该括甚大。卷首序论讥诋前人，高自称许，盖自以为无复遗憾矣。然夷考其书，

① 马端临：《文献通考》卷首“自序”，中华书局2011年版，第2页。

则《氏族》《六书》《七音》等略，考订详明，议论精到，所谓“出臣胸臆，非诸儒所得闻者”，诚是也。至于《天文》《地理》《器服》，则失之太简，如古人器服之制度至详，今止樽罍一二，而谓之《器服略》可乎？若《礼》及《职官》《选举》《刑罚》《食货》五者，则古今经制甚繁，沿革不一，故杜岐公《通典》之书五者居十之八。然杜公生贞元间，故其所记述止于唐天宝。今《通志》既自为一书，则天宝而后，宋中兴以前，皆合陆续铨次，如班固《汉书》续《史记》武帝以后可也。今《通志》此五略，天宝以前则尽写《通典》全文，略无增损，天宝以后则竟不复陆续。又以《通典》细注称为己意，附其旁，而亦无所发明。《通志》此五略中所谓“臣按”云云，低一字写者，皆《通典》细注耳。疏略如此，乃自谓“虽本前人之典，而亦非诸史之文”，不亦诬乎！夹漈讥司马子长全用旧文，间以里俗，采摭未备，笔削不遑。又讥班孟坚全无学识，专事剽窃，自高祖至武帝七世，尽窃迁书，不以为惭。至其所自为书则不堪检点如此，然则著述岂易言哉！①

从马端临此段按语后面的“又按”看，当时他所见的郑樵的书应是《通志》二十略的单行本，不是《通志》全书。马端临的这段评论肯定了《通志》规模的宏大和内容的丰富，但对

① 马端临：《文献通考》卷二〇一《经籍考二十八》，中华书局2011年版，第5784-5785页。

其讥诋前人，高自称许并不赞同。马端临对其二十略没有一概而论。他认为《通志》一书考订详明、议论精到者确实有，如《氏族》《六书》《七音》等略，但也有失之太简者，如《天文》《地理》《器服》等略，更有沿袭《通典》而无所增续和发明者，如《礼》《职官》《选举》《刑罚》《食货》五略。他认为郑樵讥诋前人，自己的书也有极其疏略而不检点者，为此感叹“著述岂易言”。其实，他已经认识到撰述及开展史书批评的不易。人往往能看到别人史书的缺憾，却不知自己著述的缺点。

除了《通典》《通志》之外，马端临对其他经史之书也多有议论。比如在马端临看来，“上古之书盖不可胜计”，但古书流传至今者只有六经，主要因为其他很多书写得不好，“其说荒诞，故无取焉”[①]。也就是说，他认为书籍的流传与其所记内容直接相关，荒诞不经者自然会被淘汰。他也论及《周礼》一书，他认为：“《周礼》一书，先儒信者半，疑者半。其所以疑之者，特不过病其官冗事多，琐碎而烦扰耳。然愚尝论之，经制至周而详，文物至周而备，有一事必有一官，毋足怪者。有如阉、阍、卜、祝，各设命官；衣、膳、泉、货，俱有司属。”[②] 他相信《周礼》为真书，是相信时代发展至周设官分职已很详备。马端临是文献家，他对文献的传播及其价值也多有论述。《经籍考二》论二《易》之“按”称：

① 马端临：《文献通考》卷一七四《经籍考一》，中华书局2011年版，第5183页。
② 马端临：《文献通考》卷一八〇《经籍考七》，中华书局2011年版，第5343-5344页。

《连山》《归藏》，乃夏、商之《易》，本在周《易》之前。然《归藏》，《汉志》无之；《连山》，《隋志》无之，盖二书至晋、隋间始出，而《连山》出于刘炫之伪作，《北史》明言之，度《归藏》之为书，亦此类耳。夹漈好奇，独尊信此二书与古三坟书，且咎世人以其晚出而疑之。然殊不知毛氏《诗》、左氏《春秋》、小戴氏《礼》与《古文尚书》《周官》六典，比之当时皆晚出者也，然其义理其文辞一无可疑，非二《易》《三坟》之比，不谓之《六经》，可乎？故今叙二《易》，不敢遽指为夏、商之书，姑随其所出之时，置之汉之后、唐之前云。[①]

在这段评论中，马端临根据《汉志》《隋志》记录的《易》学著述断定《连山》《归藏》应出于晋、隋间，且是伪书。他批评夹漈先生郑樵独信此二书与古三坟之书。他倾向于认为，晚出的《连山》《归藏》虽不是原书，但也有其价值，反映的是汉唐之间学者的《易》学思想。

关于《春秋》及三传，马端临也从对《左传》《公羊传》《榖梁传》文字的分析中表明了自己的见解，在他看来，尽管《汉书·艺文志》列有《春秋》古经，但孔子所修《春秋》却没能完整流传，自汉以来所编的《春秋》当出自三传中的经文，而三传所载经文，“多有异同”，不仅仅文字之差别不可胜数，

① 马端临：《文献通考》卷一七五《经籍考二》，中华书局2011年版，第5226页。

就是内容之误也有，且有增益，如孔子生卒年的记载。他认为《春秋》已掺入左氏、公羊氏、穀梁氏的文字，不可全信以为孔子古经。

综上，马端临《文献通考》中的批评见解是有创见的，他重视学术史的考察，较少偏见，尽量客观公正地评价前人著述的价值。虽然他和郑樵一样都主张“会通因仍之道”，但他的评论不似郑樵那么苛责，而是充分表达了对前人的理解和尊重。可以说，《文献通考》虽然不是史学批评著作，但在书中作者对《史记》《资治通鉴》《通典》《通志》等的评论使其在史学批评史上也占有一席之地。

第四节　富有个性的史书评论

一、正史的是非评判

辽夏金元时期的人们重视正史的研读，他们也留下了关于正史编纂的思考与认识，其中不乏史学批评见解。

辽道宗寿昌二年（1096），文士刘辉曾就宋代欧阳修编纂的《新五代史》没有如实书写契丹辽朝历史而向辽道宗上书，他指出：“宋欧阳修编《五代史》，附我朝于四夷，妄加贬訾。且宋人赖我朝宽大，许通和好，得尽兄弟之礼。今反令臣下妄意作史，恬不经意。臣请以赵氏初起事迹，详附国史。”[①] 可见，刘

① 脱脱等：《辽史》卷一〇四《文学传下·刘辉传》，中华书局1974年版，第1455–1456页。

辉对宋代欧阳修出于维护宋朝的立场不顾历史事实的做法十分不满，这段记载反映的是辽人对宋代编纂的正史《新五代史》有关政权关系的记述而进行的批评，在刘辉看来，正史编纂不仅关乎历史，还关乎现实。

王若虚《滹南遗老集》对前代正史批评得最严厉的是《史记》《新唐书》，其《〈史记〉辨惑》共计十一卷，占其全部经史"辨惑"三分之一的篇幅。他从历史编纂学的角度指出《史记》一书在采摭、取舍、议论、文势、载事、用语等方面存在的谬误或不当。当然，王若虚所作批评有切中要害者，也有无关紧要者，出发点主要是阐述历史编纂的规范，比如史例、史文表述的规范性等，本书后面章节将予以专门论述，此处不赘述。王若虚对于司马贞所作《史记索隐》评价不高。他认为，"其所发明，不为无补，然所失亦多"[①]，尤其是述赞诸篇，画蛇添足，欲益而反弊。

刘因关于前代正史亦有独到见解，他的《叙学》有一段集中的评论：

> 史之兴自汉氏始。先秦之书，如《左氏传》《国语》《世本》《战国策》，皆掇拾记录，无完书。司马迁大集群书为《史记》，上下数千载，亦云备矣。然而议论或驳而不纯，取其纯而舍其驳可也。后世史记，皆宗迁法，大同而小

① 王若虚：《滹南遗老集》卷三一《著述辨惑》，胡传志、李定乾《滹南遗老集校注》本，辽海出版社 2006 年版，第 347 页。

异。其创法立制，纂承六经，取三代之余烬，为百世之准绳，若迁者可谓史氏之良者也。班固《前汉史》，与迁不相上下，其大原则出于迁，而书少加密矣。《东汉史》成于范晔，其人诡异好奇，故其书似之。然论赞情状有律，亚于迁、固。自谓"赞是吾文之奇作，诸序、论往往不减《过秦》"，则比拟太过。《三国》陈寿所作，任私意而好文，奇功伟迹，往往削没，非裴松之小传，一代英伟之士，遂为寿所诬。后世果有作者，必当改作，以正寿之罪，奋昭烈之幽光，破曹瞒之鬼贼，千古一快也。《晋史》成于李唐，房、杜诸人所作，归美太宗耳。繁芜滋浸，诬谈隐语、鄙泄之事具载之，甚失史体。《三国》过于略，而《晋书》过于繁。南北七代，各有其书，至唐李延寿，总为《南（史）》《北史》，遣辞记事，颇为得中，而其事迹污秽，虽欲文之而莫能文矣。《隋史》成于唐，兴亡之际，徼讦好恶，有浮于言者。《唐史》二：《旧唐》刘昫所作，固未完备，文不称事。而《新唐》成于宋欧、宋诸公，虽云完备，而文有作为之意，或过其实，而议论纯正，非《旧书》之比也。然学者先当旧，而后新。五代二书皆成于宋，旧则薛居正，新则欧阳子也。《新书》一出，前史皆废，所谓一洗凡马空者也。宋、金史皆未成，金史只有实录。宋事纂录甚多，而《东都事略》最为详备。是则前世之史也。①

---

① 刘因：《叙学》，李修生主编：《全元文》卷四六四（第 13 册），江苏古籍出版社 1999 年版，第 390 页。

依上述，刘因一一评论了自司马迁创作《史记》以来按照纪传体撰写的正史，可以明确的是，他对这些书的评价主要着眼于四个方面：史料来源、史体与史法、记事与文辞、议论。就史料来源来说，刘因肯定司马迁作《史记》，取材广泛，所谓“集群书”“亦云备矣”，批评陈寿《三国志》删削太过，所谓“奇功伟迹，往往削没，非裴松之小传，一代英伟之士，遂为寿所诬”；认为范晔《后汉书》猎奇，主要由于范晔“诡异好奇”导致的；指出《旧唐书》不如《新唐书》完备。至于史体和史法，刘因认为司马迁是良史，“纂承六经，取三代之余烬，为百世之准绳”，这是相当高的评价，因为刘因也是尊经的儒者，认为司马迁《史记》之作承继《六经》，弘扬了三代学术传统。“为百世之准绳”，是指《史记》撰述旨趣和表现形式为后世著史制定了范式。与前已断言的后世史书“皆宗迁法，大同而小异”相呼应，充分肯定了司马迁的“创法立制”之功。刘因也承认班固的成就，肯定《汉书》完善史法，称其“大原则出于迁，而书少加密”，也就是说，强调《汉书》在编次上更加严谨。关于记事和文辞，他批评陈寿《三国志》“任私意而好文”，言其未能据实直书，指责《隋书》“有浮于言者”，认为《新唐书》也有文过其实的毛病。他还抨击《晋书》“繁芜滋浸，诬谈隐语、鄙泄之事具载之，甚失史体”，认为《晋书》的材料取舍与文字表述失之规范。在刘因看来，在记事和文辞方面做得比较得当的是李延寿的《南史》《北史》。另外，他认为《东都事略》关于宋事的记载也是详备的。关于诸史的议论，他指出《史记》也有不足，“或驳而不纯”，他欣赏范晔的论赞“情状有律”，认为在议论方面范晔仅次于司马迁、班固。但对于范晔自认为的往往不减《过秦》则不赞同，认为范晔高估了自己。他也肯定《新唐书》“议论纯正”超过《旧唐书》。刘因这些简明的评论显示了他较高的品鉴水平。

袁桷对于编纂《宋史》需要搜求的史料所作的点评也涉及前代正史的批评。比如，“太史公作《世表》《年表》，至秦楚之际复为《月表》，致意极深。晋代播迁，魏宗勃起，所宜为表，以分年统。时兵火湮厄，南北二史无所凭依，卒不能就。至欧阳修任史官之责，独能于宰相方镇年月谱系。盖宰相之任匪轻，推年可以考得失。方镇之害最重，因年可以推盛衰。宋朝兴亡，繇是可考。目今旧书尚有而史院无存，今具于后：《百官公卿表》《宰辅拜罢表录》《百族谱》《麟台旧事》《宰辅编年录》”。另外，关于诸降王传，他建议仿欧阳修《新五代史》例；关于宋朝周邻政权，如交趾、夏、高丽等，他建议仿《晋书》载记之体。[①] 这些都是为了编纂《宋史》而作的批评，具体而有针对性，反映出袁桷对修史的深入思考。

朱右《史概》也是一篇专门评述史书优劣短长的文章，反映了他对历代重要史书尤其是正史的看法。他认为《春秋》立意深远，是孔子为“垂鉴将来”而作。他欣赏《史记》《汉书》之文，指出：《史记》“其文雄深多奇，卓然为史氏宗，百代史

① 袁桷：《修辽金宋史搜访遗书条列事状》，杨亮校注：《袁桷集校注》，中华书局2012年版，第1845-1849页。

官不能易其法”；《汉书》“其文雅驯，后人亦以为法”。他认可范晔《后汉书》新增类传，但对其文字表述评价不高，称其“文气萎下，纪述肤陋，不免识者之议”。至于陈寿《三国志》，他认为“大失《春秋》旨”。在他看来，唐朝所修《晋书》虽然集众位史官之力完成，却存在明显的弊病，“当时作者有江左余风，文多骈俪，非作史之体。故太宗亲撰四赞，以息浮议”。朱右对沈约的《宋书》，萧子显的《南齐书》，姚思廉的《梁书》《陈书》，魏收的《魏书》，李百药的《北齐书》，令狐德棻、岑文本的《北周书》，颜师古、孔颖达、魏徵等撰的《隋书》，刘昫的《旧唐书》并没有一一置评，但他比较了一家修史和众手修书。他说：“古之修史多出一家，司马迁、班固、姚思廉、李延寿皆父子相继论撰，积数十年，然后书成，是以通知本末，事实贯穿，不相抵牾。其它则未能免也。”他指出《新唐书》由于多人完成，“不无差异”。他评价欧阳修的《新五代史》：“立例皆寓褒贬，为法甚精。书减旧史之半，而事迹稍增，议者以为功不下马迁，而笔力驰骋，反无驳杂之病，纪例精密，则不及耳。”他也肯定了郑樵《通志》的创作“自成一家”。他还指出司马光《资治通鉴》及朱熹《资治通鉴纲目》“资治道，存鉴戒”的作用，但强调“纪载事实，则全史不可废”[①]，其实是更认可纪传体正史的史料价值。

杨维桢批评《三国志》及《元经》：“彼志三国，降昭烈以侪

① 朱右：《史概序》，李修生主编：《全元文》卷一五四九（第50册），凤凰出版社2004年版，第574–576页。

吴魏，使汉嗣之正，下与汉贼并称，此《春秋》之罪人矣。复有作《元经》自谓法《春秋》者，而又帝北魏、黜江左，其失与志三国者等耳。"[①] 杨维桢是以《春秋》为标准来评判史书的，把是否维护所谓的正统视为史书优劣的核心要素。杨维桢出于维护正统的目的，也曾批评司马迁"易编年为纪传，破《春秋》之大法"。他所撰《宋辽金正统辨》否定"各与正统"的《宋史》《辽史》《金史》的编纂，声称"以伺千载《纲目》之君子"[②]。

梁寅在其所撰的《史论》中重点评论了十几部史书，其中正史有：《史记》《汉书》《后汉书》《三国志》《晋书》《魏书》《南北史》《旧唐书》《新唐书》《新五代史》。他的史书评论重视学术史的相关成果，比如他在对《史记》展开评论之前，列出了司马迁自叙和班固对《史记》的评价；他在评论《汉书》之前也列出了范晔《后汉书》有关《汉书》编纂的概括。其他史书均首先述及其书编纂的情况，然后才予以评论。梁寅《史论》敢于置评，没有什么顾忌。他从多个角度审视具体史书的是非优劣、撰史者的才华和能力的高下。例如，梁寅评《史记》：

> 《史记》之作也，广稽之载籍，旁采之四方，其纂述可谓详矣。易编年之法，为纪传之体，其立例亦甚精矣。其得之载籍者，叙五帝则因《世本》《大戴记》；叙周氏，则因

① 贝琼：《杨维桢传》，《杨维桢集》附录一，邹志方点校本，浙江古籍出版社 2017 年版，第 1175 页。

② 贝琼：《杨维桢传》，《杨维桢集》附录一，邹志方点校本，浙江古籍出版社 2017 年版，第 1180 页。

《左氏》《国语》；叙七雄，则因《战国策》；叙秦汉，则因《楚汉春秋》。采之四方者，如作《伯夷传》，则因登西山，见许由冢而悲之；过梁而问夷门，知魏公子；入楚而观故宫，知春申君；《荆轲传》，则云夏由具道其事；《卫青传》，则云苏建语予；欲叙张良，则见其画图状貌；欲传韩信，则见淮阴人言。故曰纂述之详也。其为帝纪，则事虽不详，而一世之大概，无不备书。其为表，则世表以观百世之本支，年表以观年代之先后。至于秦楚月表，则一世之兴亡又皆备焉。为八书，则制度之原委具焉。为世家，则一国之首末详焉。为列传，则一人之贤否见焉。且或同出一事而互出，或不特书而附见，或有所抑扬则必备论之，其详略相因，莫不有法，故曰立例之精也。[①]

梁寅肯定《史记》一书取材的广泛，有“稽之载籍”，也有“采之四方”，也肯定《史记》创立纪传的功绩在于立例之精密，帝纪、表、书、世家、列传各有分工，“详略相因，莫不有法”。也就是说从采撰的视野广阔和叙事的有序对《史记》在历史编纂学上的价值予以褒扬。但梁寅也列举了《史记》有“不核之过”和“予夺之失”，即“称舜从匿空旁出，谓仲尼既卒而门人推奉有若，宰我与田横作乱而见杀，子贡游说而存鲁乱齐亡吴霸越强晋，纂述若此，非不核之过与？如项羽未尝称帝，吕氏女后

① 梁寅：《史论一·史记》，李修生主编：《全元文》卷一五一二（第49册），凤凰出版社2004年版，第463页。

于位，而皆为本纪；陈胜起于匹夫，而列之世家；豫让之大义，而概以刺客；西门豹之治民，而附于滑稽，立例若此，非予夺之失欤？”[①]这是从资料的审核及褒贬予夺方面批评《史记》。显然，梁寅的价值观和历史观与司马迁不同，他无法理解司马迁对先秦及秦汉历史的认识。因为他深受尊经思想影响，认为孔子及孔门弟子都是圣人，圣人岂能有过？他也是严守儒家等级秩序的儒者，司马迁对项羽、吕后、陈胜等历史贡献的肯定及在篇目安排上的拔擢他不能理解。正是出于维护圣经和遵循儒家礼法的考虑，他也特别点明《史记》的所谓大过失，“一则分裂圣经之文，二则未明圣人之道也”[②]。也就是说他认为《史记》与经书思想有相悖之处，或者说司马迁在思想上有离经叛道之处。从梁寅对《史记》的简短评论看，他推崇圣人之道，对于与经不同的史文和思想他都不认同，因而予以批评。关于班固《汉书》，梁寅赞同范晔的评价，即认为班固叙事“不激诡”“不抑抗”“赡而不秽”“详而有体”，但也指出《汉书》缺少自立，所设立《古今人表》不合体例。在梁寅看来，《三国志》的大谬在于贬抑汉昭烈，而以魏为帝纪，昭烈父子为传，同时“又例呼备、权之名，以刘焉、刘璋二传列于其前。讥诸葛亮将略非所长”。他认为陈寿如此编次和论述是“徇一己之私”，“非公论”[③]。可

---

① 梁寅：《史论一·史论》，李修生主编：《全元文》卷一五一二（第49册），凤凰出版社2004年版，第463页。

② 梁寅：《史论一·史论》，李修生主编：《全元文》卷一五一二（第49册），凤凰出版社2004年版，第463页。

③ 梁寅：《史论一·三国至隋史》，李修生主编：《全元文》卷一五一二（第49册），凤凰出版社2004年版，第466页。

以说梁寅是按照其时代大多数儒者认同的正统观念评价《三国志》的。他赞同晋人习凿齿《汉晋春秋》尊昭烈为正统的做法。他也以《续汉书》《资治通鉴纲目》以昭烈为正统来证实陈寿之失。梁寅对反映两晋南北朝历史的几部书也有简略的评价。对于唐朝所修的《晋史》，他并不看好。他说："《晋史》凡十八家，而唐之所修亦出于文士，好采诡异，而语多骈丽，此其失也。"[①] 关于南北朝时期修成的史书，他没有认真而细致的评价。他对萧子显的《南齐书》提出的看法是："论者讥其更改破拆，刻雕藻绘"，"南史之谬，推此可见矣"。也就是说，梁寅以《南齐书》为代表推测反映南朝历史的史书都有共同的谬误而不屑于深究。梁寅对北朝魏收的《魏书》在立场上和是非判断上也是鄙视的，所谓"谄齐而贬魏，贵北而贱南"，"旧家有怨，被以丑言，没其善事，时人薄之，谓之'秽史'"，进而推知北朝史"亦不足称矣"。从梁寅笼统地评价南北朝诸史来看，一方面他没有深入研究这些史书，另一方面他对南北朝时期的学术可能并不感兴趣。因为同是反映南北朝时期历史的著述，他对唐人李延寿的《南史》《北史》却有好评，他认为《南史》《北史》是陈寿之后较好的史学著述，也可能他尊重司马光，因为"司马温公称其叙事简劲，贤于正史"。但他也指出其书没有作志，无法反映制度，所以并不是没有遗憾的。至于唐所修的《梁书》《陈书》《北齐书》《周书》，梁寅认可刘知幾的看法，认为有失

① 梁寅：《史论一·三国至隋史》，李修生主编：《全元文》卷一五一二（第49册），凤凰出版社2004年版，第466页。

实之处，“未免于君子之疑”。[①] 关于唐代史，梁寅没有评价《旧唐书》，他肯定《新唐书》有胜于《旧唐书》之处，主要在于“其采摭之详而事增于前者”，但他并不认可《新唐书》文省于旧书的做法，他引刘安世的评价指出宋祁的简略其辞造成了“其事多郁而不彰”，“其病正在省文”。他也指出了《新唐书》因为非一人之作，所以编次上还是存在问题的，“纪有失而传不觉，传有误而经（纪）不见”[②]。与对唐修诸史的态度不同，梁寅盛赞了欧阳修所作《新五代史》，尤其是其师法《春秋》及表彰忠义的立意。他说：“观其篇名曰《家人传》，则帝王正家之义见矣。曰《梁臣传》《唐臣传》，则忠臣不事二君之义昭矣。曰《死节传》《死事传》，则节义著矣。曰《一行传》，则高尚见矣。曰《唐六臣传》，则背唐附梁之罪明矣。曰《杂传》，则皆历世累朝之臣，其无操守可知矣。”[③]梁寅作为教授生徒的儒者，秉持儒家的观念，赞赏程朱的思想，使他的史书、史家评价有一定的局限。其史学批评在实质上也受理学思想的约束。客观地讲，梁寅的史学批评有得有失，其得在于他对经传和史学问题的评论视野较为开阔，注意前人的成果，有认同也有新见，整体上看较少框框，能毫无顾忌地直抒胸臆；其失则突出表现在他对多政权历史记述的认识上。比如关于三国史的记述，梁寅否定陈寿

① 梁寅：《史论一·三国至隋史》，李修生主编：《全元文》卷一五一二（第49册），凤凰出版社2004年版，第466-467页。

② 梁寅：《史论一·唐书》，李修生主编：《全元文》卷一五一二（第49册），凤凰出版社2004年版，第467页。

③ 梁寅：《史论一·五代史》，李修生主编：《全元文》卷一五一二（第49册），凤凰出版社2004年版，第468页。

和司马光不以正统归昭烈的做法，且以师《春秋》之意、褒贬分明为考量史书成就的重要因素，这些都说明他的史书评论深受正闰观的左右。今天看来，正是因为如此，严重影响了他的评论，他所持的正统观念与史家崇尚的直书原则相冲突，基于正统的抉择而偏离史实，使其未能成为史学理论发展中一个有影响的人物，而只是推扬正统观念的儒家思想的代表人物之一，这一定程度上影响了他史学批评所达到的境界。

二、别史、杂史的褒贬评议

人们通过博览群书来扩大视野、提高自己的文化水平，古今同理。群书自然包括诸史。一些文人在其文章中也留下了关于各类史书的评论。前述已提及正史和《贞观政要》《资治通鉴》等重要史籍，这里仅就《春秋》《国语》《战国策》等书的议论略作梳理。

——关于《春秋》《国语》及其相关成果的评议。宋元之际的儒士黄仲元撰有《讲〈春秋〉序》，这是一篇关于《春秋》一书批评的批评。黄仲元历数从孟子、司马迁到之后的诸儒对《春秋》的认识，对此他有赞赏的，也有怀疑的，还有在他看来得失两存者，从中可知黄仲元对《春秋》及相关研究成果有深入研读。正是由于历来人们对《春秋》的看法多有不同，他的结论是论《春秋》尤其难[①]。郑玉对《春秋》经传都有研究，著

① 黄仲元：《讲〈春秋〉序》，李修生主编：《全元文》卷二五八（第8册），江苏古籍出版社1998年版，第309-310页。

有《春秋经传阙疑》，在郑玉看来，《春秋》虽辞简但内涵丰富，立意深远，有“史”，有“义”，非三传等所及①。郑玉还明确地讲：“余观《左传》所载皆鲁史，旧文明白可信。及丘明稍加隐括，附以议论，然后事迹泯灭，是非乖谬，《春秋》之旨始有不可得而考者矣。及《公羊》《穀梁》定为义例之说，但有不合，则曰‘此圣人之微意也’。一切舍事实而求之空言，使圣人笔削之妙，下同刻吏弄法之文，而仲尼之志亦复不可见矣。然则《春秋》之不明，三传蔽之也。”② 可见，他甚至认为三传不仅没能阐发《春秋》经旨，反而掩盖了《春秋》本来的面貌。金履祥指责《左传》，称其“或阙或诬”③。他认为：“左氏收拾国史以翼经，事于隐公之篇多误，庄公之篇多缺。”④ 看来金履祥对《左传》的批评主要是两个方面：其一有错误；其二不够充实完整。由金入元的徐之纲以钻研《春秋》《易》而闻名，他也认为《春秋》之失始于三传，而以《左传》“诬为甚”⑤。杨维桢对《左传》的看法是：“盖左氏之失，工于言而拙于理，好以成败论人妖祥，计事往往博过于诬。”⑥ 元末明初儒者朱善则认为

---

① 郑玉：《春秋经传阙疑序》，李修生主编：《全元文》卷一四二九（第 46 册），凤凰出版社 2004 年版，第 320-322 页。

② 郑玉：《读欧阳公赵盾许止弑君论》，李修生主编：《全元文》卷一四三〇（第 46 册），凤凰出版社 2004 年版，第 343-344 页。

③ 宋濂等：《元史》卷一八九《金履祥传》，中华书局 1976 年版，第 4317 页。

④ 金履祥：《通鉴前编后序》，李修生主编：《全元文》卷二八一（第 8 册），江苏古籍出版社 1998 年版，第 768 页。

⑤ 袁桷：《滕县尉徐君墓志铭》，杨亮校注：《袁桷集校注》，中华书局 2012 年版，第 1375 页。

⑥ 杨维桢：《东维子文集》卷六《曹元博左氏本末序》，《杨维桢集》，浙江古籍出版社 2017 年版，第 784 页。

《春秋》“其辞严，其义精”[①]。戴良认为在《春秋》三传之中，“能令百代之下，颇见本末，而因以求意者，左氏之功为多”，然而也不尽善尽美，“义例宗指，交出乎巫、祝、卜、梦之间，谠言善训，不多于委巷浮戏之语，鳞杂米聚，混然难证”[②]。戴良在《春秋案断补遗序》中也对《春秋》三传有点评。他讲：“左氏熟于事，而或不得其事之实。公、榖近于理，而害乎理之正者，要不能无。”赵汸指出《春秋》与其他“五经”不同就在于属辞比事。他说：“《春秋》断截鲁史，有笔有削，以寓其拨乱之权，与述而不作者事异。”[③] 在他看来，三传都没有完全领会《春秋》宗旨。他认为孟子关于《春秋》事、文、义的认识讲明了其“述作之源委”[④]。朱右则与众人的见解不同，他喜欢阅读《春秋》三传与《国语》。他认为：“其文焕然有伦，理该而事核，秦、汉以下无加焉。”于是，采摭其中精粹，编有《春秋传类编》。朱右主要从为文的角度肯定《春秋》三传及《国语》的学术价值。王若虚对柳宗元的《非国语》有评议称：“柳子厚《非国语》，虽不尽佳，亦大有是处，而温公、东坡深罪之，未为笃论也。”[⑤] 尽管王若虚也很佩服司马光、苏东坡的才

---

① 朱善：《春秋释疑序》，李修生主编：《全元文》卷一六一九（第53册），凤凰出版社2004年版，第74–75页。

② 戴良：《春秋三传纂玄序》，李修生主编：《全元文》卷一六二七（第53册），凤凰出版社2004年版，第232页。

③ 赵汸：《春秋属辞序》，李修生主编：《全元文》卷一六六五（第54册），凤凰出版社2004年版，第417页。

④ 赵汸：《春秋左氏传补注序》，李修生主编：《全元文》卷一六六五（第54册），凤凰出版社2004年版，第420页。

⑤ 王若虚：《滹南遗老集》卷三〇《议论辨惑》，胡传志、李定乾《滹南遗老集校注》本，辽海出版社2006年版，第343页。

学和识见[①]，但在对待柳宗元《非国语》的评价上，他不认同他们的看法，而肯定《非国语》的价值。可见，由于个人视角、价值取向的不同，关于《春秋》三传、《国语》及相关成果的看法金元时人还是有所不同的。

——关于《战国策》及其研究著作的评议。吴师道（字正传）作《战国策校注》十卷，在他为其书所作的自序中不仅评论了《战国策》也评论了不同时期的《战国策注》。他开篇就讲："先秦之书，惟《战国策》最古，文最讹舛，自刘向校定已病之。南丰曾巩再校，亦疑其不可考者。后汉高诱为注，宋尚书郎括苍鲍彪诋其疏略谬妄，乃次序章条，补正脱误，时出己见论说，其用意甚勤。愚尝并取而读之，高氏之疏略，信矣，若谬妄，则鲍氏自谓也。"[②] 这是吴师道关于《战国策》及后来的高诱《战国策注》及鲍彪《战国策注》的总体评价。吴师道承认《战国策》其文讹舛，也认为高诱的注"疏略"，但他批评最厉害的还是鲍彪《战国策注》的"谬妄"。他具体列举了鲍彪注的谬妄之处："鲍以赧王为西周君，而指为正统，此开卷大误，不知河南为西周，洛阳为东周。韩非子说秦王，以为何人；魏惠王盟臼里，以为他事；以鲁连约矢之书，为后人所补；以魏几、鄢陵为人名；以公子牟非魏牟；以中山司马期为楚昭王卿，此类甚

---

① 王若虚有言："正闰之说，吾从司马公；性命之说，吾从欧阳公；祭礼之说，吾从苏翰林；封建之说，吾从范太史。余论虽高，吾弗信之矣。"（王若虚：《滹南遗老集》卷三〇《议论辨惑》，胡传志、李定乾《滹南遗老集校注》本，辽海出版社 2006 年版，第 344 页）

② 吴师道：《吴师道集》卷一四《战国策校注序》，邱居里、邢新欣点校本，浙江古籍出版社 2012 年版，第 473-474 页。

多，尚安得诋高氏哉！其论说自谓翊宣教化，则尤有可议者。……皆悖义害正之甚者，其视名物人地之差失，又不足论也。”并指出其致误原因有二，其一：武断致误。“事莫大于存古，学莫善于阙疑”，这一点鲍彪注没有做好。“古书字多假借，音亦相通。鲍直去本文，径加改字”；“比事次时，当有明征，其不可定知者，阙之可也，岂必强为傅会乎？”其二，浅陋致误。他指出鲍彪参考文献极其有限。他强调：“其所引书，止于《淮南子》《后汉志》《说文》《集韵》等，多摭彼书之见文，不问本事之当否。史注自裴氏外，《索隐》《正义》皆不之见，而《通鉴》诸书亦莫之考。浅陋如是，其致误固宜。”值得重视的是，吴师道见闻很广，他对其他《战国策注》和人们关于鲍彪的《战国策注》的评价也有了解，并展开了批评的批评。他评论道：“鲍之成书，当绍兴丁卯。同时剡川姚宏亦注是书，云得会稽孙朴所校，以阁本标出钱藻、刘敞校字，又及见晋孔衍《春秋后语》，参校补注，是正存疑，具有典则。《大事记》亦颇引之，而世罕诵传，知有鲍氏而已。近时浚仪王应麟，尝斥鲍失数端，而庐陵刘辰翁盛有所称许。以王之博洽，知其未暇悉数，而刘特爱其文采，他固弗之察也。”吴师道也是谦逊的儒者，他批评鲍彪注失误的同时，也自谦地申明“特寡学谀闻，谬误复恐类之”[①]。关于《战国策》的认识，他肯定曾巩的看法，不赞同鲍彪的看法。他认为：“是书善恶兼录，无所是非，而作者又

① 吴师道：《吴师道集》卷一四《战国策校注序》，邱居里、邢新欣点校本，浙江古籍出版社2012年版，第474–475页。

时出所见，不但记载之为。”他称：“近代晁子止《书志》列于纵横家，亦有见者。”[①] 另外，吴师道还撰有《姚氏校注战国策后题》一文，就其所见姚宏《战国策注》作了评论，他认为姚宏注虽然流传不广，但有其价值。他指出姚宏对高诱的注“间有增续”，就注释的质量看，“简质谨重，深得古人论撰之意，大与鲍氏率意窜改者不同”。且其书参考书中有晋孔衍所著《春秋后语》，后世已不可得见，幸姚注保存一二。比较姚宏和鲍彪的注，他认为读者称道鲍彪是“眩于浮文”[②]。吴莱《吴氏战国策正误序》是为吴师道的书所作的序。文章也评价了《战国策》及诸家注的优劣。大概受吴师道的影响，吴莱同样认为高诱注“疏略”，而鲍彪注有“穿凿粉饰”的讹谬[③]。吴莱对吴师道的《战国策校注》给予充分的肯定，认为超过前代的注，对于人们研究战国史大有裨益。

——关于《通典》《通志》《文献通考》的评议。王义山认为杜佑的《通典》“有可议者”。他说：“《通典》首食货，次选举，又次职官，至如礼乐制度，乃在五六。杜佑岂知道者，况其书止于唐玄宗。”[④] 从他对《通典》非议在于其门类排比的顺序看，他受理学思想影响较深，今天看来，他的识见远不及杜佑。

---

① 吴师道：《吴师道集》卷一四《战国策校注序》，邱居里、邢新欣点校本，浙江古籍出版社2012年版，第476页。

② 吴师道：《吴师道集》卷一七《姚氏校注战国策后题》，邱居里、邢新欣点校本，浙江古籍出版社2012年版，第599页。

③ 吴莱：《吴氏战国策正误序》，李修生主编：《全元文》卷一三六五（第44册），凤凰出版社2004年版，第39-40页。

④ 王义山：《宋史类纂序》，李修生主编：《全元文》卷八〇（第3册），江苏古籍出版社1999年版，第110-111页。

吴澄的《通典序》提到："至唐杜佑，乃合周秦以来之法度，萃为一书，分食货、选举、职官、礼、乐、兵、刑、州郡、边防九类，凡二百卷，名曰《通典》。使求治之主、佐治之臣志在兴礼乐、修政刑者考证于此而损益之，所因所革，近如指掌。故先哲巨儒，亦有取焉，不以其为记纂之书而少之也。"① 称扬《通典》既有利于治国理政，又有益于学术研究。吴澄也肯定了郑樵《通志》的文献价值和历史思想。他评论道："夹漈，记诵者之学也，而亦卓然有以自见于世，论者因其所长而取之可也。"② 吴绎则很看重郑樵《通志》的丰富内涵："包括天地阴阳，礼乐制度，古今事实，大无不备，小无或遗。"③ 赞扬它："亘千载异人异书。事无大小之遗，义贯精粗之一，探众志之幽赜，为群史之会归。皇王帝霸，道可得闻；天地人物，名无不备。理乱安危之异辙，正邪孅恶之殊方。凡几年大集厥成，示历代如指诸掌。"肯定它贯通古今为一书的通史体例："慨载籍犹断绳之不续，此一书若贯珠之相联。"④ 王寿衍的《进文献通考表》认为《文献通考》比杜佑《通典》更充实："天宝以前者视杜氏加详焉，天宝以后至宋宁宗者，又足以补杜氏之阙。"评价其议论

---

① 吴澄：《通典序》，李修生主编：《全元文》卷四八五（第14册），江苏古籍出版社1999年版，第352页。

② 吴澄：《评郑夹漈通志答刘教谕》，李修生主编：《全元文》卷四九九（第15册），江苏古籍出版社1999年版，第66页。

③ 吴绎：《通志序》，李修生主编：《全元文》卷一一五八（第37册），凤凰出版社2004年版，第18页。

④ 吴绎：《通志疏》，李修生主编：《全元文》卷一一五八（第37册），凤凰出版社2004年版，第18页。

“本诸经史而可据”，指出其制度“会之典礼而可行”[①]，肯定其有史学价值和经世功用。

——关于王应麟《困学纪闻》《汉书艺文志考证》《玉海》的评议。牟应龙认为王应麟的《困学纪闻》：“各以类集，考订评论，皆出己意，发前人所未发。辞约而明，理融而达，该邃渊综，非读书万卷者，何以能知。”[②] 这个评价充分肯定了《困学纪闻》一书在内容编排、史实考订、历史评论及文字表述方面的价值。袁桷作于泰定二年（1325）的《王先生〈困学纪闻〉序》更是表彰了王应麟敢于担当，称：“原其旨要，扬雄氏之志也。……其语渊奥精实，非䌷绎玩味不能解。”[③] 肯定《困学纪闻》是有深度的史书。危素为王应麟《汉艺文志考证》作序，指出：“盖艺之见收于前史者其目耳，千载之下，欲考其原本，证其谬误，亦诚难哉。非曲畅旁通，枝分派别，亦不得与于斯。”[④] 胡助的《玉海序》，不仅肯定《玉海》采摭广博，还赞扬其为书，“至显而至微，至精而至密，至高而至深，至博而至约。凡天地山川、古今事物、道德性命、律历、制度、文章、礼乐、刑政、兵农、食货，靡不毕备”[⑤]。认为它适应面广，可资

---

① 王寿衍：《进文献通考表》，李修生主编：《全元文》卷九三三（第28册），凤凰出版社2004年版，第561页。

② 牟应龙：《困学纪闻序》，李修生主编：《全元文》卷四五六（第13册），江苏古籍出版社1999年版，第224页。

③ 袁桷：《王先生困学纪闻序》，杨亮校注：《袁桷集校注》，中华书局2012年版，第1098页。

④ 危素：《汉艺文志考证序》，李修生主编：《全元文》卷一四七〇（第48册），凤凰出版社2004年版，第206页。

⑤ 胡助：《玉海序》，李修生主编：《全元文》卷一〇一三（第31册），凤凰出版社2004年版，第497页。

人们观览考索，取之不尽。李桓的《玉海序》也称其著述涉猎广泛，所谓“网罗天下之见闻，包括古今之故实，将使学者览之得以施诸用。……故其为书精密渊深，区分胪列，靡所不载。惟无益于用，不足以备讨论者，不以登于简策，岂非所谓博而得其要者与？伟乎述作！非若他书类事者之可拟伦也夫”[①]。李桓认为《玉海》是博而得要之书。

——关于《金石例》的评论。元人潘昂霄，又称苍崖先生，著有《金石例》，评者众多。柳贯评价《金石例》，肯定其“有《春秋》属辞比事之教焉，而例在其中矣”[②]。杨本的《金石例序》指出其所言“例”有益于斯文的功绩。[③] 汤植翁认为《金石例》“凡为文之矩度，制器之楷式，开卷了然”[④]。傅贵全评价《金石例》有言：“观其笔削之旨，则思孰为可传，孰不可传，而于扬名之道，有以自力矣。是岂特为文者之助，于世教将重有补焉。”[⑤] 可见，傅贵全更强调《金石例》有补于世教的作用。苍崖先生潘昂霄之子潘诩作《金石例跋》称：“先文僖公所著《金石例》十卷，制度文辞，必稽诸古，所以模范后学者也。每见手泽，不忍释去。与其私于一家，孰若公于天下；传之子孙，

---

① 李桓：《玉海序》，李修生主编：《全元文》卷一四一九（第46册），凤凰出版社2004年版，第91页。

② 柳贯：《柳贯集》卷一七《金石例序》，魏崇武、钟彦飞点校本，浙江古籍出版社2014年版，第459-460页。

③ 杨本：《金石例序》，李修生主编：《全元文》卷一七〇六（第56册），凤凰出版社2004年版，第285页。

④ 汤植翁：《金石例序》，李修生主编：《全元文》卷一七〇五（第56册），凤凰出版社2004年版，第254页。

⑤ 傅贵全：《金石例序》，李修生主编：《全元文》卷一六一二（第52册），凤凰出版社2004年版，第461页。

孰若法之人人。使咸知先公之去浮靡以还淳古，顾不韪与？”[1]潘诩也肯定其父著述有模范后学与纠正文风的作用。王思明于至正八年（1348）所作《金石例序》，赞赏《金石例》树立规范文式的用意。[2]

——关于地方志书的评议。元代地方志书大量印行，其序、跋多涉及有关具体地方志的评论。比如，元大德二年（1298）王利用为《类编长安志》一书作序，称赞京兆教授骆飞卿的《类编长安志》“较之旧志，一完书尔”。他认为：“是编一出，或平居暇日，披玩于几砚之间，其周、秦、汉、唐遗踪故实，弗待文谘访，一一可知，足迹未及，如在目前，使居是邦者，胸中了然，问无不知，亦士君子之一快也，骆公用心仁矣。”[3] 文中言及其内容，更讲明其用途。同是在大德二年（1298）贾鹹也为《类编长安志》作了序，其评价突出强调了该书的分门别类，称其“使水能会泾、渭、灞、浐之名，山能萃太华、终南之秀。凡都邑宫观、丘陵坟衍、沿革兴废之名，贤豪居处之迹，士夫经行之地，俊乂题品之文，又注于下，棋布星分，若网若纲，有条而不紊”。对于有人指责其书“碎”，贾鹹驳斥说：“傥人物混，则孰能辨夷夏之殊？五谷杂，则孰能辨菽麦之异？且志曰：‘方以类聚，物以群分，不如是，则不能成治道而赞化育也。’物且

① 潘诩：《金石例跋》，李修生主编：《全元文》卷一七六七（第58册），凤凰出版社2004年版，第139页。

② 王思明：《金石例序》，李修生主编：《全元文》卷一七八一（第58册），凤凰出版社2004年版，第497页。

③ 王利用：《类编长安志序》，李修生主编：《全元文》卷七〇一（第22册），江苏古籍出版社2001年版，第422页。

如是，书何不然？”[①] 贾轼论及史书编次秩序的重要，较之王利用的评论更具有史学批评的意味。大德十一年（1307）林景熙所撰《平阳州志序》阐明地方志对存续文献及地方治理的意义。[②] 揭傒斯撰《丰水续志序》，称其“条敷类析，穷搜极简，将以垂信方来”[③]，也是着眼于其书层次、史料及史学价值。李京的《云南志略序》明确其撰述缘起是因见乐史《寰宇记》、樊绰《云南志》及郭松年《南诏纪行》关于云南历史文化“多载怪诞不经之说”，又因他“奉命宣慰乌蛮”，于“乌蛮、六诏、金齿有夷”，“奔走几遍”，对于其地的山川地理、土产风俗，“颇得其详”，也因此知道前人记载之失，主要是由于道听途说，并没有亲身经历。他编集的《云南志略》，“自以所见，参考众说”[④]，也就是把亲自采访所得资料和文献资料结合而撰成。苏天爵评价于钦所作《齐乘》有言：“《齐乘》六卷，故兵部侍郎于公志齐之山川、风土、郡邑、城郭、亭馆、丘垄、人物而作也。……于公生于齐、官于齐，考订古今，质以见闻，岁久始克成编，辞约而事核。”[⑤] 肯定其取材广泛，文字简洁，记事详核。杨升云受命编纂《瑞阳志》，遵循史法规范。其序文称：“始收

---

① 贾轼：《类编长安志序》，李修生主编：《全元文》卷七五二（第24册），江苏古籍出版社2001年版，第193-194页。

② 林景熙：《平阳州志序》，李修生主编：《全元文》卷三七一（第11册），江苏古籍出版社1999年版，第44-45页。

③ 揭傒斯：《揭傒斯全集》之《文集》卷三《丰水续志序》，李梦生标校本，上海古籍出版社2012年版，第305页。

④ 李京：《云南志略序》，李修生主编：《全元文》卷一一四九（第36册），凤凰出版社2004年版，第302页。

⑤ 苏天爵：《滋溪文稿》卷五《齐乘序》，陈高华、孟繁清点校本，中华书局1997年版，第64页。

录官府案牍类而编之，且参考旧志，摭以新闻，使因革互见，灿然在目。为图于首，则职方氏之遗意也。列志于后，则班孟坚之家法也。门分类析，纲举目张，览者如视诸掌。后之来者按图考贡，且以征输，庶几无壅蔽之患，而亦知前之为政者，能识大体云。"[①] 杨升云也认识到编修地方志的学术价值和资政意义。蒙古斡罗纳儿氏燮理溥化（又写作燮理普化），是揭傒斯的弟子，泰定四年（1327）进士，曾任职乐安县达鲁花赤[②]。他所撰《乐安县志序》评价《乐安县志》提到："观其所封畛之广狭，山川之远近，名宦之游历，文人之咏，与夫一民一物、一言一行之有关于世教者，靡不载考。是邑之事迹，一寓目而尽得焉，益信郡县不可无志也。"[③] 肯定了《乐安县志》的文献价值。张士坚称由朱晔、朱桢续修的《至正崇明州志》"其立凡例名目，精粗巨细，靡不毕录，可谓综核而不芜者矣。至若盐赋之计，渔课之入，延积数月，而编户不以为病。然而孝子烈女，长材秀士，扬历华要，昭著一时者，亦有可称矣"[④]。讲明了其州志所记信息的准确全面。

《安南志略》是安南人黎崱撰写的一部史志，元代多人为其书作序。察罕所作的序称黎崱的《安南志》详过以往有关南粤

---

① 杨升云：《瑞阳志序》，李修生主编：《全元文》卷一五八八（第52册），凤凰出版社2004年版，第21页。

② 余大钧编著：《元代人名大辞典》"燮理普化"条，内蒙古人民出版社2016年版，第776页。

③ 燮理溥化：《乐安县志序》，李修生主编：《全元文》卷一七〇一（第56册），凤凰出版社2004年版，第152页。

④ 张士坚：《至正崇明州志序》，李修生主编：《全元文》卷一七〇五（第56册），凤凰出版社2004年版，第250页。

之记，肯定其有相当高的史料价值。[1] 前面已提及元明善为《安南志略》作序也称其书详备，可因之而建补史之功[2]。皇庆初元（1312）赵烁称赞黎崱“立言叙事，信而有征”，认为其所作《安南志略》“于职方氏缺典，岂小补哉”，指出“子长山川之史所不及，乐史寰宇之书所不载，九州之外，于斯略见之”[3]。大德十一年（1307），刘必大所作序更是从完备一统典策的角度盛赞其书的价值。他说：“观其上下古今，参考史传，国土之源流、封爵之沿袭、山川风俗、人物官职、使介往来、朝觐赐赉，纤细备载，噫！用心亦云至矣。……因语之曰：‘此书再加缮辑，行当言之史馆，白之庙堂。诏取付之于秘府，以补一统典策之缺，以备一览舆图之盛。顾不伟欤！’”[4] 大德十一年许善胜所作《安南志略序》也肯定其史学价值：“东山黎崱，乃取其山川风土古今人物迁革，与近年军旅出入之数，编为一书，仍谱叙其家世；使览之者，奇闻异见，如在几席，其有补于班孟坚之遗逸多矣。”[5] 许有壬所作《安南志略序》一方面肯定其史料价值，所谓“至于出师遣使之旨，诏谕锡赉之恩，与其臣属始末之情状，是书一出，概可考焉”；另一方面肯定其书显扬忠诚的意

① 黎崱：《安南志略》卷首《安南志略序》（一），武尚清点校本，中华书局2000年版，第1页。

② 黎崱：《安南志略》卷首《安南志略序》（三），武尚清点校本，中华书局2000年版，第2页。

③ 黎崱：《安南志略》卷首《安南志略序》（四），武尚清点校本，中华书局2000年版，第3页。

④ 黎崱：《安南志略》卷首《安南志略序》（五），武尚清点校本，中华书局2000年版，第3-4页。

⑤ 黎崱：《安南志略》卷首《安南志略序》（六），武尚清点校本，中华书局2000年版，第4-5页。

义，“景高在其国，佐彰宪陈侯键幕。乙酉内附，其国邀击之。彰宪战没，景高抱其尸驰出，茔之丘温。惧夫忠义湮没也，故纪尤致意焉。其气义又可知也。然则是书之出，不独知异域之详，又以见人心天理之同者，固不问于遐迩也。其诚有补于风化者乎”。[①] 夏镇肯定人们所说该书的补史之价值，还称赞道：“为叙有法，自述始末，有太史公自序、班孟坚叙传遗意。至于词章翰墨，见于诸公之记咏者，靡所不载，此又迁固之所未有。”[②] 也就是说，夏镇认为《安南志略》有旧史法，也有新例。值得重视的是，黎崱为其书也作了序，其自序和他人评论一片赞扬声不同，他是有自我批评意识的儒者，他认为自己“于古今文籍，不能遍览”。他说：“然诸家博载，抵牾为多；是书之作，虽本之见闻，征之纪载，岂无讹焉。君子见其疏略，尚改而正诸！”[③]

张翥为汪大渊（字焕章）的《岛夷志略》作序，称其“两附舶东西洋”，“所遇辄采录其山川风土物产之诡异，居室饮食衣服之好尚，与夫贸易赍用之所宜，非其亲见不书，则信乎其可征也与”[④]？张翥赞赏汪大渊采择资料的态度其实也是肯定其书的史料价值。汪大渊本人在至正九年（1349）作后序叙述了《岛夷志略》撰述的缘起和目的。他说：“大渊少年尝附舶以浮

---

① 黎崱：《安南志略》卷首《安南志略序》（七），武尚清点校本，中华书局2000年版，第6页。

② 黎崱：《安南志略》卷首《安南志略序》（十一），武尚清点校本，武尚清点校本，中华书局2000年版，第10-11页。

③ 黎崱：《安南志略》卷首《安南志略序》自序，武尚清点校本，中华书局2000年版，第11-12页。

④ 张翥：《岛夷志略原序》，李修生主编：《全元文》卷一四八三（第48册），凤凰出版社2004年版，第584页。

于海，所过之地，窃尝赋诗以记其山川、土俗、风景、物产之诡异，与夫可怪可愕可鄙可笑之事，皆身所游览，耳目所亲见，传说之事，则不载焉。至正己丑冬，大渊过泉南，适监郡偰侯命三山吴鉴明之续《清源郡志》，顾以清源舶司所在，诸番辐辏之所，宜记录不鄙，谓余方知外事，属《岛夷志》附于郡志之后，非徒以广士大夫之异闻，盖以表国朝威德如是之大且远也。”[①]这里彰显元朝威德的撰述目的反映了汪大渊有关史之为用的理解和认识。吴鉴撰写的《岛夷志略原序》对于“外蕃”的“故实”，他认为“熟事者多秘其说，凿空者又不得其详”。唯有豫章汪焕章，有着不凡的经历，他认为其书“不惟使后之图王会者有足征，亦以见国家之怀柔百蛮”[②]。吴鉴所撰《清源续志序》不仅仅评价一方之志，还探讨了方志兴废与社会变迁的关系，在他看来，方志的存续系之于史官、文士，不同时代人们对其重视的程度直接影响其编纂。他指出闽地原本文献彬彬，经历战争后，虽值承平，也未能恢复如初，当朝廷启动宋、辽、金三史编修时，诏告郡县上邑志，泉地却没有。至正九年（1349），有闽海宪使高昌偰侯任职泉地，才命儒生搜访旧闻，“随邑编辑成书”。吴鉴参与编纂《清源续志》，吴鉴认为其志可以补清源故事，但由于“故老澌没，新学浅于闻见，前朝遗事，盖十具一二以传

① 汪大渊：《岛夷志后序》，李修生主编：《全元文》卷一七七三（第58册），凤凰出版社2004年版，第301页。

② 吴鉴：《岛夷志略原序》，李修生主编：《全元文》卷一七八六（第58册），凤凰出版社2004年版，第638-639页。

言"[①]。他客观指出了《清源续志》存在的问题。林希元在元末出任上虞县尹，不满意从前所修《上虞县志》，亲自参与笔削，"咨之文献，采之民间，正其讹缺，文其俚俗，不逾年而书成，详而不失之繁，简而不遗其要"。他指出虽然郡志并不难写，但是要达到"其言文，其事核，去取增损"，有史氏纂记的风格并不容易，看来他对郡志的要求很高，希望能够"传远而无愧"[②]。

——综论分论别史、杂史。元好问在其所撰文章中也论及史书，前述已有提及，比如他认为《续资治通鉴长编》《亡辽录》《北顾备问》因为此疆彼界的分别，叙述辽朝史事"多敌国诽谤之辞"，所以不可全信[③]。元好问指出了受政治立场的限制，宋人所记与之对峙的政权难以客观公正。这也是多政权时期史书有不实记载的一个重要原因。吴澄为一些别史、杂史作序，肯定它们的史学价值。比如，他认为陈景德的《甲子年表图序》"博考历代诸国纪年，起上古，以逮于今，萃成一卷"，"间附事迹一二，笔削俱有意义。远者传疑，近者传信，悉无所苟"。[④] 他称赞张鉴的《春秋纲常》虽然"不自措一辞"，但是编纂形式独特，"于每行书字有高低"，称"观其《叙例》，大义炳然。正名定分，无以逾此。简而严，严而简，真可羽翼圣经，以垂训戒于

① 吴鉴：《清源续志序》，李修生主编：《全元文》卷一七八六（第58册），凤凰出版社2004年版，第639-640页。

② 林希元：《上虞县志序》，李修生主编：《全元文》卷一七八八（第58册），凤凰出版社2004年版，第694页。

③ 元好问：《故金漆水郡侯耶律公墓志铭》，狄宝心校注：《元好问文编年校注》，中华书局2012年版，第342页。

④ 吴澄：《甲子年表图序》，李修生主编：《全元文》卷四八五（第14册），江苏古籍出版社1999年版，第346页。

千万世”[①]。吴澄对何岳所作《古今通纪》也同样赞赏，称“虽未尝读史，亦一览而知古今之大概”[②]。黄玠阅读《汲冢周书》，认为“其属辞成章，体制绝不与百篇相似，亦不类西京文字”，推测其可能是战国时期的逸民处士纂辑。至于其内容，黄玠认为：“性命道德之几微，文武政教之要略，与夫谥法、职方、时训、月令，无不切于修己治人。虽其间驳而不纯，要不失为古书也。”[③] 李祁强调《史略》一书便于初学，罗伯刚、王子让进一步增损注释后，“使初学者，犹得以少见上下数千年之治乱大略”，取得了“有补于世教”之功[④]。许有壬称赞苏天爵所辑《国朝名臣事略》“其类例仿朱子《言行录》，条有征据，略而悉，丰而核”[⑤]，从体例和编次上肯定其制作。欧阳玄则从苏天爵重视文献积累来评论《国朝名臣事略》的成书，称“君独博取中朝巨公文集而日钞之，凡而元臣世卿墓表家传，往往见诸编帙中。及夫闲居，纪录师友诵说，于国初以来，文献有足征者，汇而萃之。始疏其人若干，属以其事，中更校雠，栉去而导存，抉隐而搜逸，久而成书”[⑥]。元末翰林国史院编修官王理也肯定

① 吴澄：《春秋纲常序》，李修生主编：《全元文》卷四八五（第14册），江苏古籍出版社1999年版，第348页。

② 吴澄：《古今通纪序》，李修生主编：《全元文》卷四八五（第14册），江苏古籍出版社1999年版，第349页。

③ 黄玠：《汲冢周书叙》，李修生主编：《全元文》卷一四八二（第48册），凤凰出版社2004年版，第555页。

④ 李祁：《史略故序》，李修生主编：《全元文》卷一四一〇（第45册），凤凰出版社2004年版，第433页。

⑤ 许有壬：《国朝名臣事略序》，苏天爵：《元朝名臣事略》，姚景安点校本，中华书局1996年版，第1页。

⑥ 欧阳玄：《国朝名臣事略序》，苏天爵：《元朝名臣事略》，姚景安点校本，中华书局1996年版，第2页。

《国朝名臣事略》保存元代从国初到延祐之际名臣事迹的贡献[①]。胡翰的《历代易览序》评价马本初之《历代易览》有司马光编纂《举要历》和《历年图》《稽古录》之意，他指出简约的《历代易览》对两类人增广见闻有益处，一类是“处乎穷乡下邑”的“韦布之士”，他们虽然有志于学，但很难见到天下之书；另一类是“身都富贵者”，“或不暇殚其岁月之劳”。[②] 朱思本创作有《舆地图》，其自序言其著书的目的在于纠正前人所作《禹迹图》《混一六合郡邑图》的“乖谬”，说明其图的制作，既有参阅古今文献如《水经》《通典》《元和郡县志》《元丰九域志》，又有实地采访，内容上有详有略，“其间河山绣错，城连径属，旁通正出，布置曲折，靡不精到。至若涨海之东南，沙漠之西北，诸番异域，虽朝贡时至，而辽绝罕稽。言之者既不能详，详者又未必可信，故于斯类，姑用阙如”[③]。其所作的自我评价表明其书是信而有征的地图书。

要言之，辽夏金元时期关于诸史的评论，可谓成果丰硕。针对具体的史书，既有褒扬者，也有质疑者，还有否定和批评者，各自不同的认识表明人们评判角度的多元和评价标准的不一，反映出此时人们关于史书的思考和认识，凸显了多民族多元文化的特点。

---

① 王理：《国朝名臣事略序》，苏天爵：《元朝名臣事略》，姚景安点校本，中华书局1996年版，第4页。

② 胡翰：《历代易览序》，李修生主编：《全元文》卷一五六四（第51册），凤凰出版社2004年版，第185页。

③ 朱思本：《舆地图自序》，李修生主编：《全元文》卷一〇〇六（第31册），凤凰出版社2004年版，第382页。

第三章　党项西夏史学及史学批评

党项族及其建立的西夏政权，其历史经历和史学形式都呈现出复杂多彩的局面。西夏政权历时一百八十九年（1038—1227），若从其“虽未称国而王其土”的拓跋思恭所建夏州政权算起，则历时三百四十六年（881—1227），比先后和它鼎立的辽、北宋、金和南宋在时间上更加长久。西夏统治时期其领土包括今甘肃大部、宁夏全部、陕西北部和青海、内蒙古的部分地区，“方二万余里”。[①]

在长时间的奋斗历程中，党项人创造了丰富而独特的民族文化，这不仅表现在文字创造、文化特点、史官设置、史书编纂及史家辈出上，还表现在其较强的历史意识及史学思想方面。历史学家戴锡章写完《西夏记》后感慨万端，曾喟然而叹：“夫西夏声明文物，诚不能与宋相匹，然观其制国书、厘官制、定新律、兴汉学、立养贤务、置博士弟子员，尊孔子为文宣帝，彬彬乎质

① 吴天墀：《西夏史稿》徐中舒《序》，广西师范大学出版社2006年版，第1页。

有其文，固未尝不可与辽金比烈。”[1] 然而，研究党项西夏史学困难重重，其中最主要的是史料的缺乏及零散的分布。正如日本学者杉山正明所感叹：“讲述西夏的历史，实在是很困难。最主要的原因是没有留下什么像样的、系统的记载。……有关西夏的研究，进入了历史的暗区。其困难程度即使在整个亚洲史上也是很突出的。一个很大的障碍就是西夏语和西夏文。要想充分了解他们，就必须掌握藏语等相关的各种语言。就是说，尝试研究西夏，本身就已经成为一种壮举了。”[2]

如果说讲述西夏的历史尚且如此困难的话，那么，研究党项西夏史学及史学批评就难上加难了，主要原因有两个方面：一是元人不修西夏史，以卷帙浩繁著称的《宋史》，全书共有四百九十六卷，其《夏国传》部分却只有上、下两卷，元代公私所拥有的西夏史料，因为未被纳入一部专史而从此湮灭亡佚，造成不可挽救的损失。[3] 二是已有的史料多为描写党项人的生存斗争、宋夏战争、经济往来以及法律制度等，很少涉及史学及史学评论。

---

① 戴锡章：《西夏记》自序，宁夏人民出版社 1988 年版，第 17 页。

② 杉山正明：《疾驰的草原征服者：辽西夏金元》，乌兰、乌日娜译，广西师范大学出版社 2014 年版，第 231-235 页。

③ 脱脱等人将西夏传划为三部历史的外国之列，不是太合适，对此清人赵逢源说：“考拓跋本党项八部，《唐书》厕诸《西域》宜也。洎仁福晋封王爵，俨然西陲一大国矣。乃欧阳氏《五代史》仿龙门例，撰十《世家》摈而不与。或以是时十国次第铲夷，而西夏与抗衡中国，尚未能要其始终，且恶其夜郎自大，不予以剖符世爵故耶。然《仁福列传》犹进之刘守光、李茂贞等藩镇之列，则固未尝夷之也。厥后元人修《宋史》，则竟置于外国，曾留从效，陈洪进之不若，遂与高丽、日本同科。辽金二史因之，夫岂欧阳氏进退之意哉。”（参见吴广成：《西夏书事》，龚世俊等《西夏书事校证》本，甘肃文化出版社 1995 年版，第 506 页）“西夏建国二百余年，颇怪当时史臣，不为建议，勒成专书，仅附见宋、辽、金三史以传。岂以地处西偏，人为羌族，故外之欤？”（参见戴锡章：《西夏记》自序，宁夏人民出版社 1988 年版，第 17 页）

虽然史籍有缺，但也并非无迹可寻，党项西夏不仅创造了丰富的本民族文化，也自觉接受学习儒家文化，实际上，对文化的选择认同是一种态度，在某种程度上讲就是一种评论。如有学者所指出的那样："'批评'的核心内涵有四层意思：学术欣赏、鉴别高下、评论是非和辨析精微，既包括肯定性的赞誉，也包括否定性的批驳。其环节包括阅读、理解、分析、阐述、评价及其传播。从表面上看，'批评'只是对一人、一书、一学说的评价、诉求与思潮的激荡与较量。"① 党项西夏历史文献中难见明显的史学观点，但他们对自己过往历史的怀念及由此产生的诗作、对中原汉文化的选择性认同等，都为本课题的研究提供某些依据。我们可以从党项族文化的兴起、各种翻译著述活动、碑铭文、散文及其他零星记载中获得某些信息，以求对党项族及其所建立的西夏政权各种文化观念的产生、来源有所认识，在此基础上，探讨党项西夏的文化意识及史学行为。

第一节　党项族的史学活动

一、党项族的兴起

党项族是中国古代北方少数民族之一，属于西羌族的一支，因此又被称为"党项羌"。据史书记载，羌族起源于"赐支"或"析支"，也就是今青海省东南部黄河一带的地方。《旧唐书·党

---

① 刘开军：《晚清史学批评研究》，上海古籍出版社2017年版，第7页。

项传》记载："党项羌，在古析支之地，汉西羌之别种也。"[1] 周伟洲指出："党项羌应是汉魏后居于今青海、甘南和四川西北的西羌诸部发展而来，是居于这些地区的西羌在北周后的泛称。"[2] 北周以后，党项人的地域渐广："其界东至松州（今四川松潘县），西接叶护（今新疆维吾尔自治区境内），南杂舂桑、迷桑（今青海南部）等羌，北连吐谷浑（今青海北部），处山谷间，亘三千里。"[3] 这一时期的党项族处于不知稼穑、草木记岁的原始生活状态，他们以部落为单位，以姓氏为部落名称，逐渐地形成著名的党项八部，分别是：细封氏、费听氏、往利氏、颇超氏、野辞氏（《通典》作"野律氏"）、房当氏、米擒氏、拓跋氏，其中拓跋部最强大。[4] 党项拓跋部逐渐成为党项的核心和中坚力量。

除党项属于西羌一支的说法而外，还有一种说法是拓跋氏是鲜卑族的后裔，其重要依据是西夏开国君主李元昊曾自称是鲜卑后代，李元昊上宋仁宗书称："臣祖宗本出帝胄，当东晋之末运，创后魏之初基。"[5]《辽史》也载："西夏本魏拓跋氏后。"[6] 不过这一说法还有待进一步证实。

党项民族的成长，经历了一个曲折而顽强向上的过程。北朝至隋时，党项各部与中原政权之间时而争斗时而相互妥协。进入

---

① 刘昫等：《旧唐书》卷一九八《党项羌传》，中华书局1975年版，第5290页。
② 周伟洲：《早期党项史研究》，中国社会科学出版社2004年版，第2页。
③ 刘昫等：《旧唐书》卷一九八《党项羌传》，中华书局1975年版，第5290页。
④ 刘昫等：《旧唐书》卷一九八《党项羌传》，中华书局，1975年版，第5290页。
⑤ 脱脱等：《宋史》卷四八五《夏国传上》，中华书局1977年版，第13995页。
⑥ 脱脱等：《辽史》卷一一五《二国外记》，中华书局1974年版，第1523页。

唐朝后，唐太宗李世民提出“自古皆贵中华，贱夷狄，朕独爱之如一”[①] 的著名论断，体现出唐代在民族政策方面的博大胸怀。受此影响，党项首领拓跋赤辞请求归唐，李世民赐党项民族李姓，并封内附的拓跋部首领拓跋赤辞为西戎州都督，党项族开始并入唐帝国的版图。然而，公元 663 年，吐蕃灭吐谷浑王国，鲜卑人没落，草原平衡被打破，吐蕃开始向东向北扩张，其锋芒直指党项，从贞观末到天宝末“安史之乱”后，陆续向北进行了两次大规模的迁徙，逐渐集中到灵、庆、夏、银、绥、延、胜等州地。而此时唐朝也不断出现内乱，公元 881 年，党项首领拓跋思恭帮助击灭黄巢起义，唐僖宗任命拓跋思恭为定难军节度使，再赐李姓，爵号夏国公，统辖夏、绥、银、宥、静五州之地，这是拓跋部发展的一个重要的转折点，党项族从此登上中国历史的舞台。

公元 960 年北宋建立，在此之前契丹就建立了辽，北宋建立后为了加强中央集权，削弱藩镇势力，要求党项族迁徙到宋都城汴梁。此举遭到党项首领之一李继迁的反对，他率领亲信流亡到夏州东北的地斤泽，举起抗宋自立的大旗。经过李继迁及其子李德明的苦心经营，至德明子李元昊时称帝条件已经成熟。公元 1038 年，元昊正式称帝，定都兴庆府（今宁夏银川），国号大夏，共传十帝：景宗元昊、毅宗谅祚、惠宗秉常、崇宗乾顺、仁宗仁孝、桓宗纯祐、襄宗安全、神宗遵顼、献宗德旺、末帝晛。

① 司马光等：《资治通鉴》卷一九八《唐纪》，中华书局 1956 年版，第 6360 页。

西夏是一个多民族政权，其民族主要有羌（党项）、汉（宋人）、藏（吐蕃）、维（回鹘）、蒙（鞑靼）等，居于主要地位的则是党项羌。作为相对小型的多民族国家，西夏政权共存在一百八十九年（1038—1227）。

二、党项族的文化习俗

党项族早期生活的方式，在一定程度上反映了他们的文明程度。在建立西夏政权之前，党项与中央政府之间时斗时服，生活以漂泊游牧为主，各种生活习俗和宗教信仰既与本民族的文化底蕴相关，也与汉文化的融合有关。建立西夏政权之后，党项族的周边环境更为复杂，处于和宋、辽、金的对峙交流之中，这一过程对于党项族文化习俗的改变，对于西夏统治阶级学习传播汉文化，皆有很大帮助。

从文化形态上看，早期党项族生活在原始部落状态之中，这些部落“大的五千余骑，小的千余骑”，他们居住环境较差，“气候多风寒，五月草始生，八月霜雪降”。[①] 为了抵御这种高寒的气候，党项人住在一种用羊毛擀成毡、牛尾毛结成绳，然后用圆木做架子制成的简易屋子内。据《旧唐书》记载：俗皆土著，居有栋宇，其屋织牦牛尾及羊毛覆之，每年一易。[②] 这种屋子的建筑材料能就地取材，搭建方便，适用于游牧迁徙。

党项族的服饰简单而实用，就衣着来讲，早期党项人穿着粗

---

① 刘昫等：《旧唐书》卷一九八《党项羌传》，中华书局1975年版，第5291页。
② 刘昫等：《旧唐书》卷一九八《党项羌传》，中华书局1975年版，第5290页。

陋的衣服，服饰的主要功能是御寒而非美观，他们“服裘褐，披毡为上饰”[①]。所谓“裘褐”，《孟子·公孙丑下》载：“自反而不缩，虽褐宽博，吾不惴焉。”《说苑·敬慎》载：“见衣裘褐之士，则为之礼。”《后汉书·梁鸿传》载：“吾欲裘褐之人，可与俱隐深山者尔。”[②] 在汉文化观念里身着这种衣服的人，身份低贱，穷困不堪，应是最普通的老百姓抑或是边远地域的游牧民。

早期党项人生活于青藏高原，那里气候恶劣，生活资源有限，一般就地取材以身边的牛羊毛简单处理为衣，正史中的记载也正是他们现实生活的写照。即使到了党项族较为发达的时候，党项人也还是喜欢“衣皮毛”，这点从李元昊与其父李德明的对话中可以体现出来。如在如何对待宋的问题上，德明与其子元昊意见不同，德明认为：“吾久用兵，疲矣！吾族三十年衣锦绮，此宋恩也，不可负。”元昊回答说：“衣皮毛，事畜牧，蕃性所便，英雄之生，当霸王耳，何锦绮为？”[③] 德明父子在对待宋的问题上出现分歧，实质上反映出德明希望维持现状，而元昊则分析双方交往利弊试图有所突破，这段材料还从侧面反映出以元昊为代表的党项族对自己“衣皮毛，事畜牧”文化习俗的认同。这就指明了畜牧生产活动及与之相适应的生活方式是党项人所习惯成性的。因此，以党项族为主体的西夏社会生活及其风俗，表现出和畜牧经济有着密切不可分的关系。[④]

---

① 魏徵等：《隋书》卷八三《党项传》，中华书局1973年版，第1845页。
② 范晔：《后汉书》卷八三《梁鸿传》，中华书局1965年版，第2766页。
③ 脱脱等：《宋史》卷四八五《夏国传上》，中华书局1977年版，第13993页。
④ 参见吴天墀：《西夏史稿》，广西师范大学出版社2006年版，第193页。

从党项人的性格特征来看，他们属于尚武好斗、粗陋野蛮之流。史料记载：“（早期党项人）不事产业，好为盗窃，互相凌劫。尤重复仇，若仇人未得，必蓬头垢面跣足蔬食，要斩仇人而后复常。”[①] 显然，早期党项人生活条件恶劣，他们个性鲜明，崇尚武力，乐于复仇，以至于复仇成为一种习俗，“复仇是西夏社会流行的又一风习，它是党项羌固有的旧俗。党项人聚族而居，部落分立，互相隔绝，情意不通。一旦有了矛盾，难以正常解决，往往生衅结怨，发生报复性冲突”[②]。由此可见，党项族是一个尚武乐战的民族。

党项族的婚姻生活相对开放，在他们的社会里盛行收继婚制，收继婚制属于原始社会群婚制的某种残余。即女子嫁到夫家，可以转嫁，男子可以多妻。“妻其庶母及伯叔母、嫂、子弟之妇，淫秽烝亵，诸夷中最为甚，然不婚同姓。”[③] 元初意大利人马可·波罗来中国，他在其行记里叙述甘州（今甘肃张掖市）的风俗时讲到：“一般人可以娶二三房妻室，甚至还有更多的，但有些人却比较少，完全根据男人维持妻妾的能力大小而定，因为他们的妻子不但没有丰厚的嫁妆，相反，还要分享丈夫的牲畜、奴隶和金钱。结发妻子在家庭中享有比较优越的地位。丈夫如果发现妻子有不贞或其他不法行为，或自己感到厌恶时，可以随时休弃她们。这里的人表姊妹可以通婚，甚至娶岳母为配偶。

① 刘昫等：《旧唐书》卷一九八《党项羌传》，中华书局1975年版，第5291页。
② 参见吴天墀：《西夏史稿》，广西师范大学出版社2006年版，第195页。
③ 刘昫等：《旧唐书》卷一九八《党项羌传》，中华书局1975年版，第5291页。

他们对许多重大的罪恶认为不足挂齿，在性生活方面简直和禽兽无异。”[①] 该时距离西夏灭亡不远，大致与西夏末期的状况相同。可见，即使到了西夏社会后期党项族也不像汉族那样有封建礼教的束缚，而是男性婚姻自由舒张，“凡育女稍长，靡由媒妁，暗有期会，家不之问”[②]。不过这也可能指某一部分人，因为一般家庭养家糊口是不大容易的。

党项族崇信万物有灵，巫术活动十分频繁，成为他们日常生活的重要文化行为。《隋书·党项传》记载：“三年一聚会，杀牛羊以祭天。”[③] 这说明党项族以杀牛羊祭天的方式表达他们对上天的崇敬。同历史上大多数民族一样，党项族对日、月等带来光明的天体充满情意，将它们与至亲至爱的父母相提并论，例如一首谚语这样描述：“大象一来河泽满，日月一出国土明”，“母美艳如千白日，父智明如万红月”。黑水城出土的《木星图》《土星图》《月图》等都能反映出党项人对日月星辰的崇拜。[④] 对日月崇敬而心怀敬畏，由敬畏而迷信，甚至影响到战争，例如：“明年，出侵回鹘，恒星昼见，德明惧而还。”[⑤] 因天象不利即可放弃与敌国的战争，可见神灵思想在党项人心目中的地位。《宋史·夏国传》载：“笃信机鬼，尚诅祝，每出兵则先卜。”[⑥] 沈括

---

① 马可·波罗口述，鲁思梯谦笔录：《马可波罗游记》第一卷，陈开俊等译，福建科学技术出版社1981年版，第55页。

② 张鉴：《西夏纪事本末》卷一〇，龚世俊、陈广恩、朱巧云校点本，甘肃文化出版社1998年版，第68页。

③ 魏徵等：《隋书》卷八三《党项传》，中华书局1973年版，第1845页。

④ 史金波：《西夏佛教史略》，台湾商务印书馆1993年版，第38页。

⑤ 脱脱等：《宋史》卷四八五《夏国传上》，中华书局1977年版，第13990页。

⑥ 脱脱等：《宋史》卷四八六《夏国传下》，中华书局1977年版，第14030页。

在《梦溪笔谈》中记载："盖西戎（即党项）之俗，所居正寝，常留中一间，以奉鬼神，不敢居之，谓之'神明'，主人乃坐其旁。"① 尽管随着党项人的内迁，其信仰的宗教内容也在不断变化，但党项人崇拜鬼神、信仰多神的行为伴随着党项民族立国、亡国的全过程。实际上，巫术等迷信活动是党项族文化生活的重要组成部分。

上述历史事实说明，党项西夏有本民族独特的文化，他们习武好斗，婚配较为自由，崇尚巫术，善于占卜，属于典型的游牧部落文化。如果说上述现象为党项族因生活环境所迫而进行的文化活动的话，那么以下所述则为党项族自觉的文化行为，是文明进步的一种体现。

三、文化的自觉和历史意识的产生

西夏政权建立前，党项族没有自己的文字，然而他们已经有自觉的传播本民族历史的意识，由后来留下的仅有的几本西夏文作品可以看出，党项族主要通过口耳相传的方式展示本民族的来源、重要人物的事迹及重大的事件等。这些西夏文诗句是研究早期党项民族兴起、发展的重要史料，它们从一个侧面反映出党项族的文化自觉以及对本民族历史的浓厚情感。

实际上，目前我们所见到的西夏诗歌是极其有限的，有些或被大火烧毁，有些可能还埋于地下，已经出土的部分还流落国

① 沈括：《梦溪笔谈》卷一八《技艺》，岳麓书社 1998 年版，第 149 页。

外，至今由于各种原因并未公布于世，因此我们所知的诗歌是其中的一小部分，但它们传递给我们的是党项族鲜活的世界观和人生观，其意义是深远的。这些诗歌虽不能代表现实的历史，而且未有相应的史料记载相互印证，但是我们能从只言片语中获得有关党项西夏人文化生活的某些信息，也能从中感受到他们的文化自觉和历史撰述意识。

党项族流传下来的作品《夏圣根赞歌》，就以诗歌的方式歌颂了其先祖的历史活动。该诗集由乾祐年间（1170—1193）的著名学者梁德养、王仁持加以整理收集，总共四十五行，每行三到十四字。在赞歌中，开头几句就描述到党项族的发源地及祖先的行为特征："黑头石室荒水域，赤面父冢白高河，长弥药人国在彼。"关于这几句诗目前学术界还颇有争议，然而比较一致的看法是，这是党项人在追溯自己的祖先，是自觉进行文化传承的历史笔迹。赞歌中有诗句讲到党项西夏人的英雄人物，和其他民族一样，党项西夏人对自己本民族的英雄充满期待与敬意，其诗云："母亲阿妈起族源，银白肚子金乳房，取姓嵬名俊裔传。繁裔崛出弥瑟逢，出生就有两颗牙，长大簇立十次功，七骑护送当国王。"[①] 显然，这几句诗在歌颂西夏统治者取姓"嵬名"，并颂扬一个名叫"弥瑟逢"的民族英雄。弥瑟逢出生时就带有两颗门牙，长大后更厉害，立了十次功，因此被护送当了国王。由于史料记载的局限，致使这首诗影射的真实人物、事件均无法考

① 《夏圣根赞歌》有克恰诺夫俄译文，汉译文参见聂鸿音：《西夏文〈夏圣根赞歌〉考释》，《民族古籍》1990 年第 1 期。

证，然而我们仅从诗句本身就可以看到党项西夏民族的精神寄托。

还有一首西夏文长诗《夫子巧式歌》(又译作《颂师典》)，其中有几句这样歌颂道："蕃汉弥人同一母，语言不同地乃分。西方高地蕃人国，蕃人国中用蕃文。东方低地汉人国，汉人国中用汉文。各有语言各珍爱，一切文字人人尊。"诗中的"蕃"指吐蕃，"汉"指汉人，"弥"即弥药，是党项人的自称。这几句诗表达了西夏人对各族文化的认可态度。[①] 有学者指出，《颂师典》是颂扬西夏文字的创立者野利仁荣而作的，"羌汉弥人同母亲，地域相隔语始异。羌地高高遥西隅，边陲羌区有羌字"[②]。大致意思是，羌人、汉人和党项同源共母，由于地域的隔阻语言也出现不同，边远的羌族地区有羌族的文字。

党项西夏诗集中还有一本五言诗《新集碎金置掌文》，这可能是党项西夏的启蒙读物，其开头就从世界的起源、昼夜的交替写起，表达了党项西夏人对周围世界的观察和认识。"天地世界始，日月依时显。明暗左右转，寒暑上下和。诸物化能成，时节顺次生。"[③] 由于《新集碎金置掌文》收藏在俄罗斯科学院东方学研究所圣彼得堡分所，西夏学学者聂历山著的《西夏文字及其文献》只介绍了其中的四句，白滨先生将其译为："西夏人骁勇、契丹人迟缓、西藏人信佛、汉族人崇儒，回鹘饮酸乳、山狄

① 参见陈广恩：《试论西夏文化的多元性》，《西北师大学报》（社会科学版）2005年第3期。
② 陈炳应：《西夏文物研究》，宁夏人民出版社1985年版，第346-348页。
③ E. H. 克恰诺夫、李范文等：《圣立义海研究》，宁夏人民出版社1995年版，第1-10页。

食荞饼。”[①] 这几句诗用较为简洁的语言介绍了党项人眼中的各民族特征。

党项西夏的文化自觉还体现在他们对汉文化中圣贤明君的歌颂：“尧舜极仁慈，无闻恶父弟。文王同民乐，民子如己子。”这几句诗赞颂中原历史上几位贤德有才干的人物，这一方面说明党项建国后对中原汉文化的接受，另一方面说明撰述者希望党项西夏统治者以此自勉的情怀。接着还有几句这样写道：“大千世界无比伦，白上国里圣贤君。爱生之念高于天，憎死本能大于地。天举栋梁无诽者，效君封侯甚忠诚。一意治国学尧舜，一心治民循汤武。”[②] 体现了诗人对生的赞颂，对死的厌恶，对儒家价值观的认同。

总之，党项西夏文诗歌虽然是以抒情为主的文学体裁之一，但能从某些侧面看到党项西夏社会的精神面貌，是党项西夏文化自觉和历史意识的产物。这些诗歌从不同方面阐述了党项族对周围世界的认识，对本民族起源的探讨，对民族英雄的敬仰，反映了党项族同源共祖的民族意识和自觉增强民族认同感的史学意识，从不同方面体现了本民族的历史文化。

四、政治色彩浓厚的文化特色

党项西夏本是游牧民族，曾经过着不知稼穑、不种五谷的游

① 白滨：《从西夏文字典〈文海〉看西夏社会》，白滨编：《西夏史论文集》，宁夏人民出版社 1989 年版，第 180 页。

② 陈炳应：《西夏文物研究》，宁夏人民出版社 1985 年版，第 348 页。

猎生活，有着“淫秽烝亵，诸夷中最为甚”的历史记忆。然而，随着党项族与中原汉民族的不断接触以及自我的不断成长，党项族逐渐形成以“孝”为主题的民族文化，这种文化不仅是家族伦理道德观念的体现，也是党项民族建国立业的文化根脉，与党项西夏的政治构建紧密相连，使得孝文化成为别具特色的政治生活的重要部分。党项西夏崇信佛教，这是众所周知的事情，然而根据所掌握的有关西夏佛教事务的相关记载可知，党项西夏崇佛的行为并不是单纯的出于宗教信仰，而是带有较强的政治色彩，字里行间显示出对现实政治的终极关怀，因此党项族的信仰特点从一个侧面反映了西夏文化具有同汉文化一般的现实主义特点。

党项西夏历史上较著名的事例是拓跋兴宗的三次上书，这三次上书一次比一次恳切，中心思想是希望当时的皇帝允准他回家侍奉年迈的母亲。在“忠”与“孝”之间，他毅然选择后者，情愿放弃高官厚禄以遂其“孝”的心愿，由于三则辞呈篇幅较长，现选取其中具有代表性的话语作为例证。

如第一则写道：“臣闻怀禄者耻于冒进，事亲者贵在及时。苟贪非分之荣，何报所生之德？臣兴宗中谢。伏奉某月日敕，许臣入京觐省者。臣母谯郡太夫人曹氏，今八十有四，一遭风疾，倍加羸惙。臣之战灼，罔知攸从。然曹氏有臣，更无他子。臣才龆龀，父已背亡，守志偏栖，钟情善训，恩深徙宅，慈过折蓌，孤危相保，臣得成立。蕃夷贱末，久荷国恩，磨钝策疲，已历三纪……特乞停官，许从归侍，则藜藿之养，子道获申；桑榆之晖，母心是慰……母体渐平，在臣犬马，敢不驱策！”① 上表者陈述了母亲的基本现状，论证了辞官养母的原因，仁孝之心显而易见。

史料显示第二次递交辞呈时上表者其母已经八十有五，也就是说距离第一次又过了一年。第二次辞呈更加恳切，回家侍母的心情溢于言表，其中讲道：“臣前表自陈，上诉母亲，乞停所职，以就私养。圣恩未许，恳愿莫从，母子二人，肝脑涂地……母不能割慈忍爱，子不可背义违亲，二者之心，贤愚共悉。方寸既乱，焉可以理军？否臧皆凶，焉足以谋敌？无自招于遄死，则未战以取亡，何以为万人之命、赴国家之急？陛下于愚臣过听，谓边将得人，则有陇右专知教练兵马使右骁卫将军蔺廷辉，材略冠军，智勇无对。”②

第三则上表者再次恳请皇上恩准其回家，其文曰：“臣闻事君爱亲，出忠入孝；孝苟不足，忠能独全，自古及今，未之有也。臣夙遭凶悯，早丧父兄，母祗育臣，臣惟侍母，更相为命，逮至于今。臣愿报国安亲，两遂忠孝。况臣少从边役，侍养多违，母常忆臣，积忧成疾……若使贪荣徇禄，背义忘亲，固天地所不容，人伦所同弃，更何面目，敢列圣朝？特望上垂天光，俯照愚恳，矜臣养亲之日短，效命之日长，允其停官，许令侍疾。”③

---

① 韩荫晟编：《党项与西夏资料汇编》第二部分《人物传志》，宁夏人民出版社 2000 年版，第 156-159 页。

② 韩荫晟编：《党项与西夏资料汇编》第二部分《人物传志》，宁夏人民出版社 2000 年版，第 156-159 页。

③ 韩荫晟编：《党项与西夏资料汇编》第二部分《人物传志》，宁夏人民出版社 2000 年版，第 156-159 页。

关于拓跋兴宗是否是党项族后裔的问题目前仍存争议，韩荫晟根据相关研究资料指出，拓跋兴宗在两唐书没有传记，《全唐文》记载：“兴宗，玄宗时人。”其详细事迹不见记载。他在第一表中自称：“蕃夷贱末，久荷国恩。”第二表又写道：“以蕃夷之贱品，忝冠冕之清流……士君子犹食其富贵，臣种落岂知其矫饰!”第三表则曰：“臣虽戎狄贱品，忝沐熏风。”由此可知他出身蕃戎，固非华胄。由于当时的拓跋氏大多出自党项，兴宗或即党项族人。[①] 纵观党项西夏历史文化特点，党项族是特别注重孝义的民族，由此推知拓跋兴宗应该为党项人。在这三则上表中，实际上，“孝”与“忠”在某种程度上均有所指代，前者代表回归家庭，放弃名利，后者除了代表报效国恩，其本质是个人理想的实现，在二者出现冲突时，兴宗宁愿放弃个人理想，以“孝”为先，回归家庭，侍养母亲。由此可见，党项民族是十分崇尚孝义的民族。这不仅表现在某些个人行事的风格上，而且在国家层面的政治诉求方面，党项西夏也十分注重孝义，常常将其上升到国家治理的层面。

党项西夏无论在政治上还是在家庭伦理道德上，通常以“孝”为中心来解释天人及君臣关系。西夏典籍《圣立义海》[②]“天之名义 · 恩施不计”条记载：“天依孝育终生，故使成诸宝，

① 韩荫晟编：《党项与西夏资料汇编》第二部分《人物传志》，宁夏人民出版社 2000 年版，第 156 页。

② 《圣立义海》是西夏皇帝钦定的百科类辞书，书中主要记录西夏的自然状况、社会生活等方面内容，其中关于君臣关系、立人九等、家庭婚姻大多贯穿儒家的道德精神，现存为夏仁宗乾祐年间残刻本。(参见克恰诺夫、李范文、罗矛昆：《圣立义海研究》，宁夏人民出版社 1995 年版)

不计恩功。"[1] 将天给予人世间的恩情解释为天在尽孝，因此天即使付出也不计恩功。"十月之名义·国昌天赏"条又讲道："君依德、智、孝奉天。"[2] 将君对天的敬仰解释为尽孝，以孝为中心解释天人关系。《圣立义海》"子孝顺父母名义·孝有三种"条中进一步提出："上孝乃帝之行：扬天下德名，集地上孝仪，孝德遍国中，此帝之孝也。此孝乃臣之孝：秉礼尽忠，不出恶名，因帝之赐，孝侍父母，此臣之孝。尽心竭力，孝侍父母，此国人之孝也。"[3] 这段话对不同阶级的人关于孝的要求有所不同，帝之孝在扬德名并规范天下，臣之孝在尽忠国家并孝侍父母，普通老百姓的孝则在于尽心竭力过好生活并孝敬父母。由此可见，党项西夏人已将孝贯穿到社会生活的各个方面，尤其是与政治生活有着千丝万缕的联系，这显然是受中原汉文化的深刻影响所导致的。同时，《圣立义海》对日常生活中的孝作了具体的规定："黎明鸡啼，叫起穿衣，心念亲居。父母起，递衣衫，柔声问安。"[4] 在党项西夏人的思想观念里也有"百善孝为先"的政治哲学，例如"人皆孝顺父母，故孝为五常之首，万行之根，故孝行为最上"[5]。值得注意的是，西夏蕃学的主要讲授内容也是蕃语的《孝经》《尔雅》等，由此看出，儒家思想在党项西夏人的发展史上起着重要的引领作用。

---

① 在俄藏黑水城文书中就包括数种版本的《佛说父母恩重经》，参见《俄藏黑水城文献》第 3 册，上海古籍出版社 1996 年版，第 43-48 页，编号 TK119、TK120、TK139、TK240 等。

② 克恰诺夫、李范文、罗矛昆：《圣立义海研究》，宁夏人民出版社 1995 年版，第 54 页。

③ 克恰诺夫、李范文、罗矛昆：《圣立义海研究》，宁夏人民出版社 1995 年版，第 54 页。

④ 克恰诺夫、李范文、罗矛昆：《圣立义海研究》，宁夏人民出版社 1995 年版，第 71 页。

⑤ 克恰诺夫、李范文、罗矛昆：《圣立义海研究》，宁夏人民出版社 1995 年版，第 75 页。

另外，党项西夏崇信佛教，其佛教文化也表现出强烈的政治色彩。西夏的统治者崇敬佛教，最迟从德明就已经开始。德明和元昊两人都通晓佛学，他们都从宋朝请到过卷帙繁复的大藏经；根据现存文献记载，西夏统治者们在其建国前后的四十多年里，就至少有过五次向北宋购买佛经及经帙签牌等。[①] 党项西夏统治者崇奉佛教带有浓厚的政治色彩，现有的相关碑文显示，西夏统治阶级利用宗教巩固政权的目的很明显，实际上这与传统汉文化中现实主义的文化特点是一致的。

例如《承天寺碑记》中说："大崇精舍，中立浮图，保圣寿以无疆，俾宗祧而延永。"[②] 这是谅祚生母没藏氏修建承天寺时而撰写的碑记。崇敬佛事一向是党项西夏的主要文化活动之一，但此处揭示出崇佛修寺的目的却耐人寻味，显然"保圣寿以无疆，俾宗祧而延永"才是修碑的最重要原因，其政治意图显而易见。又《大夏国葬舍利碣铭》中云："所愿者保佑邦家，并南山之坚固，维持胤嗣，同春葛之延长。百僚齐奉主之诚，万姓等安家之恳。边塞之干戈偃息，仓箱之菽麦丰盈。"[③] 这个铭记充满期待，希望佛主保佑家国平安，子孙繁盛，战乱平息，甚至是谷仓丰满，把对天国的敬仰转换成对人间事务的期待，也就是将天上的佛与地上的现实联系在一起，是现实主义文化的集中体现。再如向达《莫高榆林二窟杂考》一文中记载，在今甘肃省

---

① 吴天墀：《西夏史稿》，广西师范大学出版社2006年版，第173页。

② 《承天寺碑记》，即《夏国皇太后新建承天寺瘗佛顶骨舍利碑》，载《嘉靖宁夏新志》卷二及《甘肃通志》卷九二，罗福颐亦收藏于所编《西夏文存》中。

③ 参见聂鸿音：《西夏遗文录》，《西夏学》2007年第2辑，第138页。

安西市榆林窟第十号窟，窟门外甬道北壁上有西夏人所书写的《阿育王寺释门赐紫僧惠聪俗姓张主持窟记》篇。该篇中有一段这样写道："切见此山谷是圣境之地，古人是菩萨之身。石墙镌刻，寺堂瑞容弥勒大像一尊，高百余尺。三十二相，八十种好端严，山谷内雸水长流，树木稠林，白日圣香烟起，夜后明灯出现。本是修行之界，昼无恍惚之心，夜无恶觉之梦。所将上来圣境，原是皇帝圣德圣感。伏愿皇帝万岁，太后千岁，宰臣常居禄位，万民乐□，□海长清，永绝狼烟，五谷熟成，法轮常转。"①这段话反映出编造佛教神话是为投合统治阶级的政治需要，也从一个侧面反映出西夏统治者大力推崇佛教的原因。

综上所述，党项族从兴起到发展乃至建立西夏国，是一个漫长的过程，在此过程中，党项西夏逐渐产生文化的自觉和历史撰述的意识，由此阐发出一些反映本民族文化特点的诗歌。党项西夏是十分注重孝义的民族，从个人对忠孝的选择到国家的治理层面无不贯彻着"孝"文化，这一方面说明党项西夏的文化特点，另一方面也说明儒家文化对党项西夏的渗透。另外，党项西夏的文化活动紧紧围绕政治而展开，如他们崇尚的"孝"文化以及佛教文化皆政治色彩浓厚。这些文化因素为西夏史学的发展奠定了历史的基础。

---

① 向达：《莫高榆林二窟杂考》，载谢稚柳：《敦煌艺术叙录》，上海出版公司 1955 年版，第 454 页。

第二节　西夏史学及史学批评

一、党项西夏史学的产生

党项西夏史学产生于何时，我们并不能确知，相关文献也不能直接证明，然而可以从其文字的产生、史官制度的建立以及史学家的研究志趣等方面，探知其大致的发展脉络。

党项族本无文字，在与汉、藏族生活的过程中，逐渐产生创造文字的意识，进而根据汉藏语系创制了本民族文字——西夏文。“党项羌语属于汉藏语系的藏缅语族。据现代语言学者的研究，它与今四川羌语和敏里雅语很相类似，也和今彝族（旧称罗罗）、么些（也叫纳西；些读 suo）两种语言有着比较亲近的关系。”[①] 关于西夏文字的创始者目前还存在争议，通常认为是李德明、李元昊、野利遇乞、野利仁荣等人。沈括在《梦溪笔谈》一书中讲道：“（遇乞）先创造蕃书，独居一楼上，累年方成。”[②] 此处的蕃书即是西夏文，也就是说沈括认为西夏文的首创者是野利遇乞，西夏文是他经过多年的努力创造的。然而，历史上的野利遇乞是一名大将，是西夏景宗元昊的皇后野利氏的兄长，创造西夏文的野利遇乞是否与他属于同一人呢？吴天墀经过斟酌研究指出，从“独居一楼”“累年方成”等话语可以看出，

① 吴天墀：《西夏史稿》，广西师范大学出版社 2006 年版，第 207 页。
② 沈括：《梦溪笔谈》卷二五《杂志二》，岳麓书社 1998 年版，第 207 页。

沈括笔下的野利遇乞当是一位学者，与多权谋、善用兵的西夏景宗元昊的皇后野利氏之兄野利遇乞性格相差甚远，应该是两个人。[①] 由此可见，野利遇乞应该是一位学者，被认为是制造西夏文字者之一。

还有一种说法是元昊制造了西夏文，依据来自《宋史·夏国传》，其文曰："元昊自制蕃书，命野利仁荣演绎之，成十二卷。"[②] 此处蕃书的制造者变为元昊，文中意思是元昊自造西夏文，然后让野利仁荣演绎成卷。吴天墀认为："综观《梦溪笔谈》与《宋史·夏国传》的记载，可能遇乞'创造蕃书'在'先'，元昊以统治者的身份初步采纳，并'自制'若干原则交由野利仁荣演绎乃得最后完成。"[③] 总之，在自制蕃书这件事上，元昊积极倡导应该是没有问题的，史料记载："臣偶以狂斐，制小蕃文字，改大汉衣冠。衣冠既就，文字既行，礼乐既张，器用既备，吐蕃、塔坦莫不称臣，张掖、交河咸甘稽首。称王则不喜，朝帝则是从。"[④] 这是元昊向宋朝上表要求称帝时说的话，显然，元昊将拥有自己的文字作为建立国家的重要条件之一。庞大复杂的文字并不是一人就可以完成，综合《梦溪笔谈》和《宋史·夏国传》的史料，可能的情况是野利遇乞首创"蕃书"，景宗元昊以统治者的地位身份接受采纳，并制定规划一系列制造原则，最后由学者野利仁荣演绎完善。所以，西夏文的制造并不

---

① 吴天墀：《西夏史稿》，广西师范大学出版社 2006 年版，第 208 页。
② 脱脱等：《宋史》卷四八五《夏国传上》，中华书局 1977 年版，第 13995 页。
③ 吴天墀：《西夏史稿》，广西师范大学出版社 2006 年版，第 208 页。
④ 吴广成：《西夏书事》，龚世俊等《西夏书事校证》本，甘肃文化出版社 1995 年版，第 151 页。

是某个人的单独行为，也不是一时而为，而是经过不同时间不同人物的努力奋斗集体创造的结果。

西夏文字是根据汉字的构造特点，结合党项民族语言的特色而制定的，其形状与汉字相像，有部首和偏旁，每个字由若干书写符号组成，属于典型的方块字。其书写方法也是或由上到下，或由右到左，西夏文专家李范文认为，全部西夏文字共计 5917 字，而实际上有意义的字共 5857 字。西夏字是模仿汉字结构而成，然在表现形式上多采用合体字，一般为二合或多合的方式，因此看起来比汉字复杂且多变化，利用起来较为繁复。即使这样，西夏文字得到统治阶级的大力推行，比如李元昊很重视新文字的运用，他规定西夏国内的艺文书牒，一律采用新制西夏字书写，并专门设立夏字和汉字两院，前者的地位比后者崇高很多，还特任夏文字主要的制定者野利仁荣主持夏字院。即使西夏递交宋朝的公文，也是中书汉字，旁列夏字。这些都显示出西夏王朝追求本民族独立的想法，以及试图利用新文字增强内部人民凝聚力的政治目的。

现存的文献、文物表明，西夏文字在党项民族的日常生活中被普遍使用。比如现今知道的西夏文书中，有关审案、契约、借贷、历书占卜等文书基本采用西夏文书写，还有摩崖碑石、寺壁题款、钱币印章、符牌器物上也都使用西夏文字。西夏灭亡后，西夏文仍在原西夏统治地区流行，直到明中期后消失。西夏文字的创造是党项西夏文化发展进步的体现，也是其民族意识、独立意识不断增强的表现，该文字的出现增强了党项人民的民族自信心，有利于该民族撰述、传承自己的历史，推进了本民族史学的发展。

西夏文字的产生推动了西夏史学的发展，以西夏文字为契机，历代统治者积极推广汉文化，组织学习汉文化，宣扬本民族文化，对党项西夏文化事业的推动起着很大的作用，也对西夏史学的进一步发展起着重要影响。从西夏文化发展的历史过程看来，建国后的党项西夏统治者注重文化方面的学习，组织翻译、学习汉文典籍，并对大量佛教典籍进行整理翻译，这些文化素养都为西夏史学的开展起着重要的铺垫作用。在继迁、德明统治时期，西夏学术文化开始发端，到元昊、谅祚诸代统治时期开始发展，至乾顺、仁孝统治时期达到顶峰。[①] 西夏统治时期形成很多文献典籍，经过几百年的流散残损，至今依然可见的西夏文献主要表现在法律、文学、历史典籍、官私文书、字典与辞书、金石铭刻以及卷帙浩繁的佛藏梵典等方面。

史书记载元昊曾命人用西夏文翻译汉文典籍的活动："元昊自制蕃书，命野利仁荣演绎之，教国人纪事用蕃书，而译《孝经》《尔雅》《四言杂字》为蕃语。"[②] 元昊统治以来使用西夏字翻译了不少汉文典籍，至今还能见到的汉籍西夏文译本主要有《论语》《孟子》《孝经》《孙子兵法三家注》《六韬》《黄石公三略》《贞观政要》《类林》等。这些译注皆为1909年沙俄科兹洛夫探险队在黑水城遗址（今内蒙古自治区额济纳旗境内）所得，

① 吴天墀：《西夏史稿》，广西师范大学出版社2006年版，第181页。
② 胡玉冰校注：《西夏志略校证》，甘肃文化出版社1998年版，第125页。

今藏俄罗斯科学院东方学研究所圣彼得堡分所。同时，党项西夏人自己撰述的作品也不少，大概有《天盛改旧新定律令》《猪年新法》《新法》《官阶封号表》《贞观玉镜统》《三世明言集》《贤智集》《月月娱诗》《治疗恶疮要论》《降魔要论》《掌中珠》《文海》《文海杂类》《钦定义海》《音同》《五音切韵》《杂字》《义同一类》《谚语集》等。[①] 以上文化活动表明，西夏统治者不仅注重本民族文化事业的建设，也有向往儒家汉文化的倾向，这些文化活动构成西夏史学发展的历史基础。

现有文献资料以及历史事实表明，相对于传统汉文化的全面吸收来讲，西夏统治者更崇尚实用之学，注重治国之道，西夏的知识分子则较关注自身的修养，以追求较高的政治理想。这表现在他们对汉文化产生兴趣的领域："唐宋政治制度曾经被西夏全面接受，但中原的儒家著作和思想观念在西夏并不像人们认为的那样普及。西夏前期的儒家经典只通过汉文本在有限的范围内传播，直到中期才开始有《孝经》《论语》和《孟子》的译本作为学校教材……西夏人接受了一些儒家最基本的概念，但知识分子学习儒家经典著作的整体水平不高。政府虽然采取了少量措施以示尊孔，但目前还没有足够的资料证明西夏存在真正意义上的儒学。"[②] 一些青史留名的西夏学者就表现出这样的特点，如西夏史学家曹道乐在其《德行集》的序言里说："夫学之法：研习诵读书写文字，求多辞又能弃其非者观之，中心正直，取予自

① 参见黄振华：《评苏联近三十年的西夏学研究》，《社会科学战线》1978 年第 2 期。
② 聂鸿音：《中原"儒学"在西夏》，《北方民族大学学报》（哲学社会科学版）2017 年第 3 期。

如，获根本之要领，而能知修身之法原矣。能修身，则知先人道之大者矣。知无尽之恩莫过父母，然后能事亲矣。敬爱事亲已毕，而教化至于百姓，然后能为帝矣。为帝难者，必须从谏。欲从忠谏，则须知人。知其人，则须擢用。擢用之本，须慎赏罚。信赏必罚而内心清明公正，则立政之道全，天子之事毕也。”[①] 显然，文中追求的是“修身、齐家、治国、平天下”的现实哲学，实际上这符合党项西夏的历史特点。相关研究表明，西夏统治者对儒家文化的学习只停留在尊孔读经方面，在社会思想领域并没有将儒家文化真正灌输到人民心中。我们不知道西夏政权在这方面采取了什么具体措施，不过从最终的结果来看，西夏人接受的无非是儒家两个最通俗的概念，即“孝”和“修身、齐家、治国、平天下”，而这正是上述曹道乐作品的主题。西夏人学习儒家文化，但对思想更深处的史学思想领域涉及有限，这反映出党项西夏人务实尚用的一面，也反映出他们文化落后的一面。

总之，西夏文字的产生促进了西夏文化的发展，帮助党项族翻译学习汉文化，提高了西夏人民的文化素养，为西夏史学的产生奠定了基础。

二、主要的史学活动

西夏设有纂修实录、国史的机构，可惜的是，西夏的实录和国史没有流传下来。[②] 承担修史工作的主要机构为翰林学士院，

① 聂鸿音：《中原“儒学”在西夏》，《北方民族大学学报》（哲学社会科学版）2017 年第 3 期。
② 陈高华、陈智超等：《中国古代史史料学》，天津古籍出版社 2006 年版，第 281-285 页。

另有一些辅助修史的机构，如卜算院、秘书监等。

据《宋史·夏国传》记载："立翰林学士院，以焦景颜、王金等为学士，俾修实录。"[①] 可见，西夏设有翰林学士院并且编修实录。《西夏书事》卷三六又载："立翰林学士院"，"夏五月，令史臣修《实录》"[②]。现存西夏文《天盛改旧新定律令》第十章"司此行文门"，"有史院一名"。[③] 上述史院与翰林学士院或即一事。元代虞集记载，斡道冲一家在西夏世代专掌国史。[④] 这些材料说明，西夏设有专门的修史机构翰林学士院，有专门的人员编修实录及进行国史的撰写。翰林院在唐朝开始设立，起初是供给具有艺能之士的供职场所，主要任务是供天子消遣游乐，后来职能逐渐发生变化，演变成了专门起草机密诏制的重要机构，有"天子私人"之称。由于翰林学士是社会中地位最高的士人群体，他们致力于传承文化学术事业，也积极参与政治事务，后来部分翰林院的学士参与修史，宋、辽、金代逐渐形成了以翰林学士兼修国史的风气。显然，西夏设立的翰林学士院已然完成从参与修史到独立修史的变化，这是对汉文化的发扬光大，对西夏史学的发展产生重要影响。

另外，西夏时期的卜算院、秘书监等也参与了修史。卜算院是西夏制定历法的机构，曾参与修史活动，据《西夏书事》的

---

① 脱脱等：《宋史》卷四八六《夏国传下》，中华书局 1977 年版，第 14025 页。

② 吴广成：《西夏书事》，龚世俊等《西夏书事校证》本，甘肃文化出版社 1995 年版，第 425 页。

③ 参见黄振华：《评苏联近三十年的西夏学研究》，《社会科学战线》1978 年第 2 期。

④ 虞集：《故西夏相斡公画像赞，并序》，《虞集全集》，王颋点校本，天津古籍出版社 2007 年版，第 321 页。

相关记载分析，西夏崇宗时期卜算院有太史、司天之职的设置。黑水城编号 8214 的出土文书中有一份历书残页，其中序言部分提到太史令及卜算院头监杨师裕，而西汉的司马迁就是太史令并负责制定历法的工作。史金波考证，杨师裕既是修史的太史令又是修历的卜算院头监。[①] 既然身为太史令的杨师裕供职于卜算院，也从一个侧面说明了卜算院参与修史的事实。西夏时期设有掌管历代图书和典籍的秘书监，在《天盛改旧新定律令·司序行文门》中记载“秘书监”一职。[②] 例如西夏统治时期的斡氏家族，历代都在西夏国掌管国史。蒙古军队攻打西夏的时候斡扎箦带领全城父老投降，并奉上大量的图籍。有学者根据“率父老以城降太祖”[③] 这一事件，推测西夏是设有专门的机构来保存档案和典籍的，而这一部门可能是秘书监，斡扎箦很可能就是其长官，负责图书管理的总任务，以供翰林学士院纂修实录等史书。

伴随着史官制度的建立，西夏出现了青史留名的史学家及相关学者。其中较为著名的有番汉教授斡道冲，诗才名家濮王仁忠，西夏实录编修者焦景颜、王佥，《番汉合时掌中珠》的编纂者骨勒茂才，撰写《夏国谱》的罗世昌等学者。其中斡氏家族可谓党项族的史学世家，该家族著名的史学家有斡道冲、斡扎箦等。《西夏纪》卷二四载：“道冲，先世灵武人，从夏主迁兴州，世掌夏国史。道冲宗圣，八岁以《尚书》中童子举，长通《五

① 参见史金波：《西夏的历法和历书》，《民族语文》2006 年第 6 期，第 41-48 页。
② 史金波、聂鸿音、白滨译注：《天盛改旧新定律令》，法律出版社 2000 年版，第 365 页。
③ 宋濂等：《元史》卷一三四《朵儿赤传》，中华书局 1976 年版，第 3254 页。

经》，译《论语注》，别作解义二十卷，曰《论语小义》，又作《周易卜筮断》，以其国字书之，行于国中。”[1] 斡道冲精通番汉文，担任西夏番汉教授，官至中书宰相。组织翻译儒家文化，著书立说，增强了番汉之间文化交流。天盛十三年（1161），斡道冲以兼修国史的身份组织翰林学士焦景颜、王佥纂修《李氏实录》。斡道冲的孙子斡扎箦也掌西夏国史，蒙古军到来时，曾经“率父老以城降太祖”[2]，一定程度上避免了蒙古军队屠城，对西夏书籍的保存做出贡献。学者濮王仁忠“通番、汉字，有才思，善歌咏”[3]。编修《实录》的史学家焦景颜、王佥，编纂《番汉合时掌中珠》的骨勒茂才，以及生活于元代的党项族史家斡玉伦徒，著有诗文五十卷，熟悉《礼记》，后为撰修《宋史》二十三人之一。

以上仅有的有关党项西夏的史官制度及史学家的历史信息告诉我们，西夏在建国后的近二百年里，有较为健全的史学研究系统，可能由于历史的原因有关史学活动的具体细节目前还没法获知。尽管如此，西夏文的创立、统治阶级的大力提倡及学者们的努力，使西夏时期出现了一系列有意义的文化活动，推动了西夏史学的发展进步。

在此基础上，西夏统治阶级及学者们进行了一系列翻译汉文书籍的活动。西夏皇帝曾经多次向宋朝皇帝求赐经书。谅祚亲政

---

① 戴锡章编撰：《西夏纪》卷二四，宁夏人民出版社1988年版，第576页。

② 宋濂等：《元史》卷一三四《朵儿赤传》，中华书局1976年版，第3254页。

③ 吴广成：《西夏书事》，龚世俊等《西夏书事校证》本，甘肃文化出版社1995年版，第381页。

以后，特别爱好汉族文明，曾经上表请求宋太宗的“诗文作品和《九经》《唐史》《册府元龟》等书，以及宋朝在元旦、冬至所行的朝贺仪节等”[①]。得到宋朝应允求到经书后，西夏统治阶级组织懂得番汉文化的专门人员翻译，翻译的作品在国家的人才选拔、文化建设方面发挥了重要作用，有利于西夏文化及史学的发展。西夏皇帝仁孝也是汉文化的爱好者和倡导者，在他统治的五十三年间（1140—1193），文化教育受到高度重视，如他在西夏统治区域各州县设置学校，在宫廷建立皇家小学，追尊孔子为文宣皇帝，下令修建孔庙。公元 1154 年，仁孝遣使向金国求购书籍，设立翰林学士院，任命焦景颜、王佥等为学士，进行国史实录的编撰工作。[②] 在对汉文化经史的翻译过程中，西夏文字的创立者野利仁荣功不可没，他先后将汉文典籍《孝经》《尔雅》《四言杂字》等翻译为西夏文，对西夏文化的发展作用很大。

纵观党项西夏所翻译的汉文典籍，可归类如下：首先是一百多年以来以考古等方式发现的西夏所译汉文典籍，有黑水城文献中的《论语》《孝经》《孟子》三个注释本。还有一些史书的译本，如对《贞观政要》的翻译，该书编纂者为唐代吴兢，主要记载了唐太宗时期为政之道的言论，被视为唐代以来为政的要领之一。西夏将此翻译为西夏文，并更名为《德事要文》，刻印出版。[③] 现存的《贞观政要》西夏译本只有卷四和卷五中的一部

---

① 吴天墀：《西夏史稿》，商务印书馆 2010 年版，第 48 页。

② 脱脱等：《宋史》卷四八六《夏国传下》，中华书局 1977 年版，第 14025 页。

③ 参见恰克诺夫：《吴兢〈贞观政要〉西夏译本残叶考》，《国家图书馆学刊》增刊（西夏研究专号）2002 年。

分，实际上西夏文翻译的《贞观政要》仅是节译本，可能只是将其中对西夏统治阶级有用的部分翻译出来。西夏还组织翻译了《十二国》，该书是一部已佚汉文史书的西夏文译本。《十二国》的汉文原本应是一部世俗著作而非正统史书，其编排体例与《战国策》较为相似，《宋史·艺文志》著录有孙昱撰《十二国史》及佚名撰《十二国史略》，郑樵《通志·艺文略》及高似孙《史略·子略》均著有《十二国史》四卷。《十二国史》和《十二国史略》均已亡佚。研究学者们经过考证指出《宋史·艺文志》所录唐人孙昱的《十二国史》即西夏文《十二国》所本。西夏本《十二国》现存部分共约七十章，分别保存在“后齐”“鲁国”“晋国”“卫国”四个篇名下。据考证，这些故事分别出自汉文典籍《史记》《春秋左传》《国语》《说苑》《新序》《战国策》《韩诗外传》《吕氏春秋》《韩非子》和《列子》等。[①] 这些翻译的书籍反映了西夏人对于中原传统史学的关注和认同。

此外，西夏人所翻译的汉文典籍中还包括一些具有明显道德规劝色彩的著作，如《德行集》。该书系桓宗时番大学院教授曹道乐编译诸多汉文著作而成，所引书目包括汉文经、史、子、集等四部著作，如经部的《尚书》《礼记》《孔子家语》，子部的《荀子》《庄子》《老子》，史部的《史记》《资治通鉴》，以及集部的苏轼论说等。从这些材料来源大体可以看出，该书的目的在于用儒、道等家的思想告诉人们为人处世之道。另外如唐代类书

① 孙颖新：《〈十二国〉的西夏文译本》，《民族语文》2003年第6期。

《类林》，亦有西夏译本。该书作者为唐代官吏、书法家于立政。史载于立政，字匡时，京兆高陵（今陕西高陵）人，历官吏部员外郎、郎中、国子司业、太子率更令、渠州刺史。显庆元年（656），转虢州刺史。乾封元年（666），擢太仆少卿。著有类书《类林》十卷。西夏译本的《类林》，保留着原书的基本面貌，存卷三、四、六、七、八，残卷二、五、九、十，缺卷一，卷首和序言也已散佚。

由这些译本的选择可以看出，西夏统治者在遴选翻译汉文著作的过程中遵循着相当严格的标准，即关注有利于治国安邦的论著（尤其是史书）。由此不难推知，统治者和译者都具有强烈的史学致用意识，试图利用中原历史知识的传播和学习，积极发挥历史学的社会功能，使之更好地为西夏统治服务。

第四章　元修三史反映的史体论

元朝结束多政权分治，幅员之广前所未有。对此，元代的文人满怀自豪。所谓“皇元混一，声教无远弗届，区宇之广，旷古所未闻”[①]。“自古有国家者，未若我朝之盛大者矣，盖闻世祖皇帝，初易大蒙古之号而为大元也，以为昔有国者，或以所起之地，或因所受之封，为不足法也。故谓之元焉。元也者大也，大不足以尽之，而谓之元者，大之至也。”[②] 文人在讴歌有元广土众民的同时，也考虑到盛大的朝代应有的担当。那就是要修前代史和本朝史，本朝实录的编纂较早地开展了，但《辽史》《金史》《宋史》的修撰直到元末元顺帝至正年间（1341—1368）才得以完成。其中的原因，以及人们关于《辽史》《金史》《宋史》的义例、史体的讨论和定夺，传世的元代文献也有所反映。作为元代史学的代表性成果《辽史》《金史》《宋史》，有众多

① 汪大渊：《岛夷志略》后序，李修生主编：《全元文》卷一七七三（第 58 册），凤凰出版社 2004 年版，第 301 页。

② 苏天爵编：《元文类》卷四〇《经世大典序录・帝号》，商务印书馆 1958 年版，第 529 页。

的人员对其编纂提出建议，或上书给君主、大臣，或撰文发表看法，参与编纂的史官更是在吸取多方面意见的基础上，就史书编纂的方方面面做了仔细的思考，并在修史实践中努力践行，其编纂主导思想中体现出的批评，一定程度上反映了元人关于纂修前代史的理性认识。

第一节　辽金宋三史编纂主导思想中的批评

一、关于修史意义的论述

蒙元作为多民族大统一的政权，其文人群体的来源比较复杂，既有来自金、西夏的文人，又有来自南宋和其他地方的文人，还有在元朝大一统环境下成长起来的文人，他们有着不同的政治立场和文化传统，又都致力于文明传承。正是因为如此，其时的各族文人关于修史的重要性有着比较一致的认识。

早在忽必烈时代，原金状元王鹗就进言："自古有可亡之国，无可亡之史。兼前代史纂，必代兴者与修。盖是非与夺，待后人而可公故也。"[①] 这是王鹗请求设立国史院时所讲的一番话，他希望新兴的政权承担起为前代修史的责任。苏天爵引自王鹗墓碑上的一段文字更真切而具体地反映出他的这一主张："公奏言：'自古帝王得失兴废，班班可考者，以有史在。我国家以威武定四方，天戈所临，罔不臣属，皆太祖庙谟雄断所致，若不乘

① 王恽：《玉堂嘉话》卷一，杨晓春点校本，中华书局 2006 年版，第 41 页。

时纪录，窃恐岁久渐至遗忘。金《实录》尚存，善政颇多；辽史散逸，尤为未备。宁可亡人之国，不可亡人之史。若史馆不立，后世亦不知有今日。’”[①] 他还曾奏言：“唐太宗始定天下，置弘文馆学士十八人，宋太宗承太祖开创之后，设内外学士院，史册烂然，号称文治。堂堂国朝，岂无英才如唐、宋者乎！”[②] 此后，董文炳在宋亡时基于“国可灭，史不可没”的思想认识，将宋朝史馆中得到的“宋史及诸注记五千余册”归于国史院。[③] 袁桷是元代中期著名文士，受其师王应麟严格的史学训练。[④] 袁桷视修史为大一统国家的大事，他说：“推原前代亡国之史，皆系一统之后史官所成。”[⑤] 他也认为修史对于其家族来说是特别崇高的事业，其家族自其高叔祖开始专修宋史，他以司马迁、班固父子相传皆得成书，刘知幾、刘悚、刘赞以家世旧闻成《史通》《史例》为榜样。元顺帝朝经筵官康里氏巎巎也在一日进读《资治通鉴》时言及“国家当及斯时修辽、金、宋三史，岁久恐致阙逸”[⑥]。元顺帝时危素曾向右丞贺惟一上书论修史，他提到：“古之君子何贵于史哉？以其君之创业于初，守成于中，失国于终，故后世之为君者考其所以兴，监其所以亡，其仁明可法，其昏乱可戒。其臣之忠良正直、奸险佞邪，故使后世之为臣者思以

① 苏天爵：《元朝名臣事略》卷一二《内翰王文康公》，姚景安点校本，中华书局 1996 年版，第 239 页。

② 宋濂等：《元史》卷一六〇《王鹗传》，中华书局 1976 年版，第 3757 页。

③ 宋濂等：《元史》卷一五六《董文炳传》，中华书局 1976 年版，第 3672 页。

④ 参见杨亮校注：《袁桷集校注》前言，中华书局 2012 年版，第 10 页。

⑤ 袁桷：《修辽金宋史搜访遗书条列事状》，杨亮校注：《袁桷集校注》，中华书局 2012 年版，第 1844 页。

⑥ 宋濂等：《元史》卷一四三《巎巎传》，中华书局 1976 年版，第 3415 页。

去彼就此焉。至父子、兄弟、夫妇、朋友之间，卓然有可称道者，史尝书之矣。若象纬之著明、水土之分画、历数之因革、礼乐之废举、食货之转输、名物之详略，无不载焉，将以备一代之事，后之经济天下者有所征之矣。唐之失河北而契丹盛，其号曰辽。宋之失中原而女真强，其号曰金。及宋之南渡，立国于江表者，犹历数君。三国上下数百年间，其事泯然不见于简策，岂非圣朝之缺典欤？天眷神元，启土朔漠，发号若雷霆，驱兵若风雨，堕金于蔡城，捣宋于厓山，举四海而席卷之，开辟以来，未之有也。昔人有言：可以亡人之国，不可以亡人之史。盖记载其一国之政者，其事小；垂监于万世之人者，其功大故也。则三朝之史，不可以不修也审矣。”[①] 从这段文字来看，危素更是从史鉴的角度强调了编纂辽、金、宋三朝之史不仅关乎当代史学，更关乎未来发展的深远意义。他强调人们重视历史记载，是因其所记废兴存亡可为后世经理天下者提供前车之鉴，所以弥足珍贵。

在众多文臣文人的积极倡议下，元顺帝至正三年（1343），编纂辽、金、宋三史进入实际运作。《修三史诏》以圣旨的形式开启了三史的编纂，就三史编纂的现实意义也作了明确的阐述："这三国为圣朝所取制度、典章、治乱、兴亡之由，恐因岁久散失，合遴选文臣，分史置局，纂修成书，以见祖宗盛德得天下辽、金、宋三国之由，垂鉴后世，做一代盛典。”[②] 诏令中的这

① 危素：《上贺相公论史书》，李修生主编：《全元文》卷一四六八（第48册），凤凰出版社2004年版，第149-150页。

② 脱脱等：《辽史》附录《修三史诏》，中华书局1974年版，第1554页。

句话代表了元朝末期上层统治者对纂修三史所达成的共识，点明了修前代史彰往察来的意义。

《辽史》《金史》《宋史》是元代史学的大制作，参与三史编纂的史官们为完成这一项任务殚精竭虑，力图使所修撰的历史有真实的记录和准确的定位。身为翰林侍讲学士的揭傒斯兢兢业业地对待修史工作，“凡政事得失，人材贤否，一律以是非之公；至于物论之不齐，必反覆辨论，以求归于至当而后止”。《辽史》成后，为早成金、宋二史，留宿史馆，朝夕不敢休息，不幸得寒疾去世。[①] 张起岩，以“熟于金源典故，宋儒道学源委”著称，史官自以为是者，立言未当，他据理加以改定。[②] 欧阳玄在修三史中所起的作用尤其大，《元史·欧阳玄传》称：“发凡举例，俾论撰者有所据依；史官中有悻悻露才、论议不公者，玄不以口舌争，俟其呈稿，援笔窜定之，统系自正。至于论、赞、表、奏，皆玄属笔。”[③] 所以，人们多认为他是元修三史的实际主持者。辽、金、宋三史陆续编纂完成后，由欧阳玄代为执笔的《进辽史表》《进金史表》《进宋史表》总结三朝的历史经验和历史启示，也更进一步阐明了三史撰修的重大历史意义。

《进辽史表》有言：

---

① 宋濂等：《元史》卷一八一《揭傒斯传》，中华书局1976年版，第4186页。
② 宋濂等：《元史》卷一八二《张起岩传》，中华书局1976年版，第4195页。
③ 宋濂等：《元史》卷一八二《欧阳玄传》，中华书局1976年版，第4197-4198页。

辽自唐季，基于朔方。造邦本席于干戈，致治能资于黼黻。敬天尊祖，而出入必祭；亲仁善邻，而和战以宜。南府治民，北府治兵。春狩省耕，秋狩省敛。吏课每严于刍牧，岁饥屡赐乎田租。至若观市赦罪，则吻合六典之规；临轩策士，则恪遵三岁之制。……享国二百一十有九载，政刑日举，品式备具，盖有足尚者焉。迨夫子孙失御，上下离心。骄盈盛而衅隙生，残贼兴而根本蹙。变强为弱，易于反掌。吁！可畏哉！[①]

这段文字总结了辽代盛衰兴亡经验教训，尤其是“造邦本席于干戈，致治能资于黼黻”可视为元人对辽朝之所以“享国二百一十有九载”的总体评断。在撰者看来，辽代建国依靠的是武力，致治则有赖于“黼黻”之功，这里的“黼黻”似可理解为文治，即后面提到的“敬天尊祖”，“亲仁善邻”，治民、治兵各有分工，重视生产，赈灾济困，遵循六典之规，等等。应该说撰者既对辽朝的“致治”之道持肯定的态度，也对辽朝的变强为弱之易表达了惊惧之意。其中以史为鉴的意义是具体而明确的。关于元人修成的《辽史》，欧阳玄称：“纪志表传，备成一代之书；臧否是非，不迷千载之实。……我朝之论议归正，气之直则辞之昌；辽国之君臣有知，善者喜而恶者惧。”[②] 这是元代

① 欧阳玄：《进辽史表》，《欧阳玄全集》，汤锐校点整理本，四川大学出版社 2010 年版，第 355 页。

② 欧阳玄：《进辽史表》，《欧阳玄全集》，汤锐校点整理本，四川大学出版社 2010 年版，第 356 页。

史官对所编《辽史》的自我评价，可见其自信《辽史》是非判定明确公正，符合史法，并寓劝诫于其中。

《进金史表》认为金朝可资借鉴的经验教训是：

> 惟此金源，起于海裔。以满万之众，横行天下；不十年之久，专制域中。其用兵也，如纵燎而乘风；其立国也，若置邮而传命。及熠兴于礼乐，乃焕有乎名声。
>
> 尝循初而迄终，因考功而论德。非武元之英略，不足以开九帝之业；非大定之仁政，不足以固百年之基。天会有吞四海之志，而未有一四海之规；明昌能成一代之制，而亦能坏一代之法。海陵无道，自取覆败；宣宗轻动，曷济中兴？迨夫浚郊多垒之秋，汝水飞烟之日。天人属望，久有在矣；君臣守义，盖足取焉。[①]

在撰者看来，金以武立国，但其兴盛则仰仗于礼乐，君主的为政方针和推行的规制关乎政权的兴衰。其九帝的统治，值得称道的是武元皇帝完颜阿骨打、金世宗完颜雍，其他或顾此失彼，或举措失当，这些都是金的兴衰带给人们的历史启示。《进金史表》着重论述了金与“大朝”的联系以及“大朝”的存史责任，所谓：“念彼泰和以来之事迹，接我圣代初兴之岁年。太祖受帝号于丙寅，先五载而朱凤应；世祖毓圣质于乙亥，才一岁而黄河

① 欧阳玄：《进金史表》，《欧阳玄全集》，汤锐校点整理本，四川大学出版社2010年版，第359页。

清。若此真符，昭然成命。第以变故多而旧史阙，耆艾没而新说讹。弗折衷于大朝，恐失真于他日。”[①] 其实，这里也论及纂修《金史》的紧迫性。

《进宋史表》同样概括了宋朝三百载兴衰变化，重点考察治国之方与用人、外交政策的影响，以及两宋思想成就。以其为历史之镜的意图蕴含其中。值得重视的是，撰者言明：“观赵氏隆替之由，足见皇元混一之绩。”[②] “倘垂清燕之观，尚助缉熙之益。曰若帝尧，曰若帝舜，惟圣心稽古之功；监于有夏，监于有殷，乃臣子告君之道。”[③]

综上，元人关于纂修前代史的意义随着讨论的深入日益清晰，他们把修史与文化传承、文治、统治经验的传递、是非观念的树立等联系起来，明确了修史在多重层面上有不可替代的作用。

二、正统观念引发的史书编纂思想的讨论

从元代文人的文章可知，元修辽、金、宋三史长期迁延，虞集在其所撰《送刘叔熙远游序》提及元修三史的一波三折及其原因说：

世祖皇帝时，既取江南，大臣有奏言：国可灭，其史不

① 欧阳玄：《进金史表》，《欧阳玄全集》，汤锐校点整理本，四川大学出版社 2010 年版，第 360 页。

② 欧阳玄：《进宋史表》，《欧阳玄全集》，汤锐校点整理本，四川大学出版社 2010 年版，第 362 页。

③ 欧阳玄：《进宋史表》，《欧阳玄全集》，汤锐校点整理本，四川大学出版社 2010 年版，第 366 页。

可灭。上甚善之，命史官修辽、宋、金史，时未遑也。至仁宗时，屡尝以为言，是时予方在奉常，尝因会议廷中而言诸朝，曰："三史文书阙略，辽、金为甚。故老且尽，后之贤者见闻亦且不及。不于今时为之，恐无以称上意。"典领大官是其言，而亦有所未建也。天历、至顺之间，屡诏史馆趣为之，而予别领书局未奏，故未及承命。间与同列议三史之不得成，盖互以分合论正统，莫克有定。[1]

的确，不是朝廷不想编纂，元朝修前代史从元世祖忽必烈时代开始，元仁宗延祐年间和元文宗天历年间都曾议过修三史，对于元仁宗朝虞集等有识之士对"故老且尽"的担忧，典领官员也认同，但始终未有实质性的进展。欧阳玄代右丞相阿鲁图所撰《进金史表》中也提及"延祐申举而未遑，天历推行而弗竟"[2]。杨维桢在其《正统辨》中有同样明确的反映："自我世祖皇帝立国史院，尝命承旨百一王公修辽、金二史矣，宋亡，又命词臣通修三史矣。延祐、天历年间，屡勤诏旨，而三史卒无成书者，岂不以三史正统之议未决乎？夫其议未决者，又岂不以宋渡于南之后，拘于辽金之抗于北乎？"[3] 显然，元修辽、金、宋三史迟迟

① 虞集：《送刘叔熙远游序》，《虞集全集》，王颋点校本，天津古籍出版社2007年版，第549页。

② 欧阳玄：《进金史表》，《欧阳玄全集》，汤锐校点整理本，四川大学出版社2010年版，第360页。

③ 杨维桢：《正统辨》，陶宗仪：《南村辍耕录》卷三，中华书局1959年版，第34页。《南村辍耕录》将杨维桢的名字写作"杨维祯"，而多数史籍写为"杨维桢"，本书统一采用"杨维桢"。

不能展开实际的纂修与正统观念影响密不可分。

正统观念作为人们的一种思想观念有长久的历史，也有复杂的内涵，包含民族正统、政治正统、文化正统[①]。辽、宋、金都有关于正统论述的成果，辽人言及的正统偏重政治正统，辽中期的皇帝都把传国玺与正统联系起来，据宋人言辽帝作有诗《传国玺》：“一时制美宝，千载助兴王。中原既失守，此宝归北方。子孙皆慎守，世业当永昌。”[②] 辽兴宗重熙七年（1038）则把“有传国宝者为正统赋”[③] 作为科举考试的一个题目。辽末的君臣更从存国的时间上和统辖地域上来表明辽朝具有正统地位，刘辉因宋欧阳修所作《五代史》置辽朝于《四夷附录》中而奏请将赵氏初起事迹附于国史[④]；辽道宗朝册立高丽王太子的册文中也申明正统，“朕荷七圣之丕图，绍百王之正统”[⑤]；天祚帝甚至在降金表中也不忘申明辽之正统，所谓：“伏念臣祖宗开先，顺天人而建业；子孙传嗣，赖功德以守成。奄有大辽，权持正统。拓土周数万里，享国逾二百年；从古以来，未之或有。”[⑥] 金朝海陵王完颜亮、金世宗完颜雍都有关于正统的言论，海陵王说过：“自古帝王混一天下，然后可为正统。”[⑦] 金章宗朝和金宣宗

---

① 董恩林：《试论历史正统观的起源与内涵》，《史学理论研究》2005年第2期。

② 陈述：《全辽文》卷一，中华书局1982年版，第18页。

③ 脱脱等：《辽史》卷五七《仪卫志三》，中华书局1974年版，第914页。

④ 脱脱等：《辽史》卷一〇四《文学传下·刘辉传》，中华书局1974年版，第1455-1456页。

⑤ 郑麟趾等：《高丽史》，孙晓等标点校勘本，西南师范大学出版社、人民出版社2014年版，第321页。

⑥ 《辽主耶律延禧降表》，佚名编：《大金吊伐录校补》，金少英校补、李庆善整理本，中华书局2001年版，第508页。

⑦ 脱脱等：《金史》卷八四《耨盌温敦思忠传》，中华书局1975年版，第1883页。

朝所进行的“德运”讨论更是形成了关于正统议论的成果《大金德运图说》[①]。应该说金朝后期很多官员参与的德运之议反映了金朝统治阶层在思想文化层面对历史上有关政权合法性方面的认同，实际是为金朝寻求文化正统的理论依据。刘浦江认为：“综观这场旷日持久的德运之争，其初衷是要解决金王朝的正统问题，而在此过程中却面临着两种文化的抉择。金德、土德之争，其实质是保守女真传统文化还是全盘接受汉文化的分歧。摒弃木德说，更是标志着金朝统治者文化立场的转变：从北方民族王朝的立场彻底转向中国帝制王朝的立场。”[②] 据饶宗颐研究，宋代诸儒关于本朝德运的讨论和史书撰述中正闰的区分都涉及正统论的问题。《宋史·律历志四》记载宋朝德运之事，而史书撰述中注重正闰问题则是司马光以前编年体史书极注重的。王钦若、杨亿奉敕编撰的《册府元龟》、章衡的《编年通载》、龚颖的《运历图》、司马光的《历年图》、朱熹的《资治通鉴纲目》等都对历史上政权区分正闰，欧阳修的《正统论》、章望之的《明统治》、苏东坡的《后正统论》、陈师道的《正统论》以及司马光在《资治通鉴》中的“正闰之论”都对当时和后世史书的编纂思想产生了重要的影响。

元代是多元文化汇聚的时代，人们对儒家传统的政治伦理和政治文化有接纳，也有更新。正统依然是诸儒关注的一个重要问

① 参见《大金德运图说》，《景印文渊阁四库全书》第六四八册，台湾商务印书馆1983年版，第309-322页。

② 刘浦江：《德运之争与辽金王朝的正统性问题》，《中国社会科学》2004年第2期。

题，尤其在撰写多政权分治阶段的历史时，正统的予夺被视为首要的问题。也因此关于辽、金、宋三史的正闰的区别讨论持续长久，牵涉广泛，从元世祖至元初年有了纂修三史的动议开始直到元末元顺帝至正年间，大约持续了七十余年。讨论所涉及的人员之多，甚至连科举考试也出现了相关的命题。① 人们各抒己见，先后形成了很多观点。与修史义例有关的文章主要有杨奂的《正统八例总序》②、姚燧的《国统离合表序》③、修端的《辩辽宋金正统》④、杨维桢的《正统辨》⑤、解观的《论元承宋统书》⑥等等。另外，参与正统争议的还有徐世隆、王约、张枢等人⑦，他们各持己见相互辩驳。可见，不是元人不在意修史，而是在关键问题上大臣们的看法存在分歧，在短期内难以达成共识。众人关于元修三史正统问题相关的论说归纳起来，大致可分为两个阵营，双方所持有的观点代表了两种思想倾向：其一是以宋为正统，认为辽、金、宋三史应仿《晋书》例，以辽、金二史作为“载记”，附于《宋史》；其二是把宋与辽、金看作实力相当的敌

---

① 如元人宋本《乡试策问》中说：“廷议将并纂三氏之书，为不刊之典，左氏、史迁之体裁，何所法？凡例正朔之予夺，何以辨？诸君子其悉著于篇，用备采择。”（见苏天爵编《元文类》卷四七，商务印书馆1958年版，第675页）

② 杨奂：《正统八例总序》，李修生主编：《全元文》卷七（第1册），江苏古籍出版社1999年版，第127-131页。

③ 姚燧：《国统离合表序》，李修生主编：《全元文》卷三〇二（第9册），江苏古籍出版社1998年版，第387-388页。

④ 修端：《辩辽宋金正统》，苏天爵编：《元文类》卷四五，商务印书馆1958年版，第650-653页。

⑤ 杨维桢：《正统辨》，陶宗仪：《南村辍耕录》卷三，中华书局1959年版，第32-38页。

⑥ 解观：《论元承宋统书》，李修生主编：《全元文》卷一四四三（第47册），凤凰出版社2004年版，第54-57页。

⑦ 危素：《上贺相公论史书》，李修生主编：《全元文》卷一四六八（第48册），凤凰出版社2004年版，第150页。

国，认为三史的纂修应仿《南史》《北史》例，以北宋为《宋史》，南宋为《南史》，辽、金为《北史》。[①] 前者赞同《晋书》处理多政权关系的做法，实际上是只承认宋朝为正统，把辽金都视为割据政权；后者认同李延寿南北分书的体例，将两宋与辽、金政权看作南北相对峙的政权。前者以杨维桢的《正统辨》最为典型，后者以修端的《辩辽宋金正统》为代表。杨维桢强调说："万年正闰之统，实出于人心是非之公。"[②]他认为："统之所在，不得以割据之地、强梁之力、僭伪之名而论之也。"[③] 在这里杨维桢表明他的正统标准不在于政权统辖之地的广狭，不在于政权势力的强弱，也不在于政权之名的大小，而是"人心是非之公"，就是说他判定正统与否不是根据历史的实际，而是本于人们的是非观念，而人们的是非观念来源于《春秋》所教、《资治通鉴纲目》所示。修端立论的出发点则基于辽、宋、金三个政权的本末及实力，他不赞同有人讲的"金于宋史中亦犹刘、石、符（苻）、姚，一载记尔"。他指出："及乎宋受周禅，有中原一百六十余年。辽为北朝，世数如之。虽辽之封域偏于宋，校其兵力，而澶渊之战，宋几不守，因而割地连和，岁贡银绢二十万两匹，约为兄弟，仍以世序昭穆。降及晚年，辽为翁，宋为孙。及至天祚，金太祖举兵平辽克宋，奄有中原三分之二，子孙帝王，坐受四方朝贡百有余年。"他从功业之实肯定了辽金的历

① 参见《辽史》"出版说明"，中华书局 1974 年版，第 2 页。
② 杨维桢：《正统辨》，陶宗仪：《南村辍耕录》卷三，中华书局 1959 年版，第 32 页。
③ 杨维桢：《正统辨》，陶宗仪：《南村辍耕录》卷三，中华书局 1959 年版，第 33 页。

史地位，同时，他认为：“既辽之世际，宋不可兼，则金有中原，尤难别议。”[①] 在他看来，辽、金两朝与宋非君臣关系而为南北敌国，自然应以南北史对待。杨维桢、修端各自都有一些追随者，比如陶宗仪认为杨维桢所进的《正统辨》，“一洗天下纷纭之论”，“后之秉史笔而续《通鉴纲目》者必以是为本矣”[②]。史官王理也曾著《三史正统论》，大体上说，他推扬修端之言，想要以辽为《北史》，金也为《北史》，宋自太祖至靖康为《宋史》，建炎以后为《南宋史》。[③] 杨维桢和修端二者的不同是显而易见的。推寻两派思想的渊源，大致可以认为，修端深受司马光正闰之论的影响[④]，而杨维桢则多承袭了孔子、朱熹的正统观念。

元朝朝野士人关于正统论的纷争而致三史迟迟不能进入正式纂修程序，也有一些人对此提出了解决的办法。虞集提出建议：“今当三家各为书，各尽其言而核实之，使其事不废可也。乃若议论，则以俟来者。”[⑤] 可以明确的是，虞集为尽快完成三史已

---

① 修端：《辩辽宋金正统》，苏天爵编：《元文类》卷四五，商务印书馆 1958 年版，第 650-651 页。

② 杨维桢：《正统辨》，陶宗仪：《南村辍耕录》卷三，中华书局 1959 年版，第 32 页。

③ 张绅：《通鉴续编叙》，李修生主编：《全元文》卷一七七六（第 58 册），凤凰出版社 2004 年版，第 363 页。

④ 修端在驳斥“坐客”正统之辩的言论时所说话语与司马光在《资治通鉴·魏纪一》所论正闰很相似。司马光说：“若以自上相授受者为正邪，则陈氏何所受？拓跋氏何所受？若以居中夏者为正邪，则刘、石、慕容、苻、姚、赫连所得之土，皆五帝、三王之旧都也。若以有道德者为正邪，则蕞尔之国，必有令主，三代之季，岂无僻王！”（司马光：《资治通鉴》卷六九《魏纪一》，中华书局 2011 年版，第 2231 页）修端说：“若以居中土者为正，则刘、石、慕容、苻、姚、赫连，所得之土皆五帝三王之旧都也。若以有道者为正，苻秦之量，雄材英略，信任不疑；朱梁行事，篡夺内乱，不得其死。二者方之，统孰得焉？”（苏天爵编：《元文类》卷四五，商务印书馆 1958 年版，第 653 页）

⑤ 虞集：《送刘叔熙远游序》，《虞集全集》，王颋点校本，天津古籍出版社 2007 年版，第 549 页。

提出搁置争论，三史分修，他的建议得到了同列诸公的赞同，表明当时关注纂修三史的人们已清楚三史长期拖延未能完成的症结所在。

元末摆脱辽、金、宋三史纂修义例方面的纠结是因右丞相脱脱的决断，即确定“三国各与正统，各系其年号”[①]。从前述虞集和修端的文章可知这个决断是采纳一些文臣的建议而做出的裁决，也不是凭空的武断。这个看似简单的决断，确实达到了搁置争议专注修史的目的。同时，这个决断也表明在元代关于修三史义例之争中主张以南北对峙的客观事实为依据的一派占据了上风，辽、宋、金政权被一视同仁地对待，显示了多民族大统一的元朝的恢弘气度。

需要说明的是，即使辽、金、宋三史纂修完成后，仍有人在文章中表达他们对三史分修的不满，强调正统应该归宋。比如，张绅的《通鉴续编叙》就提及，三国各自立史，“正统卒不能定”。他还是主张宋为正统同于汉唐，所以他肯定陈子经《通鉴续编》申明正统的做法：“子经之书，自唐而后，五代、辽、金皆为无统，至太平兴国四年而后有统，盖得其说矣。是可以驱天下百世之惑矣！但恨子经不与史事于当时，不得持此论于朝，而使三史有憾于后也。虽然，子经之书得与三史并行于世，亦可谓无愧于心矣。”[②]

① 权衡：《庚申外史》，《丛书集成初编》本，中华书局1985年版，第10页。

② 张绅：《通鉴续编叙》，李修生主编：《全元文》卷一七七六（第58册），凤凰出版社2004年版，第363-364页。

三、文献取舍与书法批评

至于辽、金、宋三史编纂过程中应该注意的史料问题，也有很多学者通过各种方式表达了自己的看法。有史学素养的袁桷、危素、苏天爵更有专文论及。

袁桷呈给翰林国史院的《修辽金宋史搜访遗书条列事状》反映了他对三史纂修比较深入的思考，尤以《宋史》编纂的文献取舍为主。应该说袁桷关注修史是职责所在，也是志趣使然。他自言："猥以非才，备员史馆，几二十年。"[①] 他也提到："自惟志学之岁，宋科举已废，遂得专意宋史。"[②] 因此，关于《宋史》编纂过程中需要注意的史实的真伪及应搜求的书目他都有具体指明，比如："徽、钦围城受辱，北行遭幽，正史不载。所有杂书野史，可备编纂，今具于后：《三朝北盟会编》《靖康传信录》《孤臣泣血录》《靖康草史》《靖康奉使》《靖康遗录》《裔夷谋夏录》《陷燕记》《南归录》《靖康录》《犯阙录》《伪楚录》《松漠纪闻》《伪齐录》《起戎录》《痛愤录》《建炎复辟记》《己酉航海记》《建炎扈从录》《中兴遗史》。"[③] 袁桷论及史书的书写范围也涉及史料搜求，比如他说："宋代疆理，北不尽燕城，南不尽交趾，西不尽灵夏，东不尽高丽。宜仿《晋书·载

---

① 袁桷：《修辽金宋史搜访遗书条列事状》，杨亮校注：《袁桷集校注》，中华书局 2012 年版，第 1844 页。

② 袁桷：《修辽金宋史搜访遗书条列事状》，杨亮校注：《袁桷集校注》，中华书局 2012 年版，第 1850 页。

③ 袁桷：《修辽金宋史搜访遗书条列事状》，杨亮校注：《袁桷集校注》，中华书局 2012 年版，第 1846 页。

记》，各纪其事。当访寻四境关涉诸书：《高丽图经》《至道云南录》《李元昊西夏事实》《交趾记》《丙午录》《辽金誓书》《国书本末》《使辽录》《西夏事宜》。”[①] 袁桷多年专意于宋史，所言皆得要领。他呈给翰林国史院上述《事状》时，为三史尚未真正开始纂修的元代中期。

危素博学善文，至正元年（1341）入经筵为检讨[②]，他也是积极关注辽、金、宋三史纂修的文臣。他在《上贺相公论史书》中针对有人担心三史编纂涉及元朝取金、灭宋“当有所讳而不敢书”提出意见说：“夫司马晋之时，尝修《三国志》矣，唐太宗尝修《隋书》矣，宋之时尝修《五代史》矣，其间固有战争攻取之事，据实而直书，史官之职，尚何讳之有?”[③] 这里，他主张依据晋、唐、宋修史传统据实直书就可以。危素后来也入修三史史官之列，他受命前往河南、江浙、江西购求遗书，所得之书日后他曾编有《史馆购书目录》，包括宋朝东都盛时所编纂的书。[④]

苏天爵是元朝崇尚文献有征的史家，他所作《三史质疑》，是向欧阳玄提出的修史建议。当时正是三史开始选择史官准备编纂之时。《三史质疑》旨在提醒担任三史总裁官的欧阳玄一些需

---

① 袁桷：《修辽金宋史搜访遗书条列事状》，杨亮校注：《袁桷集校注》，中华书局 2012 年版，第 1849 页。

② 温世亮：《危素行年略述》，《中国典籍与文化论丛》（第十九辑），凤凰出版社 2018 年版，第 179 页。

③ 危素：《上贺相公论史书》，李修生主编：《全元文》卷一四六八（第 48 册），凤凰出版社 2004 年版，第 150 页。

④ 危素：《史馆购书目录序》，李修生主编：《全元文》卷一四六八（第 48 册），凤凰出版社 2004 年版，第 211 页。

要注意的三个方面的问题。

其一，史料问题。他历数了三朝主要史料，涉及这些史料的编纂、流传及价值，如：“辽人之书有耶律俨《实录》，故中书耶律楚材所藏，天历间进入奎章阁。次则僧行均所撰《龙龛手境》。其他文集、小说，亡者多矣。”“金章宗初年，即命史官修《辽史》。当时去辽不远，文籍必有存者，犹数敕有司搜访事迹。其书又经党怀英、赵沨、王庭筠诸名士之手。章宗屡尝促之，仅二十年，陈大任始克成编。”[①] 这是苏天爵对辽代史料的梳理。对于金代的史料，他提及了金朝修的实录、国史，元好问、杨奂、王鹗等人的书，天文、医药等书，更强调了辽金大族的墓碑文。他在论列这些史料过程中间有评判，比如叶隆礼、宇文懋昭之辽、金《国志》，他认为多得之传闻，而辽末金初的稗官小说等，他指出失实甚多，绝不可信。同样，苏天爵也记述了宋代所存史料多少及真伪问题。这自然也涉及史料剪裁、史料取舍的问题。比如他讲：“宋自太祖至宁宗实录几三千卷，国史几六百卷，编年又千余卷，其他宗藩图谱、别集、小说，不知其几。今将尽加笔削乎？止据已成国史而为之乎？”“理、度两朝，事最不完。理宗日历尚二三百册，实录纂修未成国亡，仅存数十册而已。度宗日历残缺。皆当访求。”[②]

其二，史事、人物记述的书法问题。包括三史纂修过程中会

① 苏天爵：《滋溪文稿》卷二五《三史质疑》，陈高华、孟繁清点校本，中华书局 1997 年版，第 421-422 页。

② 苏天爵：《滋溪文稿》卷二五《三史质疑》，陈高华、孟繁清点校本，中华书局 1997 年版，第 424-425 页。

遇到的较为复杂的和有争议的史事，易代之际史事书法问题，他也提请史官审慎思量。比如高丽、西夏与宋、金、辽都有关联，三史中是“各附见乎？或别为书乎？”① 对于如宇文虚中、施宜生之流的人物，史书记载有较大分歧如何判定其是非，宋取天下是依《宋史》言“陈桥兵变”，还是依据陈大任《辽史》书为“周殿前都点检赵匡胤废其主自立”？② 宋太祖之死，人多有疑问，如何看待不同的史料，等等。

其三，史书编次借鉴前代经验的问题。包括众手修书的史官选择与分工问题、依据旧史纂修新书需通盘考虑的篇目增废问题、修史的期限等。苏天爵在文中提及了唐修《晋书》《隋书》“随其学术所长者授之”的分工模式，以及欧阳修编纂《新唐书》《新五代史》的《律历》“专资于刘义叟”的经验。也以欧阳修《新唐书》增损篇目数量而提问：“今三史旧传当废者有几？传、志当增者有几？”他提及司马光撰《资治通鉴》凡十九年、欧阳修编修《新唐书》共十七年、李焘编《续资治通鉴长编》垂四十年，进而问道：“今修三史，限以岁年可乎？”③ 大概当时修三史已有短期内修成的计划。苏天爵所问实际上是对“限以岁年”修成的批评。

可以明确的是，苏天爵对修史过程中史料的搜集、史料的辨

---

① 苏天爵：《滋溪文稿》卷二五《三史质疑》，陈高华、孟繁清点校本，中华书局 1997 年版，第 424 页。

② 苏天爵：《滋溪文稿》卷二五《三史质疑》，陈高华、孟繁清点校本，中华书局 1997 年版，第 425 页。

③ 苏天爵：《滋溪文稿》卷二五《三史质疑》，陈高华、孟繁清点校本，中华书局 1997 年版，第 426-427 页。

析、史事的记述、全书的编次等都特别在意，一一提及，全文所提问题引人思索，所作评判关乎史学批评，也寄托了他对三史编纂的希望："今三史笔削，宜得其人，考证当得其书，庶几可传于世。"①

第二节 《辽史》《金史》《宋史》的体例问题

一、修史凡例所呈现的择善而从

元人就具体史书构成部分应遵循的原则及对前代史书体例的继承与发展，在总裁官们所制定的《修史凡例》中有所体现。更细致更具体的有关史体的鉴识，也在辽、金、宋三史篇目的小序中多少有所反映。

确定辽、金、宋三史分修后，欧阳玄、张起岩、揭傒斯等总裁官及关注史书修撰的文臣们借鉴前代修史经验，经过认真的思考，最终确定了《三史凡例》，共计五条仅用一百三十五字，内容如下：

> 一、帝纪：
>
> 三国各史书法，准《史记》《西汉书》《新唐书》。各国称号等事，准《南（史）》《北史》。

① 苏天爵：《滋溪文稿》卷二五《三史质疑》，陈高华、孟繁清点校本，中华书局 1997 年版，第 427 页。

一、志：

各史所载，取其重者作志。

一、表：

表与志同。

一、列传：

后妃，宗室，外戚，群臣，杂传。

人臣有大功者，虽父子各传。余以类相从，或数人共一传。

三国所书事有与本朝相关涉者，当禀。金、宋死节之臣，皆合立传，不须避忌。其余该载不尽，从总裁官与修史官临文详议。

一、疑事传疑，信事传信，准《春秋》。[1]

这个《三史凡例》虽然简短却是大统一的元朝关于三史纂修的总则，它是反思前代史书编纂得失的结果，体现了元代人开展史学批评的现实意义，也从宏观上规范了三史体例。其中，第一条为“帝纪”书写的标准，把《史记》《汉书》《新唐书》作为辽、宋、金三史帝纪部分书法的准绳，表明元代史官对汉代、宋代优秀的纪传体史书的帝纪部分的编纂方法十分赞赏，而“各国称号等事，准《南（史）》《北史》”则反映出他们赞同唐朝李延寿一视同仁地对待南北对峙政权的态度，即承认辽金与

① 脱脱等：《辽史》附录《三史凡例》，中华书局1974年版，第1557页。

两宋对峙的历史事实，肯定他们各自在历史上的地位。瞿林东认为："第一条是回答了几十年中所争论的'正统'问题。"[①] 也就是说，有关三史帝纪的编纂原则既考虑辽、金、宋三朝分治的关系而各自为史，又强调如《南史》《北史》那样客观如实记述三朝的历史，且把汉、唐、宋优秀史书作为楷模，体现了择善而从的意蕴。第二条"各史所载，取其重者作志"和第三条"表与志同"，主要明确了志、表的编纂原则一致，根据各史所载，"取其重者"。第四条为"列传"的书写原则，旨在说明列传按照人的身份来划分，大致包括五种：后妃、宗室、外戚、群臣、杂传。从表现形式来看，多数人物传采用"以类相从"，或"数人共一传"，也就是说以类传和合传为主，但特别提出了有大功者可立专传。另外，值得注意的是，"三国所书事有与本朝相关涉者，当禀。金、宋死节之臣，皆合立传，不须避忌。其余该载不尽，从总裁官与修史官临文详议"。也就是说，在对待辽宋金与元朝相关联的事情上他们主张要审慎对待，需要请示禀告，但指出金、宋死节之臣，可立传，不用避忌。《金史·忠义传》序也申明："圣元诏修辽、金、宋史，史臣议凡例，凡前代之忠于所事者请书之无讳，朝廷从之。乌呼，仁哉圣元之为政也。司马迁记豫让对赵襄子之言曰：'人主不掩人之美，而忠臣有成名之义。'至哉斯言，圣元之为政足为万世训矣。"[②] 可以看出，不掩忠臣之美，传扬忠义品德是元末史臣的想法，得到了朝廷的认

① 瞿林东：《中国史学史纲》，北京出版社 1999 年版，第 578 页。
② 脱脱等：《金史》卷一二一《忠义传一》，中华书局 1975 年版，第 2634 页。

可。其实，《忠义传》并不是元代修史首设的传目，《晋书》《旧唐书》《新唐书》都有《忠义传》，但《晋书》为唐所修而两《唐书》为五代、宋所修，他们所记述的忠义之士并不关涉本朝，金、宋死节之臣则是坚决抵抗蒙元政权的人士，这条有关金、宋死节之臣不需要避忌的说明表明了元人的大智慧和超凡的气度。褒扬金、宋忠义之人，表明元人敢于正视历史，这一原则的提出一定程度上也减少了曲笔，同时有利于树立良好的社会风气，凸显了元朝人立意的高远。第五条“疑事传疑，信事传信，准《春秋》”，这条记事原则意在强调元修三史的信史追求。

总体上看，《三史凡例》反映了当时史官不仅在体例上以前代优秀史书的书法为范本，还追求卓越，在思想认识上力求公正无私而有益于弘扬正气。

二、三史序论中体例的点评

元末史官编纂《辽史》《金史》《宋史》是继承了后代给前代修史的传统，《三史凡例》简明扼要，确定了三史四个构成部分（本纪、志、表、列传）共同遵循的原则，但辽、金、宋三朝毕竟历史发展不同，可以说各具特点，加之史料或少或多、史料基础各异，所以三部史书体例不可能完全一致，对此，三史诸志、诸表、类传的序论部分或有简短说明。总结这些说明，大致可以明确元代史官立例的依据和有关体例取舍的理由。而取舍与创例均反映了他们对朝代史体例的思考与认识。

元修三史依然采用纪传体，纪传体史书综合展示历史发展面貌的特点，自汉代以后成为史官修前代史最主要的选择，成果累积也很丰富，可供参考借鉴的史书较多。前述《三史凡例》已为三史制定了基本原则，并确定了各部分学习和仿效的范本。至于三史以什么样的篇目囊括三朝的历史内容，在三史篇目序中的点评有所涉及，尽管这些评论零散不成系统，但综合观之，三史立例的依据宛然可见。大致说来，辽、金、宋三史序中的体例点评包括以下三方面内涵。

其一，赞赏或肯定前代史书的史法，从而遵从其体例以承载相应的内容。

《辽史·历象志》关于象的记述有序文提到："历代仪象表漏，各具于志。"[①] 说明其"象"部分的记载同于历代史书中的《历志》。而《辽史·后妃传》有序言："《书》始嫔虞，《诗》兴《关雎》。国史记载，往往自家而国，以立天下之本。然尊卑之分，不可易也。司马迁列吕后于《纪》；班固因之，而传元后于外戚之后；范晔登后妃于《帝纪》。天子纪年以叙事谓之《纪》，后曷为而《纪》之？自晋史列诸后以首《传》，隋、唐以来，莫之能易也。……耶律俨、陈大任《辽史·后妃传》，大同小异，酌取其当著于篇。"[②] 这段序文表明纂修《辽史》的史官对于历代史书关于后妃的记载在体例上的演变有清楚的认识，他们顺应其变化，遵循"晋史列诸后以首传"的做法，根据耶律俨、陈大任的《辽史·后妃传》斟酌损益而成篇。至于《辽史》

① 脱脱等：《辽史》卷四四《历象志下》，中华书局1974年版，第678页。
② 脱脱等：《辽史》卷七一《后妃传》，中华书局1974年版，第1197-1198页。

之《方技传》《奸臣传》《二国外纪》，或因五代史，或援引《春秋》褒贬的传统，以及“迁、固传佞幸、酷吏，欧阳修则并奸臣录之”[①]的成例，或由于“历代各有其志”[②]，均属于沿袭前代史之例而记述相关的内容。诸如此类，在《金史》和《宋史》中也有讨论，《金史·天文志》序提到：“孔子因鲁史作《春秋》，于日星风雨霜雹雷霆皆书变而不书常，所以明天道、验人事也。……今奉诏作《金史》，于志天文，各因其旧，特以《春秋》为准云。”[③]《金史·隐逸传》序也言及之所以作《隐逸传》，孔子有示范在前，后世多有因袭，“凡隐遁之士，其名皆列于史传”[④]，具有树立风俗的意义。《金史·列女传》序称记述女子的历史影响并“汇分类别”源于刘向所作《列女传》，后来，“范晔始载之汉史”，纂修《金史》的史官赞赏其讽谏之意，所以也设有《列女传》。[⑤]同样，纂修《宋史》的史官，对于前代史书的体例也有取舍，前代常有的志目、类传，更是肯定其立意，保持其史法，《舆服志》就讲：“《东汉》至《旧唐书》皆称《舆服》，《新唐书》改为《车服》，郑樵合诸代为《通志》又为《器服》。其文虽殊，而考古制作，无以尚于三代矣。……今取旧史所载，著于篇，作《舆服志》。”[⑥]其《食货志》序则推究前代典籍，指出：“昔武王克商，访箕子以治道，箕子为之陈

① 脱脱等：《辽史》卷一一〇《奸臣传上》，中华书局1974年版，第1483页。
② 脱脱等：《辽史》卷一一五《二国外纪》，中华书局1974年版，第1519页。
③ 脱脱等：《金史》卷二〇《天文志》，中华书局1975年版，第419-420页。
④ 脱脱等：《金史》卷一二七《隐逸传》，中华书局1975年版，第2748页。
⑤ 脱脱等：《金史》卷一三〇《列女传》，中华书局1975年版，第2797-2798页。
⑥ 脱脱等：《宋史》卷一四九《舆服志一》，中华书局1977年版，第3478-3479页。

《洪范》九畴，五行五事之次，即曰‘农用八政’，八政之目，即以食货为先。……唐杜佑作《通典》，首食货而先田制，其能推本《洪范》八政之意欤。”[①]《宋史·列女传》序也表明其奉行历代为列女作传的传统。[②]至于《宋史·世家传》则是“仿欧阳修《五代史记》，列之世家。凡诸国治乱之原，天下离合之势，有足鉴者，悉著于篇”[③]。而《宋史》有《周三臣传》其序则明确表达是效仿《五代史记》的《唐六臣传》。[④]

需要注意的是，《辽史》《金史》《宋史》沿用前代诸史的体例而编纂的志、表、传有的在其序中用简短的语句予以说明，有的则没有作任何的表述，但显然也是效仿而成。相比较而言，属于遵从和效仿的体例所占比重较大，大体上说，《辽史》的《兵卫志》《地理志》《百官志》《礼志》《乐志》《仪卫志》《食货志》《刑法志》《皇子表》《外戚表》，《金史》的《天文志》《历志》《地理志》《河渠志》《礼志》《乐志》《仪卫志》《舆服志》《兵志》《刑志》《食货志》《选举志》《百官志》《后妃传》《文艺传》《隐逸传》《循吏传》《酷吏传》《佞幸传》《列女传》《宦者传》《方伎传》《逆臣传》《叛臣传》，《宋史》的《五行志》《律历志》《地理志》《河渠志》《礼志》《乐志》《仪卫志》《舆服志》《选举志》《职官志》《食货志》《兵志》《刑法志》《艺文志》《后妃传》《宗室传》《公主传》《循吏传》《文苑传》

---

① 脱脱等：《宋史》卷一七三《食货志上》，中华书局1977年版，第4155-4156页。
② 脱脱等：《宋史》卷四六〇《列女传》，中华书局1977年版，第13477-13478页。
③ 脱脱等：《宋史》卷四七八《世家传一》，中华书局1977年版，第13853页。
④ 脱脱等：《宋史》卷四八四《周三臣传》，中华书局1977年版，第13967页。

《隐逸传》《列女传》《方技传》《外戚传》《宦者传》《佞幸传》《叛臣传》《世家传》《周三臣传》《蛮夷传》，这些志、表、传都是接受前代史书立例之意或传承前代史法而效仿因循其例，尽管这其中的大部分并没有置评，但设目本身已是对前代史书相关体例的承袭，是肯定的表现。

其二，就前代史书体例中不合理或不妥当的地方，有针对性地予以批评，进而调整和修正相关部分，或直言受前代史书相关体例的启发而稍作改变。

本纪，以帝王在位的时间编年以载一朝大事，书法以《史记》《西汉书》《新唐书》为标准，《三史凡例》已言明。但由于耶律阿保机立国以前契丹人有较长的发展史，《辽史·太祖本纪》"赞曰"对"辽之先"作了概括，从奇首可汗说起，指出其生都庵山，"徙潢河之滨"，依次提到雅里及其子孙后代的世系："雅里生毗牒""毗牒生颏领""颏领生耨里思（肃祖）""肃祖生萨剌德（懿祖）""懿祖生匀德实（玄祖）""玄祖生撒剌的（德祖）"，德祖就是辽太祖之父，也就是说所记雅里一系七世传承的情况既是追溯耶律阿保机家世，也对这七世契丹社会的文明进步作了极其简单的交代[①]。《辽史·太祖本纪》的这一后赞用字虽不足五百字，却包含重要的历史信息，是通过论赞对契丹立国之前的历史有所补充。于体例而言，并没有改变，不同于《金史》在《太祖本纪》前专门设有《世纪》。大概相关的史料

① 脱脱等：《辽史》卷二《太祖本纪下》，中华书局1974年版，第24页。

太少，所以并没有单独成篇，只能说是对本纪体例的小小调整。

辽代的人口构成中，部族民占有一定的比重，辽代历史记述部族符合历史实际，但在哪里记述部族情况，辽金史官与元代史官看法不同。《辽史·营卫志》“部族下”有小序作了这样的记述：

> 辽起松漠，经营抚纳，竟有唐、晋帝王之器，典章文物施及瀵海之区，作史者尚可以故俗语耶？旧史有《部族志》，历代之所无也。古者，巡守于方岳，五服之君各述其职，辽之部族实似之。故以部族置宫卫、行营之后云。①

这里提到的“旧史”应是耶律俨的《实录》或陈大任的《辽史》。历代史都不设《部族志》，元代史官类比古帝王五服之制，而将其置于宫卫、行营之后，成为《辽史·营卫志》的一部分，而不是独立成为一个志。这主要基于对辽朝的历史定位，“经营抚纳，竟有唐、晋帝王之器”，以及典章文物的推广，所以调整了旧史体例，将其归并到《营卫志》之中。当然，有关辽代部族制度的史料有限或许也是史官作出调整的一个重要原因。

《辽史·历象志》“官星”条小序称：

---

① 脱脱等：《辽史》卷三三《营卫志下》，中华书局1974年版，第383页。

> 司马迁《天官书》既以具录，后世保章守候，无出三家官星之外者。天象昭垂，历代不易，而汉、晋、隋、唐之书累志天文，近于衍矣。且天象机祥，律格有禁，书于胜国之史，诖误学者，不宜书。其日食、星变、风云、震雪之祥，具载帝纪，不复书。①

这里，撰修者以为天象恒常，所谓“历代不易”，所以对于汉、晋、隋、唐编纂《天文志》并不赞同，批评其“近于衍”，指出其中有些天象机祥“不宜书”，有些天象如日食、星变等因“具载帝纪”，更不应重复记载。大概编纂《辽史》的史官所见耶律俨、陈大任旧史多有重复，与前代史和帝纪相较没有多少变化，于是根本不取，进而对《天文志》之设也持否定态度，以至于《辽史》没有《天文志》。而史官纂修《金史》《宋史》却照常设《天文志》。《金史·五行志》则是“汇其史氏所书，仍前史法”而作，只是内容安排上并没有完全依据前代史，所谓：“至于五常五事之感应，则不必泥汉儒为例云。”②《宋史·天文志序》明确表明：“今合累朝史臣所录为一志，而取欧阳修《新唐书》《五代史记》为法，凡征验之说有涉于傅会，咸削而不书，归于传信而已矣。”③ 可见，撰史者在史法上有所遵循，但在内容上因累朝史臣所录也有所取舍。

---

① 脱脱等：《辽史》卷四四《历象志下》，中华书局 1974 年版，第 679 页。
② 脱脱等：《金史》卷二三《五行志》，中华书局 1975 年版，第 533 页。
③ 脱脱等：《宋史》卷四八《天文志一》，中华书局 1977 年版，第 951 页。

《辽史·能吏传》之设，依其序所言当是受汉史、唐史所设《循吏传》《良吏传》启示。同样，《宋史·方技传》和《宋史·外国传》也都对旧史作了剪裁。前者有序称："宋旧史有《老释》《符瑞》二志，又有《方技传》，多言禨祥。今省二志，存《方技传》云。"[①] 后者序文言："前宋旧史有《女直传》，今既作《金史》，义当削之。夏国虽偭乡不常，而视金有间，故仍旧史所录存焉。"[②]

《宋史·宰辅表序》也讨论了其立表遵循的前代史法，并申明其材料取舍的情况：

> 叙古曰：古之史法主于编年，至司马迁作《史记》始易以新意。然国家世祚，人事岁月，散于纪、传、世家，先后始终，遽难考见，此表之不可无，而编年不容于尽变也。厥后班固《汉史》乃曰《百官公卿表》，先叙官名、职秩、印绶等，然后书年以表其姓名。欧阳修《唐史》又专以宰相名篇，意必有所在矣。
>
> 宋自太祖至钦宗，旧史虽以《三朝》《两朝》《四朝》各自为编，而年表未有成书。神宗时常命陈绎检阅二府除罢官职事，因为《拜罢录》。元丰间，司马光尝叙宋兴以来百官公卿沿革除拜，作年表上之史馆。自时而后，曾巩、谭世勣、蔡幼学、李焘诸人皆尝续为之。然表文简严，世罕知

① 脱脱等：《宋史》卷四六一《方技传上》，中华书局 1977 年版，第 13496 页。
② 脱脱等：《宋史》卷四八五《外国传一》，中华书局 1977 年版，第 13982 页。

好，故多沦落无传。

今纂修《宋史》，故□□□□□□□□□□□□□采纪、传以为是表。其间所书宰辅官、职、勋□□□□间有不同者，官制沿革有时而异也。然中书位次既止于参知政事，而枢府职序自同知、副使而下虽签书、同签书亦与焉者，皆执政也，故不得而略焉。①

这篇序其意不仅仅肯定了编年体的价值，还就司马迁《史记》以来有关史书的诸表对编年体裁的存续作了梳理，特别提到了班固《汉书·百官公卿表》的结构，也述及宋代欧阳修在其所撰《新唐书》中专设宰相名篇，以及陈绎受宋神宗之命检阅二府除罢官职事而作《拜罢录》、司马光作宋兴以来的《百官公卿表》，曾巩、谭世勣、蔡幼学、李焘等人不断续之的状况，虽然他们的表已经沦落无传，但撰者认同诸人的做法，积极从纪、传中勾稽相关材料而作《宰辅表》。

其三，基于对辽朝、金朝、宋朝历史发展特点的认识，创立新的体例。

《辽史》独创有《营卫志》，从《辽史·营卫志》序可知此志目之设依据的是辽朝军政体制的特点，“居有宫卫”，“出有行营”，“无日不营，无在不卫”。②

《辽史》独列《皇子表》，对此，《辽史·皇子表》有序称：

---

① 脱脱等：《宋史》卷二一〇《宰辅表一》，中华书局1977年版，第5415-5416页。
② 脱脱等：《辽史》卷三一《营卫志上》，中华书局1974年版，第361页。

三代以上，封建久长，故吴、鲁、燕、蔡、卫、晋、郑，太史迁既著《世家》，又列年表，不厌其详。自汉以降，封建实亡，犹有其名，长世者登《世家》，自绝者置《列传》，然王子侯犹可以年表也。班固以为文无实，并诸侯削年而表，世君子韪之。自魏以降，不帝不世，王侯身徙数封，朝不谋夕，于是列而传之。功不足以垂法，罪不足以著戒，碌碌然，抑又甚焉。今摘其功罪杰然者列诸传；叙亲亲之恩，敬长之义，而无他可书者，略表见之，为《皇子表》。①

显然，《辽史》的《皇子表》是因时通变而新立的体例。撰者鉴于王侯自魏以来地位的变化，在废《世家》只存《传》的情况下，对其中事迹不彰，且无他可书者，申以“亲亲之恩，敬长之义”而“略表见之”，倡导的显然是儒家的伦理。

《辽史·公主表》的创设表明其史学义例与《皇子表》还是不完全相同的。其序文曰：

《春秋》之法，王姬下嫁书于策，以鲁公同姓之国为之婚主故尔。古者，妇讳不出门，内言不出梱。公主悉列于《传》，非礼也。然辽国专任外戚，公主多见《纪》《传》间，不得不表见之。礼，男女异长，不当与皇子同列，别为

① 脱脱等：《辽史》卷六四《皇子表》，中华书局1974年版，第961页。

《公主附表》。[1]

在这段文字中，撰者立例的标准是其时代认可的礼法，为此他批评古者将公主列于《传》是不合适的，同时他也不得不承认辽国的特殊情况，“专任外戚”，以至于公主多见于史书的记载（《纪》《传》），这一群体还不能忽视，所以为之作《表》，但作为儒臣的撰者似乎还有些纠结，因为在他们的心目中，男女是不平等的，皇子与公主不当同列，因此又有别于《皇子表》，而称其为《公主附表》。但总体上看他们还是本于历史事实，重视辽代公主的历史影响的。

《辽史》的《游幸表》《部族表》《属国表》也都是根据辽朝的历史特点而创立的新表。《游幸表》之设主要基于辽朝皇帝游猎习俗的保持，即“自辽有国，建立五京，置南北院，控制诸夏，而游田之习，尚因其旧。太祖经营四方，有所不暇；穆宗、天祚之世，史不胜书”[2]。《部族表》之立表的依据则是：“辽氏与诸部相通，往来朝贡，及西辽所至之地，见于《纪》《传》亦岂少也哉。”为了对辽朝统驭的部族有清楚的反映，采用了《纪》与《表》相互呼应而各有所侧重的处理方式，“其事则书于《纪》，部族则列于《表》”[3]。值得注意的是，《辽史》的《游幸表》《部族表》序中都表明他们于史体来说是追寻了

① 脱脱等：《辽史》卷六五《公主表》，中华书局1974年版，第999页。
② 脱脱等：《辽史》卷六八《游幸表》，中华书局1974年版，第1037页。
③ 脱脱等：《辽史》卷六九《部族表》，中华书局1974年版，第1077页。

《史记》的立例传统，前者为“今援司马迁别书封禅例，列于表”①，后者讲“司马迁作《史记》，叙四裔于篇末”②。至于《属国表》，则因为其强盛，“东西朔南，何啻万里。视古起百里国而致太平之业者，亦几矣。故有辽之盛不可不著。作《属国表》”③。

辽、金两朝的历史特点还体现在其民族性上，为使后世之人能够正确领悟，借鉴前代史注，《辽史》《金史》于其篇末都设有《国语解》以记载其官制、宫卫、部族、地理等用国语命名者，以备考索。其中，《辽史·国语解》序文对史注的作用有点评：“史自迁、固，以迄晋、唐，其为书雄深浩博，读者未能尽晓。于是裴骃、颜师古、李贤、何超、董冲诸儒，训诂音释，然后制度、名物、方言、奇字，可以一览而周知。其有助于后学多矣。”④

《金史》之创例，与《辽史》又不同，《金史》于本纪部分有《世纪》《世纪补》。前者追溯了女真族源流及其先世从始祖函普、德帝乌鲁、安帝跋海、献祖绥可、昭祖石鲁、景祖乌古廼、世祖劾里钵、肃宗颇剌淑、穆宗盈歌、康宗乌雅束十位君长相传的世系及其统治时期女真部族的社会发展状况；《世纪补》为本纪的末卷，记述景宣皇帝完颜宗峻（金熙宗之父）、睿宗完颜宗辅（金世宗之父）、显宗完颜允恭（金章宗之父）三位追尊

---

① 脱脱等：《辽史》卷六八《游幸表》，中华书局1974年版，第1037页。
② 脱脱等：《辽史》卷六九《部族表》，中华书局1974年版，第1077页。
③ 脱脱等：《辽史》卷七〇《属国表》，中华书局1974年版，第1125页。
④ 脱脱等：《辽史》卷一一六《国语解》，中华书局1974年版，第1533页。

的皇帝的事迹。这种做法旨在对女真族发展的历史有较为完整的记述。严格地说，《世纪》效法的是《魏书》开篇的《序纪》，《世纪补》才是新增体例，其依据当是金朝所修的《睿宗实录》《显宗实录》[①]。《金史》体例中前史所无的还有《交聘表》，《交聘表》主要记述金与宋、西夏、高丽等政权的交往、聘问的情况，是当时多政权分治历史面貌的反映。其序言说道：

> 天下之势，曷有常哉。…………
>
> 金人出于高丽，始通好为敌国，后称臣。夏国始称臣，末年为兄弟，于其国自为帝。宋于金初或以臣礼称“表”，终以侄礼往复称“书”。故识其通好与间有兵争之岁，其盛衰大指可观也已。使者或书本阶，或用借授，两国各因旧史，不必强同云。[②]

可见，在《金史》撰者看来，金与宋、高丽、西夏之间的关系不是一成不变的，从金与他们各自之间的通好与兵争可以窥见金朝的盛衰变化，至于书法上强调因循两国旧史，没有强求统一。

《宋史》首设《道学传》，其序文对道学的发展作了梳理，进而言及其影响：“道学盛于宋，宋弗究于用，甚至有厉禁焉。

---

① 元人苏天爵的《三史质疑》提到：“金亡，元帅张侯柔收拾金史北归，中统初送史院，当时已缺太宗、熙宗实录。岂南迁时并《章宗实录》同见遗乎？而《海陵实录》何故复存？当正大末，义宗东幸，元好问为史官，言于宰相，请以九朝小本实录驮以一马随驾。岂以太祖、太宗、睿宗、熙宗、海陵、世宗、显宗、章宗、宣宗为九朝乎？不知张侯收图籍时，太宗、熙宗之史何以独见遗也。”（见《滋溪文稿》卷二五，中华书局 1977 年版，第 422 页）

② 脱脱等：《金史》卷六〇《交聘表上》，中华书局 1975 年版，第 1385-1386 页。

后之时君世主，欲复天德王道之治，必来此取法矣。”[①] 这大概就是《宋史》创立《道学传》的原因。

上述三种情况之间也有一定的关联，第一、第二种情况差别并不是很大，均是认可前代史书体例的规范，只是程度不同而已，沿用旧体例者谨遵典范，将历史发展的共同的制度文化在不同时代的表现容纳于其中，这也是对前代史例的认同。修改和调整一些体例，或根据史料多少，或基于对历史变化的理解不同，但多少也是在某些体例的框架下微调。创立新体例则本着不同政权的历史实际，彰显的是历史发展的独特性，也多少会受到前代史书立例思想的启示。总的说来，元代纂修《辽史》《金史》《宋史》的史官通过研究前代自《史记》到《五代史》的众多纪传体体例的立意、规范，有时也兼及其他典籍，确定了所编朝代史的体例，以包容的气魄博采众长，既有对传统体例的继承，也有独具匠心地承载时代历史信息的体例创新。他们为丰富其时代史学批评思想奉献了力量。

需要说明的是，元代以后学人对元修三史的体例褒贬不一，比如四库馆臣评论《辽史》：“如每年游幸，既具书于《本纪》矣，复为《游幸表》一卷。部族之分合，既详述于《营卫志》矣，复为《部族表》一卷。属国之贡使，亦具见于《本纪》矣，复为《属国表》一卷。义宗之奔唐，章肃之争国，既屡见于纪、志、表矣，复屡书于列传。文学仅六人，而分为两卷；伶官、宦

① 脱脱等：《宋史》卷四二七《道学传一》，中华书局 1977 年版，第 12710 页。

官，本无可纪载，而强缀三人。此其重复琐碎，在史臣非不自知，特以无米之炊，足穷巧妇，故不得已而缕割分隶，以求卷帙之盈，势使之然，不足怪也。”① 也就是认为《辽史》撰者为了增加篇幅而设置了一些志、表，往往在表述上重复。赵翼却不这样认为，他关于《辽史》有“《辽史》立表最善”条，其文为：

《辽史》最简略，二百年人物，列传仅百余篇，其脱漏必多矣。然其体例亦有最善者，在乎立表之多，表多则传自可少。如皇子、皇族、外戚之类，有功罪大者，自当另为列传，其余则传之不胜传，若必一一传之，此史之所以繁也，惟列之于表，既著明其世系官位，而功罪亦附书焉，实足省无限笔墨；又如内而各部族，外而各属国，亦列之于表，凡朝贡叛服、征讨胜负之事，皆附书其中，又省却多少外国等传。故《辽史》列传虽少，而一代之事迹亦略备。②

现代学者罗继祖在其所撰《〈辽史〉概述》一文中指出：

《辽史》这部书的菁华全在《纪》和《传》，《志》和《表》都出于金元史官的编纂，由于史料太缺，他们除了以《纪》和《传》为唯一的依据外，参考了宋人部分记载，又

① 永瑢等：《四库全书总目》卷四六《史部·正史类二》“《辽史》”条，中华书局 1965 年版，第 413 页。

② 赵翼：《廿二史札记》卷二七，王树民《廿二史札记校证》本，中华书局 1984 年版，第 586-587 页。

> 不免于生吞活剥。既志《营卫》，又志《兵卫》，既表《属国》，又表《部族》，都不能超出《纪》和《传》，而且下笔粗疏，错误百出。最奇的是《百官志》，于各官之下，注见某某《纪》或某某《传》，几乎和后人考订的文字一样。[①]

显然，同样是对待《辽史》的表、志，由于关注的重点不同、看法迥异，四库馆臣和罗继祖从史料运用的角度审视，认为其表、志与纪、传多有重复，赵翼则从表的作用上看到了其体例的优点。当然，通观《辽史》，其编次上确实不够谨严，但创例方面却体现了历史特点。《金史》《宋史》所采用的体例也都是其撰者利用金、元两代的实录和国史综合考量而作出的抉择，相比较而言，在体例的创新方面，《金史》《宋史》稍逊于《辽史》，但结构的严整性，《金史》要优于《辽史》《宋史》。四库馆臣于《金史》提要中指出："是元人之于此书，经营已久，与宋、辽二史取办仓卒者不同。故其首尾完密，条例整齐，约而不疏，赡而不芜，在三史之中，独为最善。"[②]

总之，无论是否在序论中作简短说明，三史撰者都为纪传体朝代史的发展奉献了才智，他们努力遵循《三史凡例》的规定，很大程度奉行了择善而从的原则，传承了纪传体史书编纂的优良传统，他们的鉴识亦代表了辽夏金元时期史学批评的水平。

---

① 罗继祖：《〈辽史〉概述》，《社会科学辑刊》1979年第1期。

② 永瑢等：《四库全书总目》卷四六《史部二·正史类二》"《金史》"条，中华书局1965年版，第414页。

第五章　史学批评观念的阐释

中国史学发展的连续性与史学观念的积累、传承与运用有密切关联。在辽夏金元时期的史学批评中，也不乏关于史学批评观念的探讨，包括采撰、事实、信史、史例、史法、史意、良史标准等。本章试对其作归纳总结。

第一节　采撰、事实的理论探讨

一、采撰原则

（一）取信舍疑、弃奇

王若虚的《〈史记〉辨惑》专门设有“采摭之误”“取舍不当”等标目，集中探讨的是史书的取材问题。其中对《史记》因取材多途出现的前后抵牾和矛盾之处多有论列。如：

《殷纪》云：“纣淫乱不止，微子数谏不听，乃与太师、少师谋，遂去。比干强谏纣，纣剖比干观其心。箕子惧，佯狂为奴，纣又囚之。殷之太师、少师乃持其祭乐器奔周。”按《尚书·微子》篇，所谓太师、少师，即箕子、比干也。今乃言奔周，与《书》所记异矣。而《周纪》又云：“纣杀王子比干，囚箕子。太师疵、少师强抱其乐器而奔周。”则迁所谓太师、少师者，其乐工邪？若《殷纪》所称，亦止于乐工，则微子何至与此辈谋决去就，而此辈之奔，亦何为并持祭器乎？至《宋世家》则曰：“武王克殷，微子持其祭器造于军门。”前后参差，殆不可晓。[1]

这里，王若虚指出了《史记》之《殷纪》《周纪》《宋世家》在记载商末情形的“前后参差”。这种“前后参差”显然是由于兼收并蓄多种史料而导致的结果。关于如何避免此类前后矛盾的问题，王若虚认为在采摭上要有一定的原则和标准。综合考察王若虚的言论可知，在他看来，采撰的原则主要是取信舍疑、切忌爱奇。王若虚对于先秦的历史，比较信任经书的记载。因此，王若虚把戾于经者、抵牾于经者，都视为陋说。比如关于周公与周成王之间的关系，《史记》之《鲁世家》《蒙恬列传》所记与《尚书》不同，王若虚认为《史记》传播了战国以来的陋说。[2] 对此，王若虚也有自己的解释，他曾说：“《书》，圣经也；

① 王若虚：《滹南遗老集》卷九《〈史记〉辨惑（一）采摭之误辨（上）》，胡传志、李定乾《滹南遗老集校注》本，辽海出版社2006年版，第115-116页。

② 王若虚：《滹南遗老集》卷九《〈史记〉辨惑（一）采摭之误辨（上）》，胡传志、李定乾《滹南遗老集校注》本，辽海出版社2006年版，第117页。

史传，出于杂说者也。周公去殷为近，知其事为详；左氏、司马迁为远，其传闻容有妄焉。与其变易姓名以迁就其事，宁舍史传而从经可也。”[①]可以明确，他其实是从史源的可靠与否出发而“从经”。王若虚对《史记》有关先秦时期的历史记载多存异说也有分析，他说：“或谓太史公文皆不见先秦古书，故其记二帝三王事，多与《尚书》不同。此爱之者曲为之说也。按武帝尝诏孔安国作传，《史记·儒林传》亦具言孔氏有古文《尚书》，而安国以今文读之。盖《尚书》滋多于是，则其书当时已博矣。纵未列于学宫，子长岂得不见？只是采摭不精耳。彼其所取于他书者，亦多抵牾而不合，岂皆以不见之故邪？”[②] 可见，王若虚不认为司马迁所记二帝三王之事与《尚书》有异是所见文献有限，而是“采摭不精”，加上编次整合不够。他也将《论语》所记与《史记》相关记载相对比，批评司马迁取材之“疏”。他还指出司马迁与诸经书所记有出入的根本原因在于“子长爱奇”[③]。当然，经书本身也难免有不符合实际的记载，但这一点在王若虚生活的时期很多人并没有认识到，所以他以为经书可信。今天看来这并不完全正确，因此王若虚的“从经”是有局限性的。应该说王若虚对史书之取材有严苛的要求，他认为文献来历不明或传闻皆不可取。因此，他对司马迁广泛采纳各种史料多有质疑和

① 王若虚：《滹南遗老集》卷一《五经辨惑（上）》，胡传志、李定乾《滹南遗老集校注》本，辽海出版社2006年版，第2页。

② 王若虚：《滹南遗老集》卷九《〈史记〉辨惑（一）采摭之误辨（上）》，胡传志、李定乾《滹南遗老集校注》本，辽海出版社2006年版，第120-121页。

③ 王若虚：《滹南遗老集》卷九《〈史记〉辨惑（一）采摭之误辨（上）》，胡传志、李定乾《滹南遗老集校注》本，辽海出版社2006年版，第117页。

抨击。比如，关于孔子、孟子的言论及孔门弟子的事迹，他对比《史记》与《论语》《孟子》，就不断有“何所据耶”“何以知也”“何从得邪”的质疑。[①] 他曾指斥司马迁：“迁采摭异闻小说，习陋传疑，无所不有。许由之事，既知其非矣，而又惑于箕山之冢，殆是胸中全无一物也。”[②] 他还列举了司马迁有关《老子传》的资料来源：“《史记·老子传》，训诲孔子如门弟子，而孔子叹其犹龙者，盖出于庄周寓言，是何足信，而遂以为实录乎！至于成王剪叶以封唐叔，周公吐握以待士，孔子不假盖于子夏，曾子以蒸梨而出妻，皆委巷之谈，战国诸子之所记，非圣贤之事，而一切信之。”[③] 他因为司马迁采用异闻小说而谩骂其“胸中全无一物”，可见王若虚对“信”的特别在意。当然，如此评论也如郑樵讥诋班固，言辞过激，有失公允。值得重视的是，王若虚所指出的异说并存而导致史书自相矛盾的确是编纂者应该注意的一个重要问题，它关乎史实的认定和史书编次。从这个角度来看，王若虚提倡史书的采摭遵循取信舍疑、弃奇的原则是有道理的。

程钜夫所撰《历代帝王纪年纂要序》也论及史书采摭的问题，他说：“史莫信于《书》《春秋》，莫博于《史记》，后之稽古者，舍此何以哉？然孔子断自唐虞，政以世近而可信也。司马

① 参见王若虚：《滹南遗老集》卷九《〈史记〉辨惑（一）采摭之误辨（上）》，胡传志、李定乾《滹南遗老集校注》本，辽海出版社2006年版，第125、126、128页。

② 王若虚：《滹南遗老集》卷一一《〈史记〉辨惑（三）取舍不当辨》，胡传志、李定乾《滹南遗老集校注》本，辽海出版社2006年版，第147页。

③ 王若虚：《滹南遗老集》卷一一《〈史记〉辨惑（三）取舍不当辨》，胡传志、李定乾《滹南遗老集校注》本，辽海出版社2006年版，第148页。

迁乃上述黄帝以来，又远详其世次，先儒固尝疑之矣。至于诸家编纪，沿讹袭舛，此皆好博之过。后惟康节《经世书》以历纪之，始明白可信。然好奇惑异者，犹不能据依，著述纷然，莫之统壹。近平章白云翁以政事余暇，悉取诸家纪载而集正之，一以康节为准，名曰《历代帝王纪年纂要》，亦上及羲农者，因备博览而已。呜呼，白云知所去取哉。白云信道笃学，博观约取，于天下之务莫不尽然，不独是书也。"① 在这段文字中，关于史书采摭，程钜夫总结为"博"，但他还强调了"信"与"约"，他批评司马迁《史记》和诸家编纪都过于追求"博"，或令人疑惑，或有讹舛。他赞同史书"博观约取"，主张采摭应博而有信。他在《黄成性史学提要赞》中表达了相似的观点："史之为书也博而杂，其为学也烦而易遗。出没浩瀚而不可执也，必设罗落以张之。混澒阖辟而不可穷也，必立检柙以制之。此《史学提要》所攸出，而始学者宜尽心焉。"② 显然，程钜夫认为史料浩瀚、繁杂，必须取舍有度。

黄溍的《辩史十六则》是其读史札记，其中也涉及采摭问题。比如关于《史记·黄帝本纪》，他认为其史料取自百家言，舍弃"其文不雅驯"者，而选择"其言尤雅者"。而关于黄帝之死的记述，《史记》各处的记载并不一致："书首故取公孙卿获宝鼎迎日推策之说，而不取其仙登于天之语，直书曰：'黄帝

---

① 程钜夫：《历代帝王纪年纂要序》，李修生主编：《全元文》卷五二八（第16册），江苏古籍出版社2000年版，第142页。

② 程钜夫：《黄成性史学提要赞》，李修生主编：《全元文》卷五三五（第16册），江苏古籍出版社2000年版，第313页。

崩，葬桥山。’乃于《封禅书》备述卿言：黄帝骑龙上天。至武帝问黄帝冢，则又称：‘或对曰：黄帝已仙，群臣葬其衣冠。’或者，疑辞也。其叙事可谓婉而直、微而显矣。”[①] 黄溍是敬仰司马迁的，所以关于黄帝之事的异辞，他解释为“疑辞”，且称如此叙事为“婉而直、微而显”。其实，《史记》黄帝之事的记载显然是由于取材多途而造成所记之事扑朔迷离。黄溍对于《史记》追记黄帝征伐事是怀疑的，他认为既然以征伐得天下自黄帝开始，那么，“汤之放桀，何以谓‘予恐来世以台为口实’；仲虺作诰，何以不引阪泉之事为言乎”？他观察到孔子编订《尚书》没有言及黄帝，“断自唐虞而下”，孔子系《易》则称黄帝、尧、舜“垂衣裳而天下治”。为此，他评论道：“学者考信于六艺，而阙其所不知可也。”[②] 这其实也论及采摭的取信舍疑。黄溍还提及史书编纂要选取可靠性高的史料，指出僧莹《湘山野录》有关李继迁赐名和封王的记载与《宋实录》《大诏令》不完全吻合，说明其记载不完全可靠，但李焘《续资治通鉴长编》和陈均《编年备要》却“独有取”，关于宋太祖开宝九年十月壬子夜之事，这两书也都“舍正史而取《野录》”[③]。黄溍也列举了周公瑾《齐东野语》记事的错误。[④] 在黄溍看来，正史和野史

---

① 黄溍：《黄溍集》卷七《辩史十六则》“其二”，王颋点校本，浙江古籍出版社 2013 年版，第 227 页。

② 黄溍：《黄溍集》卷七《辩史十六则》“其三”，王颋点校本，浙江古籍出版社 2013 年版，第 227 页。

③ 黄溍：《黄溍集》卷七《辩史十六则》“其十一”，王颋点校本，浙江古籍出版社 2013 年版，第 230-231 页。

④ 黄溍：《黄溍集》卷七《辩史十六则》“其十二”“其十三”，王颋点校本，浙江古籍出版社 2013 年版，第 231-232 页。

相比，正史更可信，这也是他就相关记载比较后的认识。他也强调要对所用的史料进行考订，以免“旁采传闻之异辞”而致误。[1] 这可以看作是其认同的一个采摭原则。

陈谟也论及史之信与疑，他说：

> 古称信史、疑史。信固史也，疑亦不可不谓之史。然有疑而可传者，有疑而不必传者，则系乎其人焉。余观刘君子高《岭南录》，殆信者必可信，疑者必可疑，可传者固多出前志之外，而不必传者有以破千古之谬与讹，以俟来哲，岂有涯哉！如潮之盈虚消息，一之于月。月之所临，则水往从之。而东海之候，异于南海。钦、廉之潮，朔望大潮谓之先水，日出一潮谓之小水。琼海之潮，半月东流，半月西流，且不系月之盛衰。此可传之疑也。辨铜鼓断不出于马伏波；辨陈雷公之事，以正丁谓之非；辨蒋炳文之承误，而知以雷名州乃取于雷川；辨龙母祠谓本祠秦媪，而斥其五龙天妃之为妖。此不必传且足以破千古之谬与讹者也。他多有之，姑举其大者一二以见志。呜呼，安得言史皆如是哉！昔太史公尚不免寡识轻信之讥，使尽如子高，岂有好奇之过哉？[2]

可见，陈谟更多的是讨论疑史，认为史之有疑，有些可传，

---

① 黄溍：《黄溍集》卷七《辩史十六则》“其十五”，王颋点校本，浙江古籍出版社2013年版，第233页。

② 陈谟：《跋岭南录》，李修生主编：《全元文》卷一四五三（第47册），凤凰出版社2004年版，第287-288页。

有些不可传，关键在于撰史者的取舍。他列举了刘子高《岭南录》中之疑，确实有可传者，也有不可传者。但他也有些疑惑的是，有些不可传者的确可纠正谬误。他不认为写史都可以这样信与疑具录，会被质疑为好奇。其实他所论也触及史书的采摭问题：是否弃奇。

（二）广征要取

黄溍在读史札记中提到史家视野的重要，他读《谭汝楫传》特别有感慨，进而联系到欧阳修作《桑怿传》的感受，“谓司马迁所书皆伟烈奇节士，怪今人如迁所书者少，疑迁特雄文善壮其说，古人未必然。及得怿事，乃知迁书不诬，今人固有不尽知也”[①]。这段记述肯定了司马迁搜访史料的广泛，其实也点明秉史笔者在史料采摭方面要尽量求全，避免遗漏以影响人们对历史的全面认识。

苏天爵的《修功臣列传》的章疏也表露了他的史学思想，尤其是关涉史实采摭方面的思考。可以明确的是，他认为撰史者搜求史实要尽可能全面、及时，以免“缺典”和岁月久长而失传。求全既要多方搜求，又要有一定的标准。要取功臣勋烈的嘉言善行，又不忘登载奸恶之徒的奸计暴行，以为鉴戒。他说：“钦惟圣朝龙兴朔方，灭金平宋，遂一华夏，而阀阅勋旧之臣，谋猷才能之士，苟不载之简策，何以垂示方来。夫祖宗大典既严金匮石室之藏，而功臣列传独无片简只字之纪，诚为缺典。”他

① 黄溍：《黄溍集》卷一〇《读谭汝楫传》，王颋点校本，浙江古籍出版社2013年版，第349页。

强调及时采择的必要，认为采摭不全或不得其法直接影响史书编纂的进度及完整性。他列举《世宗实录》纂修时，本来命中外百司、大小臣僚“各具事迹”录送史馆，却因促迫而使事实未能完全昭彰。他还指出：“矧今翰林职专笔削，若复旷日引年，不复纪载，将见勋旧盛烈泯没无闻”，“夫史固欲其核实，事尤贵乎网罗。今史馆修书，不过行之有司，俾之采录。或功臣子孙衰替，而无人供报；或有司惮烦，而不尽施行。事之卒不能具者，此也”。正因为如此，他建议史官采摭相关史料应遵循一定的程序，并严立“程限”。先要确定当立传者名单，然后“或即其子孙宗族”，“或即其亲旧故吏”，“或即其居官之所”，“指名取索”，同时对于诸公遗文，已刊者“开具模印”，未刊者“令有司即其家抄录，校雠无讹，申达史馆”。关于搜求人物传记资料的标准，他反对以官品高低来定，他批评说：“近自金源以来，始以官至三品者行事得登于史，是使忠烈隐逸之士凡在下位者皆不得书，又何以劝善乎？其法之谬，以至如此。今二品以上，虽有官封，别无事迹，自可删去。三品以下，或守令之贤，政绩可纪；或隐逸之善，著述可传；或人子之事亲，若王祥之孝感；或义士之赴难，若南霁云之杀身；并宜登载于编，以为将来之劝。”此外，针对当时修史条例“止见采取嘉言善行”，而忽视“奸臣贼子之事”，无法垂戒于后世，他指出：“彼又何惮而不为恶乎！且如阿合马、桑哥、帖失、倒剌沙之流，皆当明著其欺罔之罪，弑逆之谋，庶几奸邪之徒有所敬畏。然诸家所具事迹，多出于孝子慈孙之言，门人故吏之手，恐有不实。又当参以刑曹之过簿，吏部之行止，如此则善恶备书，而无虚美隐恶之议矣。”[①] 这是基于实录要求而强调善恶兼采。

李好文曾参与编修辽、宋、金三史和《大元太常集礼稿》，对于后者的编纂他主要记述其资料搜集工作：

> 百年以来，事皆属之有司，寄诸简牍，岁月既久，不无散逸。故由之者或不知其本，论之者或失于其初，阔略戾舛，颇违于旧。泰定丁卯秋，好文备员博士，深慨其故，既而佥太常礼仪院事孛术鲁公继至，从而倡率之，遂暨一二同志，搜罗比较，访残脱，究讹略，其不敢遽易者，亦皆论疏其下。事虽不能无遗，以耳目所及，顾已获其七八。越二岁书成，名之曰《大元太常集礼稿》。……然事不可以无述，言不可以无统。与其具于临时，孰若求之载籍？与其习而不察，孰若信而有征？此裒集之有编而不敢后者也。曰稿者，固将有所待焉。他日鸿儒硕笔，承诏讨论，成一代之大典，则亦未必无取。[②]

从李好文就《大元太常集礼稿》文献的汇集过程及其认识来看，关于史书资料的采择，他认为有条不紊地认真访求是必要的，也强调全面及时做好史料搜集的重要性，他指出“岁月既

① 苏天爵：《滋溪文稿》卷二六《修功臣列传》，陈高华、孟繁清点校本，中华书局1997年版，第444-446页。

② 李好文：《大元太常集礼稿序》，李修生主编：《全元文》卷一四五九（第47册），凤凰出版社2004年版，第425页。

久，不无散逸”是百年以来的教训，为了日后编史提供信而有征的文献依据，及时汇编史料则是《大元太常集礼稿》编纂所取得的经验。

元末明初的胡淡在其所撰《东阳人物表遗论》中议论道：“昔迁、固称良史，河南守吴公治行第一而缺其传，后世病焉。袁宏赋东征，而长沙之功不可以诵，厥子憾焉。事虽巨细之不同，而称书不书，则有史氏之遗意在。”[①] 其实，他虽论邑志之作，但也倡导尽量不要遗漏重要内容，同样是认为征集史料要求全。

王祎在其所撰《国朝名臣传序》中论及元代名臣传的修纂有言：

> 国朝沿袭旧制，其修累圣实录，咸有常宪，而名臣之当附传其间者，久犹阙如。盖自大德丙午，迨今至正戊子，屡诏史臣纂修，以补实录之阙，亦既具有成编矣。而金匮所藏，人无由窥之，远方下士于圣朝盛事先后本末，贤相良将之功绩，巨儒循吏之德业，铿鍧炳焕，可以震耀于无穷者，皆莫及知。在天历中，史臣苏天爵尝捃摭名臣家传碑志以为书，谓之《名臣事略》。然以国朝人物之众盛，而与其列者仅四十七人，则其未及搜访甄录者固多也。祎不揣不才，因仍四十七人者，复博求于世臣之家，又得七十三人，人各为

① 胡淡：《东阳人物表遗论》，李修生主编：《全元文》卷一六四六（第54册），凤凰出版社2004年版，第22页。

传，而赘以论赞，名曰《国朝名臣列传》，总百有二十，辄用正史之体，仿宋《东都事略》而为之。其文虽不能驰骋而辞则质，其事虽不能该博而实则真，于是一代之人物，可概见矣。其于妄作之诛，固所不免。然传之同志，非唯可以广见闻，其间一二有可取者，他日上诸朝廷，未必不足以备史臣之采择云。[①]

王袆在这段文字中论及元朝本朝史的编纂，在肯定苏天爵《国朝名臣事略》编纂成就的同时，也表明增广名臣传以备史臣采择是其编纂《国朝名臣列传》的目的。他同时也表达了采摭应力图求全的思想。

冯福京有史学意识，他为地方官时致力于修地方州县志，其所修志书在资料搜求和取舍方面的标准是：对于旧载，“芟其芜，黜其不实”[②]；至于搜访遗逸，“事不关于风教，物不系于钱谷，诗不发于性情，文不根于义理，皆一切不取”[③]。其目的也很明确，所谓“使州之缺文者于所补，以俟掌建邦之六典者采焉”[④]。“以备天子史官之采录”，“定为传信之书，庶非无益之

---

① 王袆：《王忠文公文集》卷五《国朝名臣传序》，《王袆集》，颜庆余点校本，浙江古籍出版社2016年版，第137页。

② 冯福京：《昌国州图志前序》，李修生主编：《全元文》卷一〇二八（第32册），凤凰出版社2004年版，第278页。

③ 冯福京：《乐清县志序》，李修生主编：《全元文》卷一〇二八（第32册），凤凰出版社2004年版，第279页。

④ 冯福京：《昌国州图志前序》，李修生主编：《全元文》卷一〇二八（第32册），凤凰出版社2004年版，第278页。

作”。[1] 可见，其采摭原则一是传信，二是有益于社会。

欧阳玄也曾论及史官之职，他认为史官职掌前后有变化，古代诸侯之史官：“凡时事之当否，人材之善恶，田赋之多寡，朝聘之往来，又皆得书之。”封建废为郡县后，“举天下之大，四海之众，其事悉萃于一史氏，使书之，虽罄渭川之竹以为简，竭徂徕之松以为煤，焉能保其无阙逸乎？”[2] 也就是说后来的史官必然有选择地记史，其所涉及的采摭当是择要而取。

综上，搜寻史料与运用史料著史是史书编纂过程中的两个不同又相关联的方面，前者力求网罗殆尽，后者则求择要而取。上述数人从史书编纂的实践和理论层面阐释了这一原则。

二、史实的辨别与信史的要求

（一）何为史实？

史官记史、读者读史，都需要辨别史实。

史书所记的古圣人所言都是史实吗？刘将孙在其文章中对此有所论述。他说：

> 言有大而无证，众人信之，而达者概之。夫事之出于古圣人者，固众人之所信者也。出于古圣人而又出于古书之所纪载，此岂有一毫之不实者哉？而圣贤顾姑取其大概而不敢

① 冯福京：《乐清县志序》，李修生主编：《全元文》卷一〇二八（第32册），凤凰出版社2004年版，第279页。

② 欧阳玄：《圭斋文集》补编卷之八《浦阳人物记序》，《欧阳玄全集》，汤锐校点整理本，四川大学出版社2010年版，第591-592页。

尽信者，何也？嗟夫！自古书行，而有原其无书者矣。生乎百世之下，徒见洋洋纪述布在方策，而一时之事实得而知之。一时之事实既得而知，而后来者方取此以为名，执此以为信。夫固曰："吾有所受之也。"圣贤欲破其说而不可。独想像当时之概，庶几息兵、安民、崇德、尚功之数事，犹若古圣人之为。至于哆然自诡，常有喜功好战之心，则稍有识者，有所不敢为矣，曾谓圣人为之乎？窃意出于一时纪载者夸大之辞，而不知为他日无穷之害。向使其亲见末流余弊之极，当亦后悔其言之过也。故吾于此诚有所不敢尽信也，非不敢信也。事果出于圣人而有弊于后世，则吾犹将屈圣人于不足信，而况未必出于圣人者乎？则亦无有乎尔！则亦无有乎尔！[①]

刘将孙在这里讨论的问题就涉及史实的认定，他指出达者圣贤关于史实的辨别与众不同，众人往往对古人之言深信不疑，圣贤则不敢全信，即使是古圣人之言论又出于古书记载者也一样。原因在于圣贤认为书所记载的事实或有记载者的夸大。值得重视的是，刘将孙的疑古甚至推及圣人及人们所认定的经书。他认为即使是圣人，若所记事"有弊于后世"，也不足信。他并不像许多以经为本的人那样视《尚书》为神圣之作，他说：

① 刘将孙：《武成二三策论》，李修生主编：《全元文》卷六三四（第20册），江苏古籍出版社2000年版，第347页。

文字之古，莫古于《书》，而《书》难言也。夫《书》者，史也。此出于一时臣子求闻其君之心，而非以为训也。后来者贸贸焉执是以为用，则亦以古贵也。嗟夫！《书》之为物，有善用不善用。百篇之中，其可以为万世大经大法者条目有几？有十六字而可以为百世之师，有数百言而无补于盛衰存亡之故。若习其一句一字，守之如律，惟恐不能用，则所载衰世之事，亦或有取而用之者矣。又况夫《书》之作也，远矣。其辞意之出于先王与否，皆不得而知也。百世之下，千载之远，惟见故府流传，照映方册。阔焉异代，自非身亲目睹，何由知其故？其中虽有流于夸、入于矜者，读者亦不敢以矜夸待之也。大抵人臣之于其君，鼓舞一时之盛，其矜之、夸之者，不能免也。而岂料后世执之以为法哉？仁人君子有意于斯世，使圣人之言，其末流积弊，犹将深惩而痛抑之，况其未必出于圣人者乎？又况出于一时之矜夸者乎？①

刘将孙的这段分析十分务实，他认为远古文献记载过程中臣下存在迎合其君主的心理，矜夸不可避免，所以久远时代流传下来的经典不能如法律一样执守，明其可用者用之。表面上看，他是在谈论《尚书》文字，实际上他已涉及记史过程中记载者主观因素渗入问题。他分析了《武成》所言的史事，相信孟子所

① 刘将孙：《武成二三策论》，李修生主编：《全元文》卷六三四（第20册），江苏古籍出版社2000年版，第348页。

言的正确，当然今天看来他所受的儒家仁义思想可能也限制了他的认知，但他对史笔的分析却是有道理的，尤其可贵的是，他将史笔所记的事实与真实的事实予以区分，并提出不能尽信书中所记。今天的人们已经清楚地认识到，尽管求真是秉笔者的追求，但在历史编纂过程中，史家主观认识的加入会使史书所记的事实与真实的历史事实有一定的出入。刘将孙强调了史实的认定不能完全以古圣人所言和古书记载为依据，还要有“证”，亦需依事理与人情明辨其言可取的程度。

为了保证史书记载的准确性，黄溍认为秉史笔者在史书编纂完成后必须做刊正的工作。[①] 宋本在其拟定的《乡试策问》中也涉及修辽、金、宋三史问题，认为其时修史的讨论也关乎史实的辨别。其文中有言：“赵宋立国三百余年，辽、金二氏，与之终始。其君臣媺恶，其俗化隆污，其政事号令、征伐礼乐之得失，皆宜传诸不朽，为鉴将来。然当世史官记传丛杂，不可尽信。虞初稗官之书，又不足征。昔《晋书》成于贞观，《唐史》作于庆历，盖笔削之公，必待后世贤君臣而始定。”[②] 宋本同样认为当代史官所记有“不可尽信”者，稗官之书“不足征”，后代修史要担负起审定史实的重任。危素有关历史的讨论也曾提及史事的界定，他说：“素闻传曰‘秉中为史’，盖书其实事而昭示来世，过不可也，不及不可也。善善而不流于阿，恶恶而不伤于刻，若

① 黄溍：《黄溍集》卷七《辩史十六则》“其十六”，王頲点校本，浙江古籍出版社 2013 年版，第 234 页。

② 宋本：《乡试策问》，李修生主编：《全元文》卷一〇五四（第 33 册），凤凰出版社 2004 年版，第 215 页。

是者其庶几乎？”[1] 也就是说，史书所记述的实事，应该既不多也不少，表彰善举不夸大，批评恶行不苛刻，符合实际，持之有度。危素也曾在其所撰《昭先小录序》中就史官认定史实问题发表见解，他提到：“宋德祐元年十月乙卯，通判常州陈公炤死城守。后六十九年，为大元至正三年，皇帝诏修辽、金、宋史，其曾孙显曾以书告史官翰林直学士王公沂师鲁、翰林修撰陈君祖仁子山、经筵检讨危素太朴，请录公死节事。陈君及素复书曰：史官修撰余君廷心实当纪公事，而慎重不轻信。于是显曾又亟以书告余君，反覆哀痛。余君虽爱其词，然犹难之。后从国史院史库得《德祐日记》，载公授官岁月与夫复城、城守、两转官、城破死节、褒赠等事甚悉，始为立传。”[2] 这段叙述反映了元末修辽、金、宋三史时史官对具体史实的确定是严谨慎重的，不轻信人言，追求信而有征。

（二）“信史”是什么？

“信史”是什么？王若虚认为：“信史将为法于万世，非一己之书也，岂所以发其私愤者哉！”[3] 显然，他所谓的“信史”是摒弃作者私人情感，带着为社会立法的目的而写的史书。

黄溍的《辩史十六则》也论及史要传信的问题。他指出：

---

① 危素：《上贺相公论史书》，李修生主编：《全元文》卷一四六八（第48册），凤凰出版社2004年版，第149页。

② 危素：《昭先小录序》，李修生主编：《全元文》卷一四七〇（第48册），凤凰出版社2004年版，第197页。

③ 王若虚：《滹南遗老集》卷一九《〈史记〉辨惑（十一）杂辨》，胡传志、李定乾《滹南遗老集校注》本，辽海出版社2006年版，第209页。

靖康元年，宗忠简公留守京城。岳忠武王飞时隶麾下，犯法当斩，忠简见而奇之，曰：“此将材也。”遂释不斩，而留之军前。会金人犯汜水，乃授以五百骑，俾为踏白使，已而凯旋，补为统领，寻迁统制，飞由是知名。此事与汉王陵之于张苍、滕公之于韩信、暴胜之之于王䜣大抵相类。汉史备著三人之事，以彰其奇遇。飞孙珂撰飞行实，乃独讳而不录，幸《忠简家传》今行于世，而新史得以备著之。[①]

从这段记载可知，黄溍对于岳珂讳言其祖父岳飞早年经历的做法持批评意见，而对《忠简家传》如实记载相关的历史给予肯定，他不以维护名教的名义为之开脱，显示出求实的记史原则在当时受名教的影响已经有所减小。

冯福京认为：“史所以传信，传而不信，不如亡史。”可见，他认为判定是不是史书的核心标准就是“传信”。他批评宋末史志多有不实，有其社会原因，也有史官个人原因。他写道：

往宋末运，人主好谀，宰相导谀，士大夫习谀，内外遂以成风。操史笔者，多患得患失之夫，希合顾望，不惟泯其实，以诬公朝之是非，抑且驾其虚，以骋私意之向背。故光、宁、理三朝之史，皆权臣党与之芜辞；而郡县间一时之志，亦侯牧夸张之诞笔。今宋史既与国偕亡，惟志书之见于

① 黄溍：《黄溍集》卷七《辩史十六则》“其十四”，王颋点校本，浙江古籍出版社2013年版，第232-233页。

郡县间者，版籍所计，或以寡为多；风土所宜，或以亡为有；形势所在，或以险为夷；贡赋所出，或以俭为泰。评人物则多过情之誉，陈民风则少退抑之辞。妆饰富丽，竞为美观，详核其实，百无一二。苟上之人按其图，数其贡，流毒贻害，可胜言哉！昔萧何入关，收秦图籍文书，具知虚实险要，用以相汉，厥功茂焉。借使今世，或有踵萧何之智，信往宋所存之记载，责其实于天下郡国，岂不败乃公事？余益以悲世变之至，宋独图书史籍一事，凿空驾伪，顾不如秦之犹为务实，而且贻祸于来世苍生也。①

这段文字严厉抨击了宋末阿谀奉承之风，剖析了其恶劣影响，指出史官亦受其风气熏染，不仅仅史失其实，更有甚者是非不分，任意为史。所存郡县之志多行夸诞，失信程度极其严重，完全不能算作史书，既不能传信，也不利于现实为政需要。在批评宋末史志的同时，冯福京表达了他对信史的认识，即信史不泯其实，不诬是非，不骋私意；记述真实情况，不作浮夸之辞，不误当世，也不贻祸来世苍生。

谢端认为："惟删定之公，乃可称于信史；固纂修之久，将有俟于明时。"② 视公正为考量信史的标准。王祎的《代国史院

① 冯福京：《昌国州图志前序》，李修生主编：《全元文》卷一〇二八（第32册），凤凰出版社2004年版，第277–278页。

② 谢端：《进实录表》，李修生主编：《全元文》卷一〇四三（第33册），凤凰出版社2004年版，第4页。

进后妃功臣列传表》言及“信史备言，究始终而纪实”[①]，表明他所认为的信史当详细纪实。欧阳玄也讲道：“立言之法，唯其公而已。惟其公也，非唯不因喜愠论人，亦不以穷达观人，但察其贤否为何如尔。苟或不然，则虽入帷屋，历台府，赞枢机，典藩翰，曾不若匹夫之所行者固不少。”[②] 这里，欧阳玄论及立言所指范围广泛，不单纯是记史，所谓的“公”是公正、客观，语意明确；对人物记载和评论而言则是以贤否为标准，而不受论者喜愠干扰，也不以穷达来判定。

上述几位文史之士关于信史的理解虽然言辞有别，思想内涵却近似，即信史为纪实之史，要求事实详明准确，评论公正客观。

三、“理”与“人情”概念的运用

辽夏金元时期评价史家记事的实与妄的标准除了继承纪实求信、不诬是非、摒弃私心之外，还提出了“理”与“人情”作为评判史事记述是非的依据和准绳。王若虚在评定史书记事和史家议论时多次使用了这两个词。比如：

> 《晋世家》云：赵盾尝田首山，食桑下饿人，饿人舍其半，曰：“宦三年，未知母之存否，愿遗母。”夫存否且不

① 王祎：《王忠文公文集》卷一二《代国史院进后妃功臣列传表》，《王祎集》，颜庆余点校本，浙江古籍出版社 2016 年版，第 364 页。

② 欧阳玄：《圭斋文集》补编卷之八《浦阳人物记序》，《欧阳玄全集》，汤锐校点整理本，四川大学出版社 2010 年版，第 592 页。

知，愿安所遗乎？《左传》有“今近焉”三字，于理乃通，迁卤莽而失之耳。[①]

新城三老董公遮说汉王，以为“兵出无名，故不成”，“明其为贼，敌乃可服”者。此殊切于义理，故孟坚全载其说。而迁但云说“以义帝死故”，太简而不备矣。且止于义帝死故，则谓之“告”可也，何必云“说”哉。[②]

从上述两段文字来看，显然王若虚是以“理”来判断史家记事的得失。同时，他也以“情”作为标准来审视史书。他认为《春秋》就是“人情之书”，并对《春秋》三传有关许悼公之卒记载的“不近人情”提出质疑[③]。王若虚在《诸史辨惑》中明确指出：“世之学者，自非《诗》《书》《易》《春秋》《语》《孟子》之正经，一切异说，不近人情者，虽托以圣贤，皆当慎取，不可轻信也。”[④] 王若虚在这里表达的思想是，除了正经之外，不合人情的一切异说不可轻信。他也将“物理”与“人

① 王若虚：《滹南遗老集》卷九《〈史记〉辨惑（二）采摭之误辨（下）》，胡传志、李定乾《滹南遗老集校注》本，辽海出版社 2006 年版，第 137 页。

② 王若虚：《滹南遗老集》卷一一《〈史记〉辨惑（三）取舍不当辨》，胡传志、李定乾《滹南遗老集校注》本，辽海出版社 2006 年版，第 149 页。

③ 王若虚指出：“许悼公之卒也，《经》言世子止杀之，而《三传》皆以为进药不尝而已。信斯言也，其防于疑似者，一何严耶？至于推刃之贼，例以一己之私而敢为大逆，天地之所不容，禽兽之所不忍者，乃或得以幸免而没其名。《春秋》，人情之书也。若是之类，可谓近于人情乎？”（王若虚：《滹南遗老集》卷一《五经辨惑（上）》，胡传志、李定乾《滹南遗老集校注》本，辽海出版社 2006 年版，第 3 页）

④ 王若虚：《滹南遗老集》卷二〇《诸史辨惑（上）》，胡传志、李定乾《滹南遗老集校注》本，辽海出版社 2006 年版，第 211 页。

情”、“天理”与“人情”并举来评判史书所记之事的是非与史书议论的得失。比如：

> 呜呼，士生千载之后，不获亲见圣人，是［非］真伪无从而质之，则亦求乎义理之安，而合乎人情之常而已。[①]

> 汉文帝却千里马，而光武以之驾鼓车。林少颖曰：“华歆掷金，不若管宁挥锄而不顾。”以是为二帝之优劣。陋哉，斯言！人主之道，在于罢贡献，绝贪求，为天下后世法。孝文之虑，远矣，林氏乃以心术无碍律之。果如此说，则箕子之叹象箸，召公之戒旅獒，其私忧过计也耶？且夫千里之骏，而以驾鼓车，亦非物理人情之正，固不若却之为愈也。[②]
>
> 汉武老且死，意欲立昭帝，而忧其子少母壮，或至于乱也。遂杀钩弋夫人。“时暴风扬尘，百姓感伤。”盖其违天理而拂人情耳。顾乃矜语左右，自以为明。史臣又曰：“诸为武帝生子者，无男女，其母无不遣死。岂可谓非贤圣哉！昭然远见，为后世计虑，固非浅闻愚儒之所及。”慵夫曰：汉武于是为不道矣。杀一不辜而得天下，君子不为。无罪而杀人，无时可也。况以逆料未必然之事而杀其所亲乎？彼诚

---

① 王若虚：《滹南遗老集》卷二《五经辨惑（下）》，胡传志、李定乾《滹南遗老集校注》本，辽海出版社2006年版，第25页。

② 王若虚：《滹南遗老集》卷二五《君事实辨（上）》，胡传志、李定乾《滹南遗老集校注》本，辽海出版社2006年版，第292页。

以为治乱由人，自当别有所处。不然，付之定数。……①

大致说来，王若虚所提及的“人情”，无疑是指人伦、情义，即人之常情。而“理”则包含多种含义，有“义理”“情理”“物理”“天理”等，应该说“人情”是社会伦理规范，“理”更倾向于自然赋予的天经地义的标准。值得注意的是，王若虚在文中反复提到的“理”与“人情”之间的关系不是对立的，往往是相辅相成的，合情即合理，合理也合情。可以肯定，用“人情”与“理”的标准来评论史书的记事或议论，就是在考虑客观规律的同时，也重视社会伦理的维护，使其是非评定增加了人文因素，其实就是增加了对社会伦理规范的考量，不单纯以天理、义理为唯一标准，加入人之常情，更具综合性与变通性，这是比较可贵的。王鹗为《滹南遗老集》所作序也称：“予为先生之学之大，本诸天理，质诸人情，不为孤僻崖异之论。”②

徐明善关于经史的疑问如何明断也提到“理”的观念。他说：“经史有疑求诸心，心有疑断诸理。……李君幼成抄示所著《经史辨疑》数十条，往往十得六七。夫人诵习，而君探讨，探讨而不谬于是非，使持敬任理之功有加无已，讵可量哉！”③ 此言解释经史疑问要依据“理”。他论《读史要领》也提及记史也

① 王若虚：《滹南遗老集》卷二五《君事实辨（上）》，胡传志、李定乾《滹南遗老集校注》本，辽海出版社 2006 年版，第 292-293 页。

② 王鹗：《滹南遗老集引》，王若虚：《滹南遗老集》卷首，胡传志、李定乾《滹南遗老集校注》本，辽海出版社 2006 年版，第 4 页。

③ 徐明善：《李幼成经史辨疑》，李修生主编：《全元文》卷五五三（第 17 册），江苏古籍出版社 2000 年版，第 248 页。

要据“理”：“自秦讫五代，治乱千三百年具于史，必有要领，然后观者便之也。太虚一理，形为万物，散为万事。合则治，离则乱，顺则正，悖则邪，所谓要领者，亦理而已。余友梅境翁为此书，岁有改评，迄今乃定。盖理明故见确，见确故辞确，以史为案，以理为断，信乎其得要领也。此书若行，岂独《通略纂运图》可束之高阁而已哉!”① 其“理”当是理学家们所讲的义理。

元末王祎给参政苏天爵的上书论纪事之文涉及“迹”“状”“情”“理”“简”“该”“精”“核”“深”“易”等多方面的标准。他提到：

> 祎闻之，文之在天下，有载道之文，有纪事之文。六经之文，载道之文也。而《书》《春秋》于六经，则专于纪事，纪事而道载焉，虽谓之载道可也。自《春秋》内外传、《史记》而下，世遂鲜有载道之文，而代史、百家之述作无不专于纪事矣。然则纪事之文诚不可视载道之文而易之，而世顾恒以纪事不若载道者，何哉？试尝论之，为文而善于纪事者，必其言足以综难遗之迹，迹足以终难明之状，状足以发难显之情，情足以著难隐之理；而又其为言也，必简而该，精而核，深而易通，直而不肆，典实而无浮华，平易而无艰险，斯可以谓之文。而犹未也，文有体，其为体常不

---

① 徐明善：《读史要领》，李修生主编：《全元文》卷五五三（第17册），江苏古籍出版社2000年版，第254页。

同，故无定体而有大体，必其大体纯正而明备，而后足以成乎。然天下古今之善于此，以自成其家者，固未始数数然也。嗟乎！纪事之文，其亦可谓诚难也矣。①

在这里王袆所讨论的纪事之文显然是包括史书在内的各种反映历史、现实的文字。他所言纪事之文不比载道的六经容易，因为他所认为的善于纪事之文需要达到的要求其实很高，既要准确表达出难以言说的“迹”“状”“情”“理”，又要讲究文字表述技巧，臻于完美的境界——“简而该，精而核，深而易通，直而不肆，典实而无浮华，平易而无艰险”，同时还要有“体”，且“无定体而有大体”，达到“大体纯正而明备”。这三方面的要求显示出王袆对包括史文的记事文字的理论认识，也说明他重视史书，且强调纪事之文不仅要有体，还要富有文采，更要显于情，深于理。

第二节　史例、史法、史意之论

一、史例举例

王若虚在金代国史院供职的时间较长，大约从金大安元年（1209）为国史院编修官开始直到金正大元年（1224），其间曾

① 王袆：《王忠文公文集》卷一六《上苏大参书》，《王袆集》，颜庆余点校本，浙江古籍出版社2016年版，第479-480页。

短期调任他官，但参与修史为多。《宣宗实录》是他与雷渊等同修[1]。对于王若虚在金代国史院的地位，元好问曾有评论："秉史笔十五年。新进入馆，日有记录之课，书吏以呈，宰相必问：'王学士曾点窜否？'"[2] 通过长期的治史实践，关于史书编纂的规制，王若虚已有一定的理论认识，但具体表述上他多采用举例的形式，形成如读书札记一样的短评。归纳起来，王若虚在史例方面的议论主要有如下的认识值得重视：

——关于载言，王若虚认为载言不需要润色。他指出《史记·孔子世家》载楚狂接舆歌曰："往者不可谏兮，来者犹可追也。"比《论语·微子》多加两助字："兮"和"也"，产生的效果则是："不惟非其本语，抑亦乱其声韵矣。"[3] 他提到："《史记》载伍员父子语言，本传与世家参差不同。或云此变文也，予谓不然。言出于一人之口，书出于一人之手，而自变其文，人何以取信哉？"[4] 他还提及《史记·孔子世家》关于孔子所言和史氏所记混杂不别[5]，其实是提出载言与撰者的记述要层次分明。他在《〈新唐书〉辨》篇末总结说："《魏氏春秋》好用《左传》语以易旧文，裴松之讥弹甚当。凡人文体，固不必拘。

---

① 参见王庆生：《金代文学家年谱》，凤凰出版社 2005 年版，第 503－519 页。

② 元好问：《内翰王公墓表》，狄宝心校注：《元好问文编年校注》，中华书局 2012 年版，第 746 页。

③ 王若虚：《滹南遗老集》卷九《〈史记〉辨惑（一）采摭之误辨（上）》，胡传志、李定乾《滹南遗老集校注》本，辽海出版社 2006 年版，第 126 页。

④ 王若虚：《滹南遗老集》卷一九《〈史记〉辨惑（十一）杂辨》，胡传志、李定乾《滹南遗老集校注》本，辽海出版社 2006 年版，第 192 页。

⑤ 王若虚：《滹南遗老集》卷九《〈史记〉辨惑（一）采摭之误辨（上）》，胡传志、李定乾《滹南遗老集校注》本，辽海出版社 2006 年版，第 127 页。

至于记录他人之言，岂可过加润色而失其本真？子京《唐书》虽诏敕章疏，类皆变乱以从己意，至于诗句谚语，古今成言，亦或芟改不已，甚乎！”可以明确，王若虚认为史官在处理历史人物的语言及一些时文、诗句、谚语、俗语时，应尽量保持本来的面貌。

——关于载文，王若虚主张要有选择，自有传播者，不必载于史书，但重要者必须记载，不是代表性的作品则不用全载。他认为《史记》关于禹“平水土”、箕子“洪范”之文，《汉书·地理志》全写《禹贡》都是“徒增冗滞”[①]。对于司马迁多载汉文帝诏书、不载汉景帝诏书予以批评，他说：“史书，实录也；诏诰，一时之大事。纵使帝之所行不能副其言，岂容悉没之乎？”[②] 对于两《唐书》之《韩愈传》的载文，他有质疑：“韩退之《驱鳄鱼文》，苦非佳作，史臣但书其事目足矣，而全录其词，亦何必也？”[③]

——关于文献征引，王若虚提倡尊重原文献的面貌。他列举《史记》在这方面存在的问题：

> 《论语》云：子在齐闻《韶》，三月不知肉味。司马迁意其太久也，遂加“学之”二字。夫经有疑义，阙之可也，

---

① 王若虚：《滹南遗老集》卷一一《〈史记〉辨惑（三）取舍不当辨》，胡传志、李定乾《滹南遗老集校注》本，辽海出版社2006年版，第147页。

② 王若虚：《滹南遗老集》卷一九《〈史记〉辨惑（十一）杂辨》，胡传志、李定乾《滹南遗老集校注》本，辽海出版社2006年版，第209页。

③ 王若虚：《滹南遗老集》卷二一《诸史辨惑（下）》，胡传志、李定乾《滹南遗老集校注》本，辽海出版社2006年版，第228页。

以意增损，可乎？然《史记》如此者，何可胜数。[1]

《南容传》云：容问羿、奡、禹、稷事，夫子不答。容出，子曰："君子哉若人！尚德哉若人！国有道，不废；国无道，免于刑戮。"三复"白圭之玷"，以其兄之子妻之。按《论语》，此是三章，不相附属，而迁合之为一，殆不可读也。[2]

诸如此类的情况王若虚列举较多，可见他秉持征引文献应保持原貌的原则，反对增损或改动原有表述形式。

——关于历史人物的姓名称谓，王若虚主张要遵循一定的章法。他对《左传》《史记》记载人物称谓的不当、前后不一、多名并见却不作提示等多有批评。比如：

左氏文章，所谓毫发无遗恨者，惟参举人名字，颇为不惬。如郯之战，既称士会，复曰随武子，又曰随季，又曰士季；既称郤克，复曰驹伯，又曰郤献子；初称荀林父，而后称桓子；初称先縠，而后称彘子。大率皆然，不可殚举。一段之文而错杂如是，向无注释读考，孰知其为一人邪？虽无害其美，要之不洁。而近代砦溪黄彻极称其变态可法，且

① 王若虚：《滹南遗老集》卷九《〈史记〉辨惑（一）采摭之误辨（上）》，胡传志、李定乾《滹南遗老集校注》本，辽海出版社2006年版，第122-123页。

② 王若虚：《滹南遗老集》卷九《〈史记〉辨惑（一）采摭之误辨（上）》，胡传志、李定乾《滹南遗老集校注》本，辽海出版社2006年版，第125页。

以诸史列传首尾一律为不足取，殆难与论真是非也。[①]

《齐世家》书子我为阚止，而《田完世家》作监止。《楚世家》称昭王名珍，而《伍员传》作轸。《卫世家》称庄公名蒯聩，而《仲由传》作蒉聩。《卫世家》云盂黡敌子路，而《仲由传》作壶黡。是不当从一乎？[②]

王若虚针对《史记》多次出现姓名记载冗杂而作“姓名冗复辨”，指出除了刘知幾《史通》所点明的《史记》称人姓名仍有不及诸史而“冗复为甚”之处[③]，认为“班、范而下，乃始净尽焉”[④]。也就是说，班固、范晔之书在人名称谓上表述有法而且简洁明确，是史书编纂的进步。他特别指出纪传体史书中的帝王本纪对皇帝的称谓体例，即：“既追书尊号以冠其首，则一篇皆以尊号为主。初书其名曰讳某，自后凡见其名，虽未即位，例皆称帝，或称上。此古今不易之体。”他对欧阳修著史改变这种书写体例以及司马迁、班固《高祖纪》的复杂书写方法提出了批评。他说：“欧公乃以新意变之。既称其父曰某，而复云生子曰某。始而称名，次而称爵，至即位乃书皇帝，即位而称帝。此则

① 王若虚：《滹南遗老集》卷二〇《诸史辨惑（上）》，胡传志、李定乾《滹南遗老集校注》本，辽海出版社2006年版，第212页。

② 王若虚：《滹南遗老集》卷九《〈史记〉辨惑（一）采摭之误辨（上）》，胡传志、李定乾《滹南遗老集校注》本，辽海出版社2006年版，第133页。

③ 王若虚：《滹南遗老集》卷一四《〈史记〉辨惑（六）姓名冗复辨》，胡传志、李定乾《滹南遗老集校注》本，辽海出版社2006年版，第163页。

④ 王若虚：《滹南遗老集》卷一四《〈史记〉辨惑（六）姓名冗复辨》，胡传志、李定乾《滹南遗老集校注》本，辽海出版社2006年版，第166页。

宾主不分，体统不一，不足为法也。或曰，迁、固作《高祖纪》，皆先称沛公、汉王，然则亦非也？曰：庸得为是乎？盖刘子玄《史通》已尝辨之矣。”[①]

——关于如何记时，王若虚认为史官和史家应该遵循长期以来所形成的一些基本规范或约定俗成的定例。他指出宋祁为了求简，有时改变成规，以至于出现了关于“旬岁”[②] “去正月中”“去十四年”[③] 等古今言语中未见的表述用语。

——关于史书中的议论，王若虚特别看重议论的教化作用，在意维护名教。他说：“史氏之评，因人事之善恶而正其是非，以示劝戒而裨教化，故可贵也。”[④] 他批评司马迁《魏世家》“赞”之“失言”[⑤]、《项羽本纪》“赞”之“陋”[⑥]、《货殖传》的议论之“罪”[⑦]，指斥班固论江充、王莽事的“不当”[⑧]，抨击

① 王若虚：《滹南遗老集》卷二一《诸史辨惑（下）》，胡传志、李定乾《滹南遗老集校注》本，辽海出版社 2006 年版，第 229 页。

② 王若虚：《滹南遗老集》卷二三《〈新唐书〉辨（中）》：“王毛仲‘旬岁至大将军’。古人言旬月者，自十日以及月也；言旬时者，自十日以及三月也。今言‘旬岁’未见其例也。”（胡传志、李定乾《滹南遗老集校注》本，辽海出版社 2006 年版，第 259 页）

③ 王若虚：《滹南遗老集》卷二四《〈新唐书〉辨（下）》：“张荐救颜真卿疏云‘去正月中’云云。权德舆贞元十九年上陈阙政曰‘去十四年’云云，按古今言‘去年’‘去岁’者，前一年耳。子京此语，未见其例也。”（胡传志、李定乾《滹南遗老集校注》本，辽海出版社 2006 年版，第 278 页）

④ 王若虚：《滹南遗老集》卷一二《〈史记〉辨惑（四）议论不当辨》，胡传志、李定乾《滹南遗老集校注》本，辽海出版社 2006 年版，第 154 页。

⑤ 王若虚：《滹南遗老集》卷一二《〈史记〉辨惑（四）议论不当辨》，胡传志、李定乾《滹南遗老集校注》本，辽海出版社 2006 年版，第 155 页。

⑥ 王若虚：《滹南遗老集》卷一二《〈史记〉辨惑（四）议论不当辨》，胡传志、李定乾《滹南遗老集校注》本，辽海出版社 2006 年版，第 156 页。

⑦ 王若虚：《滹南遗老集》卷一二《〈史记〉辨惑（四）议论不当辨》，胡传志、李定乾《滹南遗老集校注》本，辽海出版社 2006 年版，第 158 页。

⑧ 王若虚：《滹南遗老集》卷二〇《诸史辨惑（上）》，胡传志、李定乾《滹南遗老集校注》本，辽海出版社 2006 年版，第 216 页。

《新唐书》关于张说传赞不能明辨是非“岂良史体”[①]，应该说都是基于这样的立论要求。

综上，王若虚对史书编纂体例，包括史书如何载言、征引、记时、议论等方面的内容都有一些主张。清代史学家章学诚认为史书的体例与历法一样，是越来越严密的。可以说，王若虚所倡导的编次严整而有规范的思想正体现了历史编纂学的发展与进步。需要说明的是，他对前代史书的疑惑与批评，今天看来并不是完全可取的，有些是片面的，有些甚者是错误的。正如章学诚所说，后人往往“不知古人著书之旨，而转以后世拘守之成法，反訾古人之变通”[②]。可以说王若虚在讲求史例严整的时候，也难免过于拘于成例而不能理解前人编目之深意。比如，王若虚曾说：

> 迁史之例，惟“世家”最无谓。颜师古曰：“世家者，子孙为大官不绝也。”诸侯有国称君，降天子一等耳，虽不可同乎帝纪，亦岂可谓之世家。且既以诸侯为世家，则孔子、陈涉、将相、宗室、外戚等，复何预也？抑又有大不安者，曰纪，曰传，曰表，曰书，皆篇籍之目也。世家特门第之称，犹强族大姓云尔，乌得与纪传字为类也？然古今未有知其非者，亦可怪矣。然则，列国宜何称？曰国志、国语之

---

① 王若虚：《滹南遗老集》卷二四《〈新唐书〉辨（下）》，胡传志、李定乾《滹南遗老集校注》本，辽海出版社2006年版，第282页。

② 章学诚：《文史通义·书教下》，上海古籍出版社2008年版，第15页。

类，何所不可？在识者定之而已。[①]

王若虚对世家之体的看法，表明他不能够理解司马迁的灵活变通。王若虚与司马迁在史书编纂方面的分歧反映了处于不同时代有着不同经历的两位史家对史学的不同认识和追求。王若虚力求史书体例严谨而有规范的思想代表了传统史学发展过程中的一种倾向。

宋元之际的黄仲元对史书体例问题也有一定的思考，他对《史记》《汉书》的断限问题，以及宋邵尧夫《皇极经世书》“书少帝恒山王，书曹魏接献帝”等处理表示疑惑，也对张敬夫《经世纪年》中“山阳公尚存，即绝汉而予蜀”提出质疑，他还提及《资治通鉴》《资治通鉴纲目》所关涉的一统、正统区别等。[②] 张𨞢在元成宗元贞元年（1295）所撰的《重修孟子庙碑》中批评司马迁所作《孟子传》说：“司马迁取荀卿同传，拟非其伦。又班以雕龙炙毂，讥以方枘圆凿。”[③] 言其在归类和评论方面都存在问题。

二、史法之论

关于史法，刘知幾《史通》从史书编纂的角度进行了系统

① 王若虚：《滹南遗老集》卷一一《〈史记〉辨惑（三）取舍不当辨》，胡传志、李定乾《滹南遗老集校注》本，辽海出版社2006年版，第146页。

② 黄仲元：《梦笔记》，李修生主编：《全元文》卷二六〇（第8册），江苏古籍出版社1998年版，第341页。

③ 张𨞢：《重修孟子庙碑》，李修生主编：《全元文》卷二九三（第9册），江苏古籍出版社1998年版，第220页。

深入的探讨，辽夏金元时期有一些史家基于修史经验的总结，或读刘氏之书而有感想，虽没有出现专门的著述，但片言只语或专门文章也都不同程度地表达了有关史法问题的思考和认识。

王若虚以读书札记的形式所论及的“史例”问题其实也属于史法的范围，只是他所论零散而不成系统。从《滹南遗老集》来看，他深入研究了刘知幾的《史通》，但他与刘知幾不同，刘知幾很多认识已上升到理论高度，他则侧重实践层面。关于史法之论，他也阅读过宋人郑厚的著述，但他不赞同郑厚的看法，他说：“郑厚曰：‘王道备而帝德销，史法尽而经意远。’予谓王道不殊于帝德，史法无害于经意，直厚之鄙见如是耶！”①

金士巨擘赵秉文在金末曾两度兼任同修国史，一次为兴定元年（1217），被任命为礼部尚书，兼侍读学士、同修国史、知集贤院事；一次为金哀宗即位之初，被任命为翰林学士、同修国史，兼益政院说书官。② 他传世的文集除了有专门的史论文章外，关于史家史官的评论未见专篇，但他为任子山所作碑铭也涉及良史之法。他说：

> 予尝怪太史公传扁鹊、仓公行事，并载其治法之详如此。而王公大夫功业无闻者，略而不及一言，何也？既而叹曰：此后世作史，冗长无法，徒为纷纷。而太史之书，言简

① 王若虚：《滹南遗老集》卷三〇《议论辨惑》，胡传志、李定乾《滹南遗老集校注》本，辽海出版社 2006 年版，第 340 页。

② 脱脱等：《金史》卷一一〇《赵秉文传》，中华书局 1975 年版，第 2427-2428 页。

而事核，独为良史之法者也。有一人之人，有百千万之一人，有百世之一人，有千万世之一人。之二人者亘千百世千万人之一人非耶？可以其方技，使无闻也哉？《汉书》不传张仲景，《唐书》不传王冰，识者尚有遗恨，其偶遗之耶？抑削而不录之耶？赖其遗书传于后世，使其书并亡，则治人之功，无乃阙乎！此予所以铭公而不辞也。①

赵秉文这段文字由读史的感悟论及良史之法，肯定太史公司马迁的同时，也表达了自己对良史及所记内容取舍的看法。在他看来，良史之法，“言简而事核”，对于所记历史善于选取其中最有影响者，不掩盖有功于世者，这是针对医者立传问题而引发的议论。

郝经《经史》篇，除了论及经史关系，还涉及史法、经法问题。他认为：

古无史之完书，三变而讫于今。左氏始以传《春秋》，错诸国而合之。马迁作《史记》，离历代而分之。温公作《通鉴》，复错历代而合之。三变而史之法尽矣。古不释经，亦三变而讫于今。训诂于汉，疏释于唐，议论于宋，三变而经之法尽矣，后世无以加也。但学之而不遗，辨之而不误，

① 赵秉文：《闲闲老人滏水文集》卷一一《任子山圹铭》，孙德华点校本，科学出版社2016年版，第268页。

要约而不繁，得其指归而不异，而终之以力行而已矣。①

从上述郝经的论述来看，他认可的史法变化有三：一是《左传》，一是《史记》，一是《资治通鉴》，左氏、司马迁、司马光在合分之间实现了史法的变更，所谓“三变而史之法尽”表达的是他个人对史法演变的认识，他认为经过这三书的变化，著史之法已经大体囊括。同样，他认可的经法的演进也经过了三个阶段而完成，即汉之训诂、唐之疏释、宋之议论。当然他不赞赏“后世”学经学史者出于科举或沽名钓誉而进行的经法和史法变革，认为这样的变革不合乎经史之道。应该说郝经从根本上对趋时逐利之学经者、学史者的学术研究理路不认同。在经法与史法方面郝经并没有作深入的探讨，因为他认为遵循三变后的史法、经法力行之即可，还是有些保守倾向的。王恽关于通史、朝代史史法的区别也有评论，他的《迁固纪传不同说》主要是针对宋儒《论项羽纪传不同说》而展开的，他认为宋儒所论求之太过，不同意宋儒关于二者不同的解释在于司马迁与班固个人见解的差异，强调是通史与朝代史史体不同决定的。他分析：“子长之所以纪，笔削历代之史也。其意盖以历年相承，不可中阙，犹存夫以月击时之法也。孟坚之所以传，先汉一代之史也。”②

胡祗遹在其所撰《读〈春秋〉》一文中也论及编年体书法

① 郝经：《郝文忠公陵川文集》卷一九《经史》，秦雪清点校本，山西人民出版社2006年版，第291页。

② 王恽：《王恽全集汇校》卷四五《迁固纪传不同说》，杨亮、钟彦飞点校本，中华书局2013年版，第2138页。

问题，他说：“看编年书法，固当逐句逐字以观褒贬。然亦有今年所书之事，得后数年再书屡书而其义始明者。天地之变异不为灾，亦书，示儆戒也。书‘天王崩’而无葬，不臣之罪著矣。邻国书卒而书葬，其义益明。《春秋》虽以一事一字定褒贬，然亦有事起于今岁，而善恶感应见于数岁之后者。亦有直书其事，必再书屡书而其义始见者。端本澄源、原情诛意者也。”① 胡祗遹是在阅读《春秋》时领悟到《春秋》记事前后存在关联性，可能在他看来这种情况是“逐句逐字以观褒贬”“以一事一字定褒贬”的变例。胡祗遹也对史传和编年予以比较，他指出：

> 史传，一人之本末皆备。始焉如何起身，中焉如何，终焉如何而盖棺，然亦十得二三。前人嘉言善行，堕失者多。且如子房之佐汉，今之所传，五六事耳。五年之战斗，事定之后，又若干岁而卒，其实良等岂若是之简哉？不读《通鉴》，不见迁、固之冗长；不读《通鉴纲目》，不见《春秋》之谨严。《纲目》法《春秋》《通鉴》，编年纪事，无以加矣。然后知作史之制，不系道统，不关治体，善不足以为法，恶不足以为戒，浮词细事，皆不足取。②

胡祗遹的倾向性显而易见，他赞赏编年体史书的简洁严谨，

---

① 胡祗遹：《胡祗遹集》卷二〇《读〈春秋〉》，魏崇武、周思成校点本，吉林文史出版社 2008 年版，第 419 页。

② 胡祗遹：《胡祗遹集》卷二〇《癸亥冬观纲目》，魏崇武、周思成校点本，吉林文史出版社 2008 年版，第 420-421 页。

尤其推崇《资治通鉴纲目》的是非分明。他认为史传（纪传体）似繁实简，关键是不得要领，未能把道统、治体作为记述主题，令人难明善恶以为鉴戒。周伯琦也曾论及前代史书体裁，他说："史学尚矣，纪事肇于《书》，编年创于《春秋》，具载类分昉于迁记，而历代则之，各有全史。《书》简而核，《春秋》正而严，史博而该。"① 他认为纪事之体的《尚书》、编年之体的《春秋》、具载类分之体（纪传体）的《史记》都有所长，成为后来史书的典则。

戴表元对于人们在《资治通鉴纲目》问世后批评司马温公不能尊蜀汉而黜魏远吴予以辩驳时，采用比较、类比阐释其史法。他指出司马光写史明确申明了体例问题，有言："记事不得不属纪年，纪年不得不承旧史。故乃传述为文，而使观者自详焉。非立褒贬之法，拨乱反正，如《春秋》然也。"而朱熹的《资治通鉴纲目》则意欲"行《春秋》之事"。他认为："《通鉴》之事，弘于鲁史；《纲目》之心，俭于《春秋》。"② 戴表元认为《资治通鉴》《资治通鉴纲目》二书史法不同，关于三国史的记述在统系问题上有别。对于司马迁所列人物传的处理，戴表元大多理解和认同。比如，他认为："按太史公不为孙膑特立传，而附于孙武，盖其事微耳，而世人称之常过实。"③ 他说：

---

① 周伯琦：《通鉴外纪序》，李修生主编：《全元文》卷一三八八（第 44 册），凤凰出版社 2004 年版，第 537 页。

② 戴表元：《剡源集》卷一九《题王希圣续汉春秋后》，《戴表元集》，陆晓冬、黄天美点校本，浙江古籍出版社 2014 年版，第 394 页。

③ 戴表元：《剡源集》卷二二《孙膑附传》，《戴表元集》，陆晓冬、黄天美点校本，浙江古籍出版社 2014 年版，第 442 页。

“世言太史公不知孔子，吾读《孟子荀卿列传》，亦灿然知所趣舍哉。”① 他还说：“某观太史公之为书，务在推尊孔子。而欲广其道，则录其所尝从游之士为《弟子传》。”② 戴表元读《国语》，对于其史法有评论：“此书不专载事，遂称《国语》。”他认为司马迁也受了《国语》史法的影响。他说：“先儒奇太史公变编年为杂体，有作古之材。以余观之，殆放于《国语》而为之也。”③ 胡三省的《资治通鉴音注序》表明，虽然他对《资治通鉴》特别推崇，但他并没有贬低司马迁所创立的纪传体。他说：“子长之史，虽为纪表书传世家，自班孟坚以下，不能易。虽以纪纪年，而书事略甚。盖其事分见志传，纪宜略也。”④ 刘岳申肯定欧阳修著史能够创新史法，他说：“尝读《唐书》宰相世系，以为兼《史记》王侯年表萧曹世家之体。此欧公新意也。世之升降，家之隆污，可考察焉。后有作者不能及已。”⑤ 黄溍认为：“昔太史公于汉之将相名臣不皆立传，而为之表，悉著其氏名、岁月，使览者尚论其世，而有以知其人。后世官寺之题名，实本于此。”⑥ 黄溍对司马迁为将相名臣立表的做法予以赞扬。

---

① 戴表元：《剡源集》卷二二《孟子荀卿列传》，《戴表元集》，陆晓冬、黄天美点校本，浙江古籍出版社 2014 年版，第 447 页。

② 戴表元：《剡源集》卷二二《孔子弟子传总论》，《戴表元集》，陆晓冬、黄天美点校本，浙江古籍出版社 2014 年版，第 455 页。

③ 戴表元：《剡源集》卷二三《读国语》，《戴表元集》，陆晓冬、黄天美点校本，浙江古籍出版社 2014 年版，第 459 页。

④ 胡三省：《资治通鉴音注序》，李修生主编：《全元文》卷二五七（第 8 册），江苏古籍出版社 1998 年版，第 262 页。

⑤ 刘岳申：《赵氏族谱序》，李修生主编：《全元文》卷六六四（第 21 册），江苏古籍出版社 2001 年版，第 469 页。

⑥ 黄溍：《黄溍集》卷一三《江浙行中书省题名记》，王颋点校本，浙江古籍出版社 2013 年版，第 492 页。

袁桷对史书多有研究，他将《尚书》《春秋》与《史记》进行对比，评论道："司马子长创为《史记》，首轩辕以逮汉武。或有孔子所芟者，子长乃从而录之。后人翕然以为有良史之才，爱其雄深雅健。凡操史笔者，如班孟坚、范蔚宗诸儒，争相蹈袭，是祖是式，而未有取法于《春秋》者焉。岂圣言宏远，匪常人所可拟其仿佛邪？"① 他肯定《史记》的影响力在于其史法。当然，他也是尊奉孔子的儒士，他解释说可能孔子的史法精深，"圣言宏远"，所以难以效仿。他还考察自东汉到宋代纪传、编年二体的发展情况，指出编年虽有荀悦、袁宏、孙盛之徒，但终究不如纪传体那么盛行，直到司马温公《资治通鉴》问世。可见，袁桷所要讨论的也是编年、纪传史法优劣比较。王祎对于史体也有评论，他在文章中曾论及实录与正史之体，他说："古者作史之体，大要有二，曰实录，曰正史是已。实录之体，仿乎编年，而臣僚之得立传者，其传皆系乎月日薨卒之下。及为正史，然后纪、表、志、传，门虽品别，而传又分名定目，各以类相从焉。然传之在实录者，不过具其行能劳烈之始末，而正史之传加以论赞之辞者，实录修于当时，正史撰于后代，且其体有不同故也。"② 王祎在这里主要讲明了实录、正史在记述臣僚人物方面的不同，强调了实录与正史在人物编排上有别。前者系于月日薨卒之下，后者以类相从；前者只记"行能劳烈之始末"，后者还

---

① 袁桷：《会试策问》，杨亮校注：《袁桷集校注》，中华书局 2012 年版，第 1858 页。

② 王祎：《王文忠公文集》卷五《国朝名臣传序》，《王祎集》，颜庆余点校本，浙江古籍出版社 2016 年版，第 137 页。

要加以“论赞之辞”；前者修于当时，后者撰于后代。王袆也赞赏吕东莱“用古策书遗法”而作的《大事记》为“诚史家之大法”①。

吴师道关注史学，在其著述中有所反映。② 吴师道所撰《三国志杂论》论述历史问题间或论及史家著史之史法。比如，他论《三国志》关于荀彧的记载，提及史书载言之体，他说：“司马公乃谓：‘凡为史者，记人之言必有以文之。比操于高、光、楚、汉者，史氏之文。’愚按：彧引高帝，不但取兖、还许二事。或言山东未平，彧则以高帝为义帝缟素劝其挟天子以令天下；操患力不敌绍，彧则论刘、项之存亡以释其疑。操以彧为子房，而彧动引高帝，宜矣。史氏纪载，大抵因其言而文之，未有全用己语者。况彧之言不一，岂得皆为史氏之文饰乎？司马公曲为彧讳，其论未当。若乃陈寿规摹汉史，沾沾自喜，真以高帝视操，则有之矣。夫拟人必于其伦，寿之无识，奚责哉！”③ 这里吴师道对《三国志》所载荀彧言论进行了论述，认为史书载言，大概应“因其言而文之”，不能全加文饰，批评司马光所言是为荀彧开脱，指责陈寿无识见，在拟人载言方面失当。关于郤正，吴师道讲：“郤正身草降笺，臣事仇贼，故其论姜维也，不斥其不忠不孝之大罪，而举其小善以为称，降叛之相为鄫也。陈寿

① 王袆：《王忠文公文集》卷八《大事记后记》，《王袆集》，颜庆余点校本，浙江古籍出版社 2016 年版，第 240 页。

② 吴师道：《吴师道集》邱居里所作“前言”，邱居里、邢新欣点校本，浙江古籍出版社 2012 年版，第 7 页。

③ 吴师道：《吴师道集》卷一〇《三国志杂论》，邱居里、邢新欣点校本，浙江古籍出版社 2012 年版，第 273 页。

取而著之篇，其自为论也，亦止责其‘黩战屡扰’而已。君臣之义，置而不论，可乎？”[①] 这一例又是在说明史料取舍和议论问题，批评陈寿是非标准不明，导致史书选取人物和议论不能作出道德评判以正人心。

关于如何评定历史上的人物行事，尤其是朝代更迭时期的人物，汪克宽在《越国公论》中有集中的讨论：

隋大业之乱，天下豪杰并起，各为雄长，互相吞噬，杀戮无虚日。惟越国汪公集果毅，保州里，遂兼歙、宣、杭、睦、婺、饶六州之地，救生民于涂炭。逮天下既定，奉表于唐高祖，赐诏褒嘉，命为方牧。方是时，江左之聚兵据土，如林士弘、李子通之徒并称尊号，残忍苛刻，卒覆其宗，且祸逮无辜之民。公乃保全始终，子姓显荣，盖其仁足以救生民之死，而义有所不为者也。予独怪唐臣编史，比于主簿张金称辈，以贼名之。窃考高祖起兵太原，既以私幸晋阳宫人，又杀留守，取长安，阳尊代王侑而假禅受之礼，其与宇文化及、王世充、李轨、刘武周、薛举、梁师都之流，直五十步笑百步耳。不省己过，而以恶名加之他人，亦独何哉？欧阳公《唐史》及司马公《资治通鉴》并因旧史本文，未之有改。善乎吾邦朱子著《通鉴纲目凡例》，凡起兵以义曰“起兵”；其起虽不义，而所与敌者不得以盗贼名之，则曰

① 吴师道：《吴师道集》卷一〇《三国志杂论》，邱居里、邢新欣点校本，浙江古籍出版社2012年版，第281页。

“兵起”。故隋末白瑜娑、王薄之类，人微而事未成，则书曰“兵起”。盖深恶秦、隋之暴，谓人人得而诛之，故汉唐之初，书法不异，乃立论之至公也。惜乎越国公之始末，史不立传，是以《纲目》不获特书以表之耳。予故辨而论之，以告后之修史者，当以《纲目》为法。①

汪克宽在文中批评了唐代史官编史标准不一，以至于越国公被视为“贼”，他也批评了欧阳修的《新唐书》和司马光的《资治通鉴》因袭旧文未予更改。对此，他强调了书法标准问题，赞同如《通鉴纲目凡例》所确定的书法，也希望后来的修史者以《通鉴纲目凡例》为法。

综上，金元时期的人们关于史法的评论零散不系统，歧见迭出，人们各自有是非标准，呈现出复杂多元的特点。

三、史意的解读

关于史意，辽夏金元人的解读也见于其论著。郝经关于为史之意十分强调正人心风俗，苟宗道所作《郝公行状》有言：“公自弱冠，每以陈寿所修《三国志》统纪紊乱，尊魏抑汉，后世不公之甚，他日必当改作。及闻晦庵先生有《通鉴纲目》，尝语人曰：‘《纲目》虽夺魏统而与汉，然一代完书，终未改正。’公乃创作纪、传、序、志、论、赞等书，其辞例森严正大，雄深雅

① 汪克宽：《越国公论》，李修生主编：《全元文》卷一五九五（第52册），凤凰出版社2004年版，第130-131页。

健，黜奸雄之僭伪，续一世之正统，则昭烈孔明之心，白日正中也。”① 可见，郝经改作《续后汉书》的目的不仅仅在于正统纪，同时亦对一代之史进行全面的修正，想要通过从思想上和史实记述上全面改正《三国志》，或者说是重作一部三国史。胡祗遹在《读〈春秋〉》中这样解读《春秋》的立意：“以义制事，以礼制心。欲败度，纵败礼，干名犯义，无所不至，此《春秋》所以作也。”② 他也提到：“圣人伤王纲之弛，逆臣贼子坏礼破义、虐刑滥杀，故明著其罪恶，以昭示后人。”③ 他认为春秋之世的风俗恶变是孔子作《春秋》以正礼义的原因。戴表元称：“余尝评太史公书，近于夫子《春秋》之义以十数。”④戴表元是一个尊经重史的儒者，他的这句评论其实肯定了《史记》一书体例虽然与《春秋》有别，但史意近似于《春秋》，他因此很看重《史记》，对于那些“徒玩其辞”的学者，对于那些“引古异同”的拘者的“攻之过苛”表示不满，认为这些人的批评尽管没有影响《史记》的流传，但对后来者的研读还是不利的。

元修三史的总裁官揭傒斯也有关于史书功用的言论，黄溍为其所撰的《神道碑》提及他领史事后每与僚属言：“欲求作史之法，须求作史之意。古人作史，善虽小必录，恶虽小必记，不然

---

① 苟宗道：《故翰林侍读学士国信使郝公行状》，李修生主编：《全元文》卷四〇六（第11册），江苏古籍出版社1999年版，第715页。

② 胡祗遹：《胡祗遹集》卷二〇《读〈春秋〉》，魏崇武、周思成点校本，吉林文史出版社2008年版，第419页。

③ 胡祗遹：《胡祗遹集》卷二〇《读〈春秋〉》，魏崇武、周思成点校本，吉林文史出版社2008年版，第416页。

④ 戴表元：《剡源集》卷一九《题王理得山中观史吟后》，《戴表元集》，陆晓冬、黄天美点校本，浙江古籍出版社2014年版，第395页。

何以示劝戒乎？”① 重视史意，强调明善恶以示劝诫，表明作为史官的揭傒斯不单纯讲求作史要符合史学的规范，他对史书的理解更在意所记内容的鉴戒和教化作用。

可以说上述金元士人所阐发的史意，虽然零散，但也反映了时人对史学探研的思想倾向。

第三节　良史认识的传承与发展

一、关于史官之职的认识

史官应该履行怎样的职责？这是评判史官优劣需要考虑的问题。关于史官职责，元代文人相关论述主要论及如下两方面。

其一，存史、修史。胡祗遹在其所撰《国史院厅壁记》中有论述，他认为古之史官和近世史官的职责有所不同，古之史官所司之事较多，身兼数职，“盖主纪录，明历卜。故凡邦国计簿，及天官、历律、典则、礼仪皆兼之”。就是汉代，记事之外，也要兼明天官。他所说的“近世”情况就不同了，“专以纪录为职，余皆不与焉”。但专司纪录的史官责任依然不轻，“上自祖考受命之圣神，天子之一起居、一话言，大臣百官之一举措、一应对，皆得耳闻而目见，退而书于册。下及礼乐刑政之美恶，遐方异域之服叛，列国风俗之疵美，天象、地质、日月、星

① 黄溍：《黄溍集》卷三一《翰林侍讲学士中奉大夫知制诰同修国史同知经筵事追封豫章郡公谥文安揭公神道碑》，王颋点校本，浙江古籍出版社2013年版，第1139页。

辰、风云之征变，山林、川泽、水火、草木、百物之妖祥，闾里欢戚之声容，云林隐逸之奇特，与夫忠臣孝子、节妇义夫，以及弑逆之恶，莫不详悉隐显、原究情伪而备书之。不溢美、不隐恶，核实昭直，善足为法，恶足为戒。藏之金匮，秘之石室，人主不可得而观。诛奸谀于九原，发潜德于冥漠，以耀后世而垂无穷，此史官之职也”①。在这段文字中，胡祗遹明确了史官记事的范围、态度和影响。就史官记录的范围看，上自天子百官言动，下及社会治理的优劣、国情、民情、民风等，涉及社会政治、经济、军事、文化方方面面；就史官的态度看，直笔书写方可为法戒；就史官记事的影响看，关乎现实，更垂训后世。显然，胡祗遹清楚为史官并不容易。史官想要做好自己本职工作不仅要知识丰富，有洞察力，还要坚持公正的立场，据实直书，笔伐奸恶，弘扬潜德，以其所记明善恶、警世人，以至于垂训后世。王理认为："庀文统事，太史之职也，史官放失，而文学之士得以备其辞焉。古者自策书简牍下及星历卜祝之事属于太史，故三坟、五典、八索、九丘在焉，《书》与《易》皆是也，而《春秋》出焉。教于国都州里者，《诗》《礼》《乐》而已矣。观民风者，采诗谣以知俗，观礼乐以知政，亦集于太史。后之学者考六艺之辞，发而为文章，是故文章称西汉，记事宗左氏、司马子长，与世与变，其间必有名者出焉。"王理认为苏天爵搜集汇总元人文章，也是履行史官之职，后人必有取之为史。他评论

① 胡祗遹：《胡祗遹集》卷九《国史院厅壁记》，魏崇武、周思成点校本，吉林文史出版社 2008 年版，第 249 页。

说："自孔子删定六艺，《书》与《春秋》守在儒者。自史官不世其业，而一代之载往往散于人间。士之生有幸不幸，其学有传不传，日迁月化，简札湮没，是可叹也。伯修三为史氏而官守格限，遂以私力为之。"[①] 可见，王理认为古今史官职责有变化，当代史官在其职守之外，努力存一代之文也是致力存史的史家之责。黄溍撰《上都翰林国史院题名记》言及史官之职有言："载事以传信于万世。"[②]

其二，持公议，定是非。袁桷评论邓淳翁《春秋集传》有言："粤自周室既迁，史列于诸侯，典册之藏，世莫得见。而其纪载之法，号称近古。故凡是非善恶之实，天灾时变之著，直书而不隐。逮于战国，执简侍史者，犹守尔未坠。然而攻劫凌据之侈，相寻而莫之顾，实由夫外史之职，不行于邦国。其史之存于国者，又将日幸沦弃，而无所传证。故益得以逞其骄而恣其所行。"[③] 其所论史官之职为遵循纪载之法而"直书而不隐"，但有职守不行之地则有"攻劫凌据之侈""逞其骄而恣其所行"，强调史官"直书而不隐"具有警戒恶行的作用。王祎的《唐起居郎箴》则指出："起居郎，古左史也。人君动，则左史书之，是非之权衡，公议之所系也。禹不能褒鲧，管、蔡不能贬周公，赵盾不能改董狐之书，崔氏不能夺南史之简，公是公非，记善恶以

---

① 王理：《国朝文类序》，李修生主编：《全元文》卷一六四六（第 54 册），凤凰出版社 2004 年版，第 5-6 页。

② 黄溍：《黄溍集》卷一三《上都翰林国史院题名记》，王颋点校本，浙江古籍出版社 2013 年版，第 496 页。

③ 袁桷：《邓淳翁春秋集传序》，杨亮校注：《袁桷集校注》，中华书局 2012 年版，第 1095 页。

志鉴戒。自非擅良史之才者，其孰能明公议以取信于万世乎！故人主极天下之尊，而公议所以摄人主，公议极天下之正，而史官又所以持公议者。”① 这里强调史官的职责是权衡是非、持公议以取信万世。乌斯道在其所撰《送马易之编修北上序》论及史官职责有言：“夫今为太史氏，食君之禄，是固博学笃行之所致，然太史所主者，唯事与言，书法不隐，则直笔炳耀，事情失实，则简册污秽，此何待余言也。”② 他认为秉笔直书是史官的本职，他更希望在社会动荡的时候，史官除了讨论修辞之外，要积极尽言。乌斯道其实在评价前代史家时还提到其立传往往有“示劝惩”之意。他说：“尝读司马氏《史记》、班氏《西汉书》，有循吏、酷吏、佞幸诸传，其所以示劝惩，亦切已。至范氏作《东汉书》，又有传独行、逸民者，固以民风益偷，而惩劝之意愈切也。”③ 这也是在讲史官著史不只是记往事，要在记述中体现出惩劝的社会责任。

二、品评前代史家

中国史学有重视修史的传统，史官、史家每代都有杰出者，他们也留名青史成为后人评价的对象。

王若虚是认真研读《史记》的金代史官，他对《史记》行

① 王祎：《王忠文公文集》卷一五《唐起居郎箴》，《王祎集》，颜庆余点校本，浙江古籍出版社2016年版，第458页。

② 乌斯道：《送马易之编修北上序》，李修生主编：《全元文》卷一七二四（第57册），凤凰出版社2004年版，第94页。

③ 乌斯道：《书王君国宝传后》，李修生主编：《全元文》卷一七二五（第57册），凤凰出版社2004年版，第119页。

文、取材、议论等仔细探究后发现《史记》中存在一些失误和不够严谨之处，他对司马迁的评价也因此较少褒扬。比如，王若虚说：“迁采经摭传，大抵皆踳驳，而二帝、三王纪，齐、鲁、燕、晋、宋、卫、孔子世家，仲尼弟子传，尤不足观也。”[①] 这是对司马迁所作诸世家和孔子弟子传取材不够审慎的批评。他对司马迁所设类传也有异议。他说：“史之立传，自忠义、孝友、循吏、烈女、儒学、文苑与夫酷吏、佞幸、隐逸、方术之类，或以善恶示劝戒，或以技能备见闻，皆可也。至于滑稽、游侠、刺客之属，既已几于无谓矣，若乃货殖之事，特市井鄙人所为，是何足以污编录？而迁特记之乎！班固徒讥迁之称述‘崇势利而羞贱贫’，然亦不知其传之不必立也，是故袭而存之。范晔下，皆无此目，得其体矣。”[②] 显然，王若虚不能理解司马迁的思想，二人的历史观、价值观有较大的差异。王若虚认为司马迁设立滑稽、游侠、刺客列传毫无意义，至于记述货殖活动，他更是抱着否定的态度，认为“特市井鄙人所为，是何足以污编录”，把司马迁设立这些类传归为取舍不当。追求史文“致密”的王若虚也对《史记》列传的编排顺序感到疑惑：“《史记索隐》谓《司马相如传》不宜在《西南夷》下，《大宛传》不宜在《酷吏》《游侠》之间。此论固当，然凡诸夷狄，当以类相附，则《匈奴》亦岂得在《李广》《卫青》之间乎？《循吏》《儒林》而

① 王若虚：《滹南遗老集》卷九《〈史记〉辨惑（一）采摭之误辨（上）》，胡传志、李定乾《滹南遗老集校注》本，辽海出版社2006年版，第127页。

② 王若虚：《滹南遗老集》卷一一《〈史记〉辨惑（三）取舍不当辨》，胡传志、李定乾《滹南遗老集校注》本，辽海出版社2006年版，第152页。

下，一节之人，皆居列传之末，盖得体矣。及至《刺客》，乃独第之《李斯》之上，《循吏》则第之《汲郑》之上，复何意哉?"[1] 汉代以后，司马迁与班固在才识、能力上的高下经常被人们进行比较，王若虚对二人也有比较，因为班固在史书体例与文字表述方面的看法与司马迁不同，他对班固的评价稍高。他说："迁、固记事，互有得失。"他认为班固《汉书》删润司马迁的《史记》"往往胜之"，当然也有"反不及者"。[2] 在论司马迁、班固优劣方面，他与刘知幾一样不从旧说，他称："晋张辅论迁、固史云：迁记二千年事而五十万言，固记二百年事乃八十万言。繁简不同，优劣可知。此说大谬。刘子玄既辨其大节矣。抑予尝考之，迁记事疏略而剩语甚多，固记事详备而删削精当。然则迁似简而实繁，固似繁而实简也。安得以是为优劣哉!"[3] 他还说："迁之所叙，虽号三千年，其所列者几人，所载者几事，寂寥残缺，首尾不完，往往不能成传。或止有其名氏，至秦汉乃始稍详，此正获疏略之讥者，而反以为优乎?且论文者求其当否而已，繁省岂所计哉?迁之胜固者，独其辞气近古，有战国之风耳。"[4] 他对人们给予司马迁很高的评价颇为不解，比如，宋人唐子西认为"六经已后，便有司马迁……故作文当学司马

---

① 王若虚:《滹南遗老集》卷一一《〈史记〉辨惑（三）取舍不当辨》，胡传志、李定乾《滹南遗老集校注》本，辽海出版社 2006 年版，第 153 页。

② 王若虚:《滹南遗老集》卷二〇《诸史辨惑（上）》，胡传志、李定乾《滹南遗老集校注》本，辽海出版社 2006 年版，第 213 页。

③ 王若虚:《滹南遗老集》卷一五《〈史记〉辨惑（七）字语冗复辨》，胡传志、李定乾《滹南遗老集校注》本，辽海出版社 2006 年版，第 180 页。

④ 王若虚:《滹南遗老集》卷三四《文辨（一）》，胡传志、李定乾《滹南遗老集校注》本，辽海出版社 2006 年版，第 385 页。

迁”，他说：“自古文士过于迁者何限而独及此人乎？迁虽气质近古，以绳准律之，殆百孔千疮，而谓学者专当取法，过矣。”[①]与抨击司马迁不同，他对韩愈轻视班固则不赞同，他说：“退之于前人自班固以下不论。以予观之，他文则未敢知，若史笔，讵可轻孟坚也？”[②] 他还说：“司马迁之法最疏，开卷令人不乐，然千古推尊，莫有攻其短者。惟东坡不甚好之，而陈无已、黄鲁直怪叹以为异事。呜呼，吾亦以千古雷同者为不可晓也，安得如苏公者与之语此哉？”[③] 总的看来，他不欣赏司马迁的文笔，而赞同班固，这与其讲求为文规范有关，更在于他的思想观念近于班固而异于司马迁。在王若虚看来，史家、史官对史事的记述要维护人伦纲常，要正是非。他批评《晋书》史官记事有言：“《晋书》称苻朗至晋，‘谢安设宴请之，朝士盈坐，并机褥壶席。朗每事欲夸之，唾则令小儿跪而张口，既唾而含出。顷复如之。坐客以为不及之远。’朗不道如此，非人所为，见者皆为切齿，而谓朝士歆羡，以为不及。甚哉，史氏之妄且陋也！”[④] 这是对史官书事和记人态度不端正的批评。他也对《新唐书》编修官之一吕夏卿所说不书唐太宗“拒魏徵谏杀田舍翁之语”目的是“掩人君之过”予以批评。他说：“所贵乎史臣者，善恶必存以

① 王若虚：《滹南遗老集》卷三四《文辨（一）》，胡传志、李定乾《滹南遗老集校注》本，辽海出版社 2006 年版，第 385 页。

② 王若虚：《滹南遗老集》卷三四《文辨（一）》，胡传志、李定乾《滹南遗老集校注》本，辽海出版社 2006 年版，第 386 页。

③ 王若虚：《滹南遗老集》卷三四《文辨（一）》，胡传志、李定乾《滹南遗老集校注》本，辽海出版社 2006 年版，第 384 页。

④ 王若虚：《滹南遗老集》卷二一《诸史辨惑（下）》，胡传志、李定乾《滹南遗老集校注》本，辽海出版社 2006 年版，第 224 页。

示劝戒，故谓之直笔。岂以掩人君之过为贤乎？且帝虽有过，因后言而遽改焉，是亦从谏之美也，何庸讳哉？吕氏之说甚谬。”① 王若虚对《新唐书》的编纂者的看法是有差别的，他较少列举欧阳修编写的“本纪”的过错，而对宋祁（字子京）则近于全面否定。他说：“唐子西云：‘晚学遽读《新唐书》，辄能坏人文格。’吾不知此论并纪志而言之耶，抑其独指列传也？欧公之作，纵不尽善，无坏人之理。若子京者，其自坏也已甚，岂直它（他）人哉？温公作《通鉴》，未尝用子京一语，盖知所抉择矣。”② 司马光在金代享有盛誉，前述已提及弋唐佐、王庭直、元好问对他都有很高的评价。弋唐佐、王庭直、元好问等人的评价较为简洁，王若虚针对史书编纂的不同部分或与其他史官史家进行比较有具体评析，比如，《魏书》《北史》记人物言论有和《后汉书》人物语言相近的表述，即“宁与某人同日死，不与某人同日生”，王若虚认为秉笔者润色太过，肯定司马光删改的合理③，也把《资治通鉴》与其他史书对比，凸显《资治通鉴》记述的高明，批评宋祁等人的谬误。值得注意的是，王若虚对司马光不是完全的肯定，也有批评，指出其缺典、议论不当等。从王若虚对司马光的称呼为温公、司马君实、司马公来看，他是敬重

① 王若虚：《滹南遗老集》卷二二《〈新唐书〉辨（上）》，胡传志、李定乾《滹南遗老集校注》本，辽海出版社 2006 年版，第 234-235 页。

② 王若虚：《滹南遗老集》卷二二《〈新唐书〉辨（上）》，胡传志、李定乾《滹南遗老集校注》本，辽海出版社 2006 年版，第 234 页。

③ 王若虚：《滹南遗老集》卷二一《诸史辨惑（下）》，胡传志、李定乾《滹南遗老集校注》本，辽海出版社 2006 年版，第 225-226 页。

司马光的，他认为《资治通鉴》一书“妙绝古今，虽万世不能易也”[1]，显然是肯定司马光的史学成就的。其实，在思想上及对史书编纂的认识上，王若虚与司马光不尽相同。他评论说：“温公排孟子而叹服扬雄，荆公废《春秋》而崇尚《周礼》，东坡非武王而以荀彧为圣人之徒。人之好恶，有大可怪者。”[2] 他还说：“司马君实正直有余，而宽假曹操；苏子由道学甚高，而奖饰冯道。皆缪戾之见，［有害于名教］，不足为长厚也。”[3] 当然，他也说过：“正闰之说，吾从司马公。”[4] 相比较而言，他对前代史家比较认可的当数司马光。王若虚还评价了柳宗元、刘恕等史家，赞赏柳宗元《断刑》《时令》《四维》《贞符》等论，称其“足以破千古之惑”，肯定《非国语》之作“大有是处”[5]，他认为刘恕“好名而不自禁”[6]。显然，王若虚对前代史家的确有独特的见解。

郝经关于前代史家虽没有专篇评论，但在一些文章中确实也论及前代史家，比如他在《经史》篇中述及史法演变而提及左氏、司马迁、司马光，肯定他们在史法演变过程中的重要贡献。

---

① 王若虚：《滹南遗老集》卷三〇《议论辨惑》，胡传志、李定乾《滹南遗老集校注》本，辽海出版社2006年版，第344页。

② 王若虚：《滹南遗老集》卷三〇《议论辨惑》，胡传志、李定乾《滹南遗老集校注》本，辽海出版社2006年版，第337-338页。

③ 王若虚：《滹南遗老集》卷三〇《议论辨惑》，胡传志、李定乾《滹南遗老集校注》本，辽海出版社2006年版，第338页。

④ 王若虚：《滹南遗老集》卷三〇《议论辨惑》，胡传志、李定乾《滹南遗老集校注》本，辽海出版社2006年版，第344页。

⑤ 王若虚：《滹南遗老集》卷三〇《议论辨惑》，胡传志、李定乾《滹南遗老集校注》本，辽海出版社2006年版，第343页。

⑥ 王若虚：《滹南遗老集》卷三一《著述辨惑》，胡传志、李定乾《滹南遗老集校注》本，辽海出版社2006年版，第347页。

在其所作《文弊解》一文中，他在论述为文之道时提及班固、司马迁、范晔等人，他说："后世文士，工于文而拙于实，炫于辞章而忘于道义，故班、马不免于刑，范晔、陆机、谢灵运不免于诛。"[①] 把班固、司马迁、范晔作为"炫于辞章而忘于道义"的文士的代表，显然是承认他们有文采，但指责他们未能守"道义"。《续后汉书》是郝经留居宋朝期间不满意陈寿的《三国志》而改编的史学著作。在其《〈续后汉书〉序》中，他提及了陈寿、裴松之、司马光、朱熹，关于三国的历史，他对于陈寿"以曹氏继汉，而不与昭烈，称之曰'蜀'，鄙为偏霸僭伪"十分不满，认为《三国志》"统体不正，大义不明，紊其纲维，故称号论议皆失其正"。裴松之为《三国志》作注，"补其缺漏，辨其舛错，绩力虽勤，而亦不能更正统体"。司马光作《资治通鉴》，开始更"蜀"为"汉"，"仍以魏纪事，而昭烈为僭伪"，这是郝经不能认同的。他肯定朱熹《资治通鉴纲目》以昭烈继汉"统体始正"，但对其"本史正文，犹用寿书"还是觉得遗憾。他的《续后汉书》，"以裴注之异同，《通鉴》之去取，《纲目》之义例，参较刊定，归于翔实"[②]。郝经在史书编纂方面所体现的正统思想一定程度上也影响了他对史家的正确评价。

戴表元对于前代史家多有简短的评论，他肯定司马迁、班固、司马光的史学成就，对其他史家也有所点评。他说："伯喈

① 郝经：《郝文忠公陵川文集》卷二〇《文弊解》，秦雪清点校本，山西人民出版社 2006 年版，第 301-302 页。

② 郝经：《郝文忠公陵川文集》卷二九《〈续后汉书〉序》，秦雪清点校本，山西人民出版社 2006 年版，第 405-406 页。

（蔡邕）才识数倍于晔，继孟坚者，当在伯喈。”[①] 王炎午也肯定司马迁发凡起例之功，称：“《史记》超越旧史畦径，遂为班史之模的。”[②] 吴莱所撰《孟子弟子列传序》，是针对司马迁《孟子列传》展开的讨论，认为司马迁归类不妥：“将以孟子置诸战国辨士之流乎？”[③] 吴莱也曾作《桑海遗录》，记述南宋末文天祥（字宋瑞，文中称文宋瑞）和陆秀夫事迹，对他所参考的龚开所写的此二人之传作了点评。龚开在少年时曾与陆秀夫共事于广陵幕府，吴莱认为龚开所写的传质量很高，“大率类司马迁、班固所为，陈寿以下不及也”[④]。他本人关于二人的传即是“询之故老，征之杂记”，为日后“太史氏之采择”提供史料。吴莱还以《春秋》记事方法为准绳，批评了汉儒求圣人之意旨失之太过，包括董仲舒。

苏天爵认同前人对司马迁的赞扬，他在《修功臣列传》一文中提到：“昔司马迁为太史令，网罗天下放失旧闻、遗文古事，靡不毕集。于是据《左氏》《国语》，采《世本》《战国策》，述《楚汉春秋》，究天人之际，通古今之变，成一家之言，宣布于世。其文直，其事核，不虚美，不隐恶，故为之实录

---

① 戴表元：《剡源集》卷二三《读蔡氏独断》，《戴表元集》，陆晓冬、黄天美点校本，浙江古籍出版社 2014 年版，第 460 页。

② 王炎午：《上参政姚牧庵》，李修生主编：《全元文》卷五五六（第 17 册），江苏古籍出版社 2000 年版，第 326 页。

③ 吴莱：《孟子弟子列传序》，李修生主编：《全元文》卷一三六六（第 44 册），凤凰出版社 2004 年版，第 52 页。

④ 吴莱：《桑海遗录序》，李修生主编：《全元文》卷一三六六（第 44 册），凤凰出版社 2004 年版，第 57 页。

焉。"[1] 苏天爵注重"访求前代古文遗事"，从他访得的金代蔡珪的遗书看，蔡珪是对古史和古器物研究有所成就的人，苏天爵访得他的文集之外，还有《晋阳志》十二卷，《燕王墓辨》一卷，《补正水经》三卷。其他至苏天爵生活的时代"皆已不存"的还有：《补南北史志》六十卷、《古器类编》三十卷、《续欧阳公金石遗文》六十卷，并跋尾十卷。苏天爵读蔡珪之书，对其著述多有佚失深感遗憾，他为此评价说："夫以蔡公问学之博，考索之精，著述文字之富，兵难以来散失无几。余酷好访求前代古文遗事，而仅得此，则知世之君子善言懿行泯没而无闻者多矣，可胜惜哉。"[2] 他从学识、才能、成就三个方面肯定了蔡珪的史学成就。

李桓认为《玉海》的作者厚斋先生王公（王应麟）不是太史公所论的"学博而寡要"者，而是"博而得要"者。他指出："先生敏悟绝人，少于书无不读，多识广闻，淹贯该洽，时已莫能出其右。及仕于朝，又尽阅馆阁之所藏，宗工巨儒咸共折然。自经史、传注、诸子群集，以至于稗官小说，方技谶纬之书，诵之如流，言之如指掌，既皆涉其波澜而采其精英，故其为书精密渊深，区分胪列，靡所不载。惟无益于用，不足以备讨论者，不以登于简策。"[3] 李桓盛赞王应麟的博学、识见。

---

① 苏天爵：《滋溪文稿》卷二六《修功臣列传》，陈高华、孟繁清点校本，中华书局1997年版，第445页。

② 苏天爵：《滋溪文稿》卷二九《题补正水经后》，陈高华、孟繁清点校本，中华书局1997年版，第483-484页。

③ 李桓：《玉海序》，见李修生主编：《全元文》卷一四一九（第46册），凤凰出版社2004年版，第91页。

朱右评价前代史家关注重点在文字表述，他肯定司马谈、司马迁父子“集群哲之大成，细一家言，雄深雅健”，“为太史氏宗”。他赞扬班彪、班固父子“典赡优洽，采摭无遗，于是先秦、西京之文章，炳炳焉与三代同风”，“信可为万世法则也”。他认为《史记》《汉书》的感召力大，自后汉至唐朝有大量学者究心《史记》《汉书》为之作注。朱右本人也喜爱《史记》《汉书》的“辞简而意至”。鉴于《史记》《汉书》的“简策浩繁，纪事详备”，“有不能周览而习识”者，朱右编有《三史钩玄》，选取《史记》《汉书》的“叙赞论说”，附以欧阳修《五代史》之文，目的是“俾子弟日习而记忆之”，“庶为学文之助”。朱右也以与客问答的形式申明他在诸史中独取《史记》《汉书》《新五代史》的原因。他指出：“马、班诚不可尚也。至范晔、陈寿以来，考索不足，文气愈下，君子既尝病之。欧阳公当一代文章宗匠，而尤注意于笔削，庶几乎马、班之亚欤。”[①] 朱右所编当类似于文选，他是为子弟学习作文而选取三史之文，他评价司马迁、班固、欧阳修的言论表明他特别看重文采。朱右也撰有《秦汉文衡》，主要取战国、先秦、西汉之文，他认为“《史》《汉》之文，诚后世之准衡”[②]。

梁寅从史才方面肯定《史记》的作者司马迁优于班固，他说：“世之论良史者，莫不以迁、固并称。观固之叙述，比迁虽

---

① 朱右：《三史钩玄序》，李修生主编：《全元文》卷一五四七（第50册），凤凰出版社2004年版，第536页。

② 朱右：《秦汉文衡序》，李修生主编：《全元文》卷一五四八（第50册），凤凰出版社2004年版，第548页。

颇详密，然迁之义例，由己而创始也，固则循其成法而已。迁之博采乃散缺之文也，固则整齐其旧传而已。固之著作异于迁者如此，而又未免于乖谬，其不及迁也明矣。”[①] 这里，梁寅赞扬司马迁的创新与博采之功，指出班固的因循和整齐旧传在才能上是逊于司马迁的。梁寅同样用比较的方法间接地评价了《史记》《汉书》之后《后汉书》的作者范晔、《三国志》的作者陈寿以及《晋书》的作者王隐，他引用唐人李翱的言论，提出范晔的《后汉书》、陈寿的《三国志》、王隐的《晋书》是不如司马迁、班固的《史记》《汉书》的。他赞同李翱所说史家、史官叙事能力的优劣会影响读者的阅读，人们阅读《后汉书》《三国志》《晋书》不如左丘明、司马迁、班固之书，显然他们在叙述能力上不如后者，所著史书的影响自然也不如后者。梁寅还指出唐代史官所修的史书在叙事上更在范晔、陈寿之下。[②] 梁寅还把欧阳修和宋祁进行了比较，他认为欧公的“纪例精密”。他说：“宋祁为《列传》（当指《新唐书》列传），欲简其文而事郁滞。(欧）公之叙述则文简而能畅，事增而不赘，非高才而工文者，能如是哉?”[③]显然，梁寅敬佩欧阳修，他认为欧阳修在体例方面的精审甚至超过司马迁，而在文字表述方面则更是宋祁等人无法企及的。总体上看，梁寅论史官史家的才华与能力的高下，采用

① 梁寅：《史论一·西汉书》，李修生主编：《全元文》卷一五一二（第49册），凤凰出版社2004年版，第464-465页。

② 梁寅：《史论一·东汉书》，李修生主编：《全元文》卷一五一二（第49册），凤凰出版社2004年版，第465-466页。

③ 梁寅：《史论一·五代史》，李修生主编：《全元文》卷一五一二（第49册），凤凰出版社2004年版，第468页。

比较的方法，着眼于叙事，更看重史法。

大致说来，金元学者对前代史官、史家主要考察他们的才、学、识，有的特别强调史才中的史文及史识中的思想见解。

三、议论当代史官、史家

金末，史官搜访卫绍王统治时期史事，国史院派遣编修官一人拜访了在大安年间任参知政事的贾益谦，他说："我闻海陵被弑，大定三十年，禁近能暴海陵蛰恶者得美仕，史臣因诬其淫毒骜狠，遗笑无穷。自今观之，百可一信耶？卫王勤俭，重惜名器。较其行事，中材不能及者多矣。吾知此而已。设欲饰吾言以实其罪，吾亦何惜余年。"[①] 他的言论其实涉及对金代大定年间一些史官的批评。贾益谦指责的是其时的禁近和史官的记事原则，在他看来，正是史官不能坚守直书原则，为个人私利而行诬陷之能事，致使当时编纂的《海陵实录》不足以传信。

王若虚以经史议论闻名于世，元代李治（也写作李冶）为《滹南遗老集》作序，称赞王若虚说："滹南先生，学博而要，才大而雅，识明而远，所谓'虽无文王犹兴'者也。以为传注，六经之蠹也，以之作《六经辨》；《论》《孟》，圣贤之志也，以之作《论孟辨》；史所以信万世，文所以饬治具，诗所以道情性，皆不可后也，各以之为辨。而又辨历代君臣之事迹，条分区别，美恶著见，如粉墨然。非夫独立当世，取古今天下之所共与

---

① 元好问：《东平贾氏千秋录后记》，狄宝心校注：《元好问文编年校注》，中华书局 2012 年版，第 1280 页。

者与诸人，能然乎哉？……如先生之学，诚处之王公之贵，赖以范世填俗，其庶乎道复明于今日也。”① 李治充分肯定了王若虚的贡献，在他的眼中，王若虚博学而有大才，且识见高远，其学问足以影响当代和后世。吴澄也肯定王若虚的才识，他称赞说：“滹南王先生，藁城人。金朝登进士科，至今人诵其经义，以为法式。博学卓识，见之所到，不苟同于众，遗言绪论之流传，足以警发后进。”② 这句评论突出强调了王若虚的超群卓识。彭应龙也认为王若虚博学而有己见。他指出：“所尊者经，而于传记百氏弗尽信，见到处摆脱窠臼而不依随以为是非。”③

郝经著有《续后汉书》，经学研究也有成就，其《春秋》学成果有《春秋外传》（包括《春秋章句音义》《春秋本义》《春秋比类条目》《三传折衷》），《易》学研究成果有《周易外传》，此外还有《太极演》《原古录》《通鉴书法》《玉衡真观》等书。其学生苟宗道称其“读书则专治六经，潜心伊洛之学，涉猎诸史子集，以穷理尽性修己治人为本，其余皆厌视而不屑也”④。同时代的阎复这样评价他：“公才识超迈，务为有用之学，上溯洙泗，下追伊洛诸书，经史子集，靡不洞究，掇其英

---

① 李治：《滹南遗老集引》，王若虚：《滹南遗老集》卷首，胡传志、李定乾《滹南遗老集校注》本，辽海出版社 2006 年版，第 1-2 页。

② 吴澄：《滹南王先生祠堂记》，李修生主编：《全元文》卷五〇二（第 15 册），江苏古籍出版社 1999 年版，第 149 页。

③ 彭应龙：《滹南遗老集引》，王若虚：《滹南遗老集》卷首，胡传志、李定乾《滹南遗老集校注》本，辽海出版社 2006 年版，第 6 页。

④ 苟宗道：《故翰林侍读学士国信使郝公行状》，李修生主编：《全元文》卷四〇六（第 11 册），江苏古籍出版社 1999 年版，第 715-716、709 页。

华，发为词章，论议视前古，慨然以羽翼斯文为任。”[①] 他们赞扬的都是郝经的博学与才识。

曹元用（字子贞）曾被翰林承旨阎复推荐任翰林国史院编修官，参与纂修元代的《仁宗实录》《英宗实录》《通制》，他曾译《贞观政要》为“国语”[②]。戴表元对于曹子贞所作文字从三个方面予以评价“属辞庄屈之洁”；“析理孟荀之达”；“比事左班之核”。[③] 这里戴表元的着眼点与孟子对《春秋》评价强调的事、文、义是近似的，只不过他用“比事”“属辞”“析理”来指称，称扬其在三个方面都达到了相当高的境界：“左班之核”“庄屈之洁”“孟荀之达”。显然，他认为曹子贞是良史。

吴澄是元代名儒，他曾为经筵讲官，也曾入国史院参与纂修《英宗实录》，虞集为其所撰《行状》称其学“肆于圣经贤传”[④]。吴澄在晚年更是被当政者看重，有宰臣张蔡公（张珪）力荐他代己任翰林学士承旨，称：“制诰、国史二事，所以成一王之大经，为万世之昭宪，比于效一官、分一职者，重轻不侔。若止因循，冒昧常人，孰不可为？当职世从军旅，历仕省、台，文章本非所长，志虑耗于劳勩，深思逭责，其在荐贤。翰林学士吴澄学通天人，行足师表，书事得笔削之法，代言近典诰之文。

① 阎复：《元故翰林侍读学士国信使郝公墓志铭》，李修生主编：《全元文》卷二九七（第9册），江苏古籍出版社1998年版，第293页。

② 宋濂等：《元史》卷一七二《曹元用传》，中华书局1976年版，第4028页。

③ 戴表元：《剡源集》卷一四《赠曹子贞编修序》，《戴表元集》，陆晓冬、黄天美点校本，浙江古籍出版社2014年版，第295页。

④ 虞集：《故翰林学士、资善大夫、知制诰同修国史临川先生吴公（澄）行状》，《虞集全集》，王颋点校本，天津古籍出版社2007年版，第865页。

盖其所造甚深，文学亦其余事。目今两朝实录，未经呈进，累朝嘉言善行，多合纪录。载事修辞，全资学识。又有辽、金、宋史，先朝累有圣旨纂修，旷日引年，未睹成效，使前代之得失无闻，圣朝之著述不见，恐贻后悔，君子耻之。然非博洽明通，孰克成此？”[①] 从虞集和张珪的评价可以看出，吴澄的学识渊博为时人所公认，同时人们认为他得笔削之法，有史学才能，完全可以胜任修本朝实录和前代史的重任。

许谦是元代朱子之学的代表人物，曾从金履祥学习，后开门授徒四十年，人称“白云先生”[②]。黄溍所作《白云许先生墓志铭》称许谦的史学成就有言：

> 其观史，有《治忽几微》若干卷，仿史家年经国纬之法，起太皞氏，讫宋元祐元年秋九月尚书左仆射司马光卒，备其世数，总其年岁，原其兴亡，著其善恶。盖以为光卒，则宋之治不可复兴，诚一代理乱之几，故附于续经而书孔子卒之义，以致其意也。书成，以示张君枢，为言：“运祚之延促，岂必推之天命？犹有人事焉。汉之大儒言灾异，皆欲近修人事，上答天变，况圣贤之培植基本、祈天永命者哉！有国家者，不可不仁民，盖以此也。”先生于天文、地理、典章、制度、食货、刑法、字学、音韵、医经、数术，靡不

① 虞集：《故翰林学士、资善大夫、知制诰同修国史临川先生吴公（澄）行状》，《虞集全集》，王颋点校本，天津古籍出版社2007年版，第864页。

② 许谦：《许谦集》“出版说明”，蒋金德点校本，浙江古籍出版社2015年版，第1页。

该贯。一事一物，可为博闻多识之助者，必谨志之。至于释、老之言，亦皆洞究其蕴。谓："学者孰不曰辟异端？苟不深探其隐而识其所以然，能辨其同异、别其是非也几希。"凡其书，俱已行于世。述作之大意，则见于序、引，文多不得以尽载。……金先生所著《论语孟子考证》《资治通鉴前编》，皆未遑刊定，垂殁，以属之先生。今二书得以大备而盛行，先生力也。[①]

黄溍的这段评论历数许谦的志向、博学、识见及超凡的才华，充分肯定了他在史学方面的贡献以及为推扬其师金履祥的著述而作出的努力。黄溍也评价了作为史官的揭傒斯，他为揭傒斯所撰的《揭公神道碑》提及两件事。其一，"延祐元年，由布衣入翰林为国史院编修官。李公以政府兼史馆，观公所撰《功臣列传》，抚卷叹曰：'此方谓之史笔，他人真誊吏牍耳。'"[②] 其二，"至顺元年，预修《皇朝经世大典》，上览公所撰《宪典》，顾谓近臣曰：'此非《唐律》乎？'超授艺文监丞，参检校书籍事，且屡称公纯实，欲器使之，而竟不果用"[③]。黄溍的这些记述意在表彰揭傒斯史学才能的卓异超群。而且他也曾评论道：

---

① 黄溍：《黄溍集》卷二一《白云许先生墓志铭》，王颋点校本，浙江古籍出版社2013年版，第774-775页。

② 黄溍：《黄溍集》卷三一《翰林侍讲学士中奉大夫知制诰同修国史同知经筵事追封豫章郡公谥文安揭公神道碑》，王颋点校本，浙江古籍出版社2013年版，第1137页。

③ 黄溍：《黄溍集》卷三一《翰林侍讲学士中奉大夫知制诰同修国史同知经筵事追封豫章郡公谥文安揭公神道碑》，王颋点校本，浙江古籍出版社2013年版，第1138页。

"公为文叙事，严整而精核，持论一主于理，语简而洁。"①

安南儒士黎崱所作《安南志略》颇受元代史官及文人重视，其书问世，多有为其作序者，对其书肯定的同时，也赞扬他的才学。程钜夫有言："以黎君之材，擢而用之，未必后于他人；顾独以笔墨自娱于山湖间，岂其职哉！然较余徒能言之，尚庶几。"②程钜夫着重肯定其能言之才华。人们也称赞黎崱的博洽而有史学才能，赵炑说："黎君崱，广记博览，袖《安南志略》来天北。立言叙事，信而有征。"③ 龙仁夫认为黎崱就是"博洽饶见闻"④ 者。也有人称他为"安南之倚相"⑤。

苏天爵是元代很有影响的史学家，他任过翰林国史院典籍官、应奉翰林文字、承事郎、同知制诰兼国史院编修官、翰林修撰等职，参与《武宗实录》（重修）、《英宗实录》、《文宗实录》和《经世大典》的修撰，独立编纂《国朝名臣事略》和《元文类》。⑥ 其同时代的史官王守诚评价他："伯修名天爵，以国子高等生试贡入官，力学善文，多知辽、金故事，亦有论著，他书无

---

① 黄溍：《黄溍集》卷三一《翰林侍讲学士中奉大夫知制诰同修国史同知经筵事追封豫章郡公谥文安揭公神道碑》，王颋点校本，浙江古籍出版社2013年版，第1140页。

② 黎崱：《安南志略》卷首《安南志略序》（二），武尚清点校本，中华书局2000年版，第2页。

③ 黎崱：《安南志略》卷首《安南志略序》（四），武尚清点校本，中华书局2000年版，第3页。

④ 黎崱：《安南志略》卷首《安南志略序》（八），武尚清点校本，中华书局2000年版，第7页。

⑤ 黎崱：《安南志略》卷首《安南志略序》（九），武尚清点校本，中华书局2000年版，第9页。

⑥ 刘永海：《苏天爵研究》，人民出版社2015年版，第9-11页。

所不窥。”[①] 王守诚还称赞说：“苏君学博而材周，器弘而识远。”[②] 王理称苏天爵：“好访当今之故，放失遗迹，构百家行状、碑志、传赞、叙述及他文该载者，见其本末。”[③] 肯定苏天爵搜访史料的能力。王理在《国朝文类序》中总论苏天爵有言：“伯修博学而文，于书无所不读，讨求国朝故实及近代逸事最详定。……书非有补益于世道者不为也。”[④] 他肯定苏天爵的博学，认为其有才能，有成就，能担当。

胡三省是一个谦逊的史家，他对自己所作《资治通鉴音注》也有自评：“人苦不自觉，前注之失，吾知之；吾注之失，吾不能知也。又古人注书，文约而义见。今吾所注，博则博矣，反之于约，有未能焉。”[⑤] 胡三省所作的自我批评，明确点出了其所作注做到博，但未能达到博而返约的境界。

此外，王祎在其所撰《王氏迂论序》中评价《迂论》的作者王熙阳，认为他“学博而才赡”，称其为论：“务以发前儒之所未发，条理明顺，联如贯珠，考核精详，审如中鹄。”[⑥] 王祎的评价遵循史家三长论，主要针对学问、才识而展开。郑涛撰于

---

① 王守诚：《国朝文类跋》，李修生主编：《全元文》卷一二三七（第39册），凤凰出版社2004年版，第397页。

② 王守诚：《国朝名臣事略跋》，李修生主编：《全元文》卷一二三七（第39册），凤凰出版社2004年版，第397-398页。

③ 王理：《国朝名臣事略序》，苏天爵：《元朝名臣事略》，姚景安点校本，中华书局1996年版，第4页。

④ 王理：《国朝文类序》，李修生主编：《全元文》卷一六四六（第54册），凤凰出版社2004年版，第7页。

⑤ 胡三省：《资治通鉴音注序》，李修生主编：《全元文》卷二五七（第8册），江苏古籍出版社1998年版，第265页。

⑥ 王祎：《王忠文公文集》卷七《王氏迂论序》，《王祎集》，颜庆余点校本，浙江古籍出版社2016年版，第219页。

至正十年（1350）的《浦阳人物记后序》也称赞宋濂（字景濂）的撰述“往往笔势炜烨”[①]。张叔温至正八年（1348）所撰《上虞县志序》称赞由张德润编纂的《上虞县志》“文而不俚，核而有证，古今事迹搜抉无遗，方古之作者，殆庶几焉”[②]。刘仁本所撰《河朔访古记序》对翰林国史院编修官果啰罗纳新（葛逻禄乃贤）所撰《河朔访古记》进行评论，肯定其作的“博雅”，认为他有司马迁的情怀，具备了史官的才识。[③]

上述金元时期的人们对具体秉史笔者的评价各异，遵循的标准却大体相同，可能评价者多为故旧、师友，以褒扬肯定为主，少见批评。

四、良史之志与良史标准

良史是历史上对优秀史学人才的评价。哪些人可称为良史？辽夏金元时期的人们在评议前代、当代史官史家的基础上，承继前代史才标准也提出了一些自己的认识。

虞集在为夏希贤《全史提要编》所作的序文中称：“公之书，自伏羲以来，傍取诸书而备载其年数，则亦详矣。邵氏书事止于宋熙宁，而公之书讫于宋灭，诚有良史之志耶！”[④]此句“良

① 郑涛：《浦阳人物记后序》，李修生主编：《全元文》卷一七六〇（第57册），凤凰出版社2004年版，第844页。

② 张叔温：《上虞县志序》，李修生主编：《全元文》卷一七八一（第58册），凤凰出版社2004年版，第510页。

③ 刘仁本：《河朔访古记序》，李修生主编：《全元文》卷一八三八（第60册），凤凰出版社2004年版，第293-294页。

④ 虞集：《夏氏全史提要编序》，《虞集全集》，王颋点校本，天津古籍出版社2007年版，第476页。

史之志”，大概是指作者贯通古今敢于担当的志向，肯定其视野开阔。

揭傒斯所作《通鉴纲目书法序》反复称《通鉴纲目书法》的作者刘友益具有“朱子之志”。何为“朱子之志”？他认为《资治通鉴纲目》之作，“非深得圣贤之旨者不能也”，“故朱子不言《春秋》，而知《春秋》者莫如朱子”。他对刘友益的“朱子之志”作这样的阐释：

> 古之有天下者莫若舜、禹、汤、武，然汤有惭德，武未尽善。舜、禹之后得天下者莫如汉，曹氏亲受汉禅，威加中国，卒不能夺诸葛孔明汉贼之分。元魏据有中国，行政施化，卒不能绝区区江左之晋而继之。此万世之至公而不可易焉者，而犹或易之，此《纲目》不得不继《春秋》而作，而《书法》不得不为《纲目》而发也。此朱子之志也。
>
> 刘氏讳友益，字益友。遭宋讫录，闭门读书，既深于经，复长于史。其为此书几三十年，寸寸而较，铢铢而积，微辞隐义，高见特识，既足以启发千载而中有无穷之忧，予故曰：非深知朱子之意如朱子之知《春秋》者不能言，能言未有若刘氏《纲目书法》者。而又曰：此朱子之志也。[①]

可见，揭傒斯所谓的“朱子之志”，一方面是弘扬“万世之

---

① 揭傒斯：《揭傒斯全集》卷三《通鉴纲目书法序》，李梦生标校本，上海古籍出版社2012年版，第311-312页。

至公”，另一方面是深切领会“朱子之意”而启发“千载”。“朱子之志”是要传承《春秋》大义，志向高远，讲究正统，要为社会树立正邪观念。今天看来其所宣扬的正统并不完全符合历史实际，但关乎社会的“志”倒是考量史家的一个重要标准。

周伯琦也言及史家的“志”，他赞扬四明陈子经所作《通鉴外纪》：“不惟续前人之业，成一家之言，实有以继夫朱夫子之志，为万世之计矣。”① 这里周伯琦所言的“志”就指其继承朱熹纲目及《通鉴前编》而作史。陈基称赞陈子经作《通鉴续编》“师古人而明先志”②，甚至把陈子经三代接续写史与太史公父子相比，肯定他们矢志不移的史学追求。

张以宁也曾论及史家之“志”，他在所撰《送李逊学献书史馆序》中提到有李时中教授曾聚经史数万卷留给诸子，当朝廷有诏修宋、辽、金三史时，遣使购前代异书，其子李敏将其父所藏宋逸书若干卷献给史馆。张以宁认为李氏父子之“志”与司马迁父子之志相仿佛，尽管他们父子“虽自弗敢望太史公父子”③。张以宁的类比基于他们都有成就史学著述的志向。

关于良史标准，虞集没有正面的表述，但在他参与的《经世大典》完成时，他所作《经世大典序录》自谦之语对此从侧面反映：“臣集等皆以空疏之学，谬叨委属之隆，才识既凡，见

---

① 周伯琦：《通鉴外纪序》，李修生主编：《全元文》卷一三八八（第44册），凤凰出版社2004年版，第538页。

② 陈基：《通鉴续编序》，李修生主编：《全元文》卷一五三五（第50册），凤凰出版社2004年版，第326页。

③ 张以宁：《送李逊学献书史馆序》，李修生主编：《全元文》卷一四六〇（第47册），凤凰出版社2004年版，第452页。

闻非广。或疏远不知于避忌，或草茅不识于忧虞，谅其具稿之诚，实欲更求是正，疏略之罪，所不敢逃。”[①] 这里提到“学”“才识”“见闻”，显然，关于良史的标准他大体认同刘知幾的史家三长论，他特别强调了“见闻”，“或疏远不知于避忌，或草茅不识于忧虞”就是指此。揭傒斯也论及史官选择的标准，元末，揭傒斯为三史总裁官，丞相问他：“修史以何为本?”他回答：“用人为本，有学问、文章而不知史事者，不可与；有学问、文章知史事而心术不正者，不可与。用人之道，又当以心术为本也。”[②] 其中，“学问、文章”自然是指才能，而“知史事”则指史学积累，“心术”当指史家公正与否，就是后来章学诚概括的“史德”。

元末明初人贝琼在《与杨秉哲书》中言其读《史约序》的感受称：“文甚奇，义甚正。方厌今人之文腐熟，无足观者，忽遇班固、马迁之在前，如寐而觉，如酲而醒，何其快也！然尚有所论者，欲再往而不果，敢以书布之左右焉。古之史官，据事直书而已。司马文正公约旧史之文，作《通鉴》一书，而其义则大正于朱子之《纲目》焉。”[③] 显然贝琼所欣赏的良史善于为文，且特别申明“义”的重要。他既然肯定朱子《资治通鉴纲目》的“义”正，说明他看重史书所反映的正闰观，这从他评价

---

① 虞集：《经世大典序录·应制》，《虞集全集》，王颋点校本，天津古籍出版社 2007 年版，第 471 页。

② 黄溍：《黄溍集》卷三一《翰林侍讲学士中奉大夫知制诰同修国史同知经筵事追封豫章郡公谥文安揭公神道碑》，王颋点校本，浙江古籍出版社 2013 年版，第 1139 页。

③ 贝琼：《与杨秉哲书》，李修生主编：《全元文》卷一三七四（第 44 册），凤凰出版社 2004 年版，第 209 页。

《铁崖先生大全集》称赞其《正统论》也可以证实。[1]

值得注意的是，唐代刘知幾的史才三长论对辽夏金元时期的影响很大，大多隐于学人的评价中，当然也有明确显扬于具体的讨论中。冯福京称："作史者，必擅三者之长，曰学，曰识，曰才，而后能传信于天下。盖非学无以通古今之世变，非识无以明事理之精微，非才无以措褒贬之笔削。三者缺一，不敢登此职焉。"[2] 这是对刘知幾良史思想的认同和传扬。

总的说来，辽夏金元的史家和文人对史学批评观念的阐释还是值得重视的，他们所论迸发出的理性火花，同样弥足珍贵，虽然在深度上和广度上不及同时期的宋代文史名家，也没有形成系统性的理论成果，但他们的阐释在传承史学文化方面的意义仍然值得肯定。

---

① 贝琼：《铁崖先生大全集序》，李修生主编：《全元文》卷一三七四（第44册），凤凰出版社2004年版，第213页。

② 冯福京：《昌国州图志前序》，李修生主编：《全元文》卷一〇二八（第32册），凤凰出版社2004年版，第277页。

第六章　辽夏金元史学批评的特点及意义

纵观辽夏金元时期的史学批评史，批评者的指向既有以往时代的史家、史书和史学，也有当代的史官、史家及其著述，这与其他历史时期的史学批评并无差别，但考察其时具体的史学批评成果，可以发现，由于批评者民族构成复杂，史学批评所呈现的多层次、多角度与以往朝代有别，本章在前面五章的基础上试作进一步探讨，希望能够揭示出这个时代史学批评的特点和意义。

第一节　史学批评主体的多民族构成

一、辽夏金政权史学批评主体的身份

辽、西夏、金三个政权均起于边地，文化基础都相对薄弱，因此这三个政权的最高统治者在立国后的文化建设路径大体相同，他们均积极出台有利于新政权发展的文教政策，提倡尊孔崇儒，研读经史。为了有效地提升契丹、党项、女真民族的文化水

平，借鉴汉字、回鹘字等比较成熟的文字而创制民族文字，并用新创制的民族文字翻译经史，这成为一种文化现象，也是此时期文化建设的新举措。表现在史学发展方面，这三朝的史官制度逐渐完善，重视纂修本朝史，积极总结历史的经验教训，围绕着修史和治国理政，较为广泛地开展史学批评，只是由于留存的史料十分有限，目前仅能勾勒出其史学批评的概貌。

辽、夏、金三朝的史学批评主体构成还是比较复杂的。大致说来，三朝的史官、史家是其时史学批评的主力。由于职责所在，他们在纂修本朝实录，或编纂本朝制度史、人物传记，以及参与前代史的修撰过程中会遇到这样或那样的史学问题，展开讨论，提出解决问题的意见在所难免，所以他们关于史学批评的言论也比较多。比如辽代的耶律孟简、刘辉，金代的耶律履、元好问、李汾等都有相关言论，长期在史馆从事史书编纂的史官，自觉总结历代史书编纂的经验，并形成指导实践的一套理论原则和规范，比如金代王若虚诸篇“辨惑”所阐述的内容。

史官之外，出于社会责任，各族文臣、士人也成为史学批评的主体。他们或为朝官，或为地方官，或是任教于乡野的士人。他们有的可能是通经读史的宿儒，比如赵秉文；有的则是皇帝身旁的宰执，如石琚、唐括安礼等；有的只是史馆书写，如李汾。他们中还有把立言视为自己的事业者，如元好问；也有把树立良好社会风气维护基本的伦理道德看作是自己责任的，如贾益谦。这些人职位高低不等，社会地位也有差异，但他们都关注史学，参与史学活动，有的将自己的史学主张诉诸文字，形成文章，有的只是在朝堂之上针对具体史书或史学活动而发表意见，他们从多个视角和不同的立场推动了辽夏金史学的进步，也说明史学批评在文化构建方面的作用得到有文化修养的社会各个阶层的普遍关注。

另外，在辽夏金三朝民族史学发展过程中，少数民族的皇帝在其中发挥了重要的作用。比如辽兴宗耶律宗真、金熙宗完颜亶、海陵王完颜亮、金世宗完颜雍都曾有史学批评的言论，其他如契丹皇帝、女真皇帝、党项皇帝阅读经史也时有评判，比如西夏毅宗谅祚就很重视搜求经史之书，在他统治时期西夏派往宋朝的使者有购求史传及佛经之举①。而且，有些皇帝不仅仅就史书进行评论，而是直接参与到史学活动中，审查实录，对当代史的编纂提出批评意见，这以辽兴宗、金世宗为典型。他们的行为需要一分为二的看待。一方面，由于他们的关注和重视，史学发展得到更有力的支持；另一方面，他们也干预了史官正常修史，影响了史官客观记事。当然，这些有着一定政治目的的少数民族皇帝也因此成为史学批评者，成为史学批评主体构成的一部分。

需要强调的是，与汉、唐、宋诸政权不同，辽朝、西夏、金朝的史学批评主体民族构成变得复杂了，契丹、女真、党项、汉族之外，还有鲜卑族后裔、渤海人等文化修养较高的其他民族人士参与其中，使各民族间就史学问题及社会文化建设有了较为广泛的沟通和交流。具体来说，辽夏金三朝史学批评主体的民族构

---

① 周春著，胡玉冰校补：《西夏书校补》，中华书局2014年版，第601页。

成也有差异，就辽代而言，以汉族文臣、士人为主，但也有契丹贵族及文臣，前者如韩昉、刘辉，后者如辽兴宗、辽道宗、萧韩家奴、耶律孟简等；西夏参与史学活动的主要有党项族士人和汉族士人[①]，如斡道冲、焦景颜；金代史学批评队伍各民族都占有一定的比例，女真族皇帝如金熙宗、海陵王、金世宗有史学批评言论，其他民族批评者以汉族为多，契丹族次之，渤海族、奚族士人较少，还有鲜卑后裔如元好问。史学批评主体多民族构成的渐趋复杂，显示出各民族文化修养的提高。

二、元代史学批评主体的民族属性

元代不仅囊括辽、夏、金、宋统辖的区域，而且有更大拓展，作为大统一的政权，其境内有来自不同地区有着不同文化传统的人才，其中，从事经史研读的各族人和担负修史责任的各族史官共同构成史学批评的主体。总结前面提及的曾发表过史学批评言论的人员情况可知，元代批评者不仅来自不同的社会阶层，而且其民族构成较辽夏金时期还要复杂，具体如下表：

元代史学批评主体的民族构成简表

民　族	人员举例
蒙古族	元世祖、元成宗、元仁宗、元明宗、元顺帝、燮理溥化
色目各族	察罕（西域板勒纥城人）、赡思（其先大食国人）、马祖常（雍古部）、赵世延（雍古部）
女真族	孛术鲁翀

① 任菲菲：《西夏史学研究》，兰州大学硕士学位论文，2010年，第23页。

续表

民　族	人员举例
鲜卑后裔	元明善
汉族	王鹗、郝经、袁桷、黄溍、危素、欧阳玄、虞集、杨维桢、陶宗仪、赵孟頫、王理、苏天爵、刘因、金履祥、吴师道、戴表元、胡祗遹、柳贯、赵汸、揭傒斯、梁寅等
其他民族	黎崱（安南人）

上表仅是举例，并不是完全的统计，可以肯定的是，多民族大统一的元朝各民族都有文化修养很高的人才，比如一些蒙古族帝王就成为本朝实录的审定者，他们关注修史的进展，也提出了一些指导性的修改意见，同时对前代史书中关涉政治统治的著述也表现出足够的重视，比如他们号召各族官吏和学生研读《贞观政要》《资治通鉴》。色目各族中如察罕、赡思等都是有史学著述的人，他们有历史编纂的实践经验，成为融通多种文化的代表性人物。雍古（汪古）部的民族归属一向有分歧，近现代以来多数学者认为雍古部是色目人中受汉文化影响较深的部族①。女真遗民的孛术鲁翀、鲜卑后裔元明善汉文化素养与汉族儒士几乎没有差别。值得一提的是，安南人黎崱才华出众，其史学才识得到众多文臣的认可，他所著的《安南志略》受到普遍好评，《安南志略》的编纂反映了他的历史认识和史学见解。

可以说，辽夏金元时期史学批评主体民族构成的复杂是多民族国家历史发展的结果，也是其时民族史学发展的标志之一。

① 王红梅：《九朝良臣：元代雍古名臣赵世延丛考》，《新疆大学学报》（哲学·人文社会科学版）2014年第4期。

第二节　史学批评的多层次与务实性

一、立足于治国理政需要的史学批评

史书关乎文治、关乎统治经验的传递，这是辽夏金元时期皇帝、文臣评判史书所着意强调的。在其位谋其政，他们读史的关注点集中在治国理政上。比如金熙宗曾对其侍臣说："朕每阅《贞观政要》，见其君臣议论，大可规法。"① 元仁宗爱育黎拔力八达阅读《贞观政要》而谕翰林侍讲阿林铁木儿说："此书有益于国家，其译以国语刊行，俾蒙古、色目人诵习之。"②元朝最后一个皇帝元顺帝妥懽帖睦尔统治时期元代官府修史成果丰硕，这与元顺帝本人重视修史有密切的关系，他认为"史书所系甚重，非儒士泛作文字也"③，一个人的史学素养不达到一定境界难有这样的见识，他看到了史学在引导君臣治国理政方面的价值。王恽从读史的感受出发强调了史书重中之重在于承载一代盛衰得失之故，他说："大抵观史者，须当见其一代兴衰之自，要本不出君与相好尚治忽而已。如贤否之用舍，治乱之所由生，刑政之宽虐，民情之所从易，安危之机，截若影响，此理之必然也。是皆吾儒法之而为明时治平之具者，得不详且备欤？若笔之而无所

① 脱脱等：《金史》卷四《熙宗纪》，中华书局 1975 年版，第 74 页。
② 宋濂等：《元史》卷二四《仁宗本纪一》，中华书局 1976 年版，第 544 页。
③ 宋濂等：《元史》卷一三九《阿鲁图传》，中华书局 1976 年版，第 3361 页。

用，则上下数千载之事绩，特断烂朝报耳。”[①] 胡祗遹也有类似的见解，他称：“读史传，知识时势最为紧切。知时识势，然后观人之是非成败，不至于成败是非无所鉴别。”[②] 他们虽然是讲读史的问题，但从他们审视史书关注的内容来看，也可推知他们对史书优劣的认识。从元修三史总裁官欧阳玄代右丞相脱脱撰写的《进辽史表》《进金史表》《进宋史表》来看，元人修三史也特别注重申明关涉一代兴衰存亡的大是大非。关于《辽史》，欧阳玄称：“纪志表传，备成一代之书；臧否是非，不迷千载之实。”“我朝之论议归正，气之直则辞之昌；辽国之君臣有知，善者喜而恶者惧。”[③] 这是元代史官对所编《辽史》的自我评价和认识。欧阳玄代丞相阿鲁图撰写的《进金史表》着重论述了金朝与元朝的联系以及元朝的存史责任，所谓：“念彼泰和以来之事迹，接我圣代初兴之岁年。”“第以变故多而旧史阙，耆艾没而新说讹。弗折衷于大朝，恐失真于他日。”[④] 而欧阳玄代丞相阿鲁图所作《进宋史表》，以史鉴今的目的也十分明确：“观赵氏隆替之由，足见皇元混一之绩。”[⑤]“倘垂清燕之观，尚助缉熙之益。曰若帝尧，曰若帝舜，惟圣心稽古之功；监于有夏，监

---

① 王恽：《王恽全集汇校》卷四二《编年纪事序》，杨亮、钟彦飞点校本，中华书局2013年版，第1998页。

② 胡祗遹：《胡祗遹集》卷二〇《癸亥冬观纲目》，魏崇武、周思成点校本，吉林文史出版社2008年版，第420页。

③ 欧阳玄：《进辽史表》，《欧阳玄全集》，汤锐校点整理本，四川大学出版社2010年版，第356页。

④ 欧阳玄：《进金史表》，《欧阳玄全集》，汤锐校点整理本，四川大学出版社2010年版，第360页。

⑤ 欧阳玄：《进宋史表》，《欧阳玄全集》，汤锐校点整理本，四川大学出版社2010年版，第363页。

于有殷，乃臣子告君之道。”[1] 元修三史的总裁官揭傒斯也重视史意，强调明善恶以示劝诫，表明作为史官的揭傒斯不单纯讲求作史要符合史学的规范，他对史书的理解更在意所记内容的教化作用。金履祥由于尊经轻史，批评了刘恕所作《通鉴外纪》“不本于经”，“是非谬于圣人”。[2] 朱右为徐昭文《资治通鉴纲目考证》作序，肯定了《春秋》《资治通鉴》《资治通鉴纲目》切合时势的经世立意，称：

> 大道既隐，礼乐征伐出自陪臣，刑爵不咨于众，吾夫子盖不得已，而托二百四十二年典礼命讨之权，此《春秋》之所由作也。自时明王不兴，治教靡著，奸臣女后，擅政滋甚，司马氏述左氏为编年，而发原于韩、赵、魏，亦以王纲所系，典礼所存，而天下之大经大法在焉。子朱子又祖《春秋》以修《纲目》，其岁年之久近，国统之离合，政刑之得失，人材之贤否，大书以提其要，分注以备其辞，诚有得于笔削遗意，后世之鉴诫昭矣。[3]

朱右还评价了《资治通鉴纲目》之后出现的尹起莘《资治通鉴纲目发明》和汪克宽的《资治通鉴纲目凡例考异》，指责前

---

① 欧阳玄：《进宋史表》，《欧阳玄全集》，汤锐校点整理本，四川大学出版社 2010 年版，第 366 页。

② 宋濂等：《元史》卷一八九《金履祥传》，中华书局 1976 年版，第 4317 页。

③ 朱右：《资治通鉴纲目考证序》，李修生主编：《全元文》卷一五四八（第 50 册），凤凰出版社 2004 年版，第 546 页。

者“既相依附”，批评后者“又多未精”，但读徐昭文《资治通鉴纲目考证》则“涣然冰释”，认为其书也有关世教。[①] 徐昭文本人对其书《资治通鉴纲目考证》也有自序，他认为朱子的《资治通鉴纲目》是祖《春秋》而修，“所以示天下后世不易之大法”。他针对当时诸刊本纲与凡例多有不合，“本大贤之立言，摭诸儒之同异，反覆订定，补漏正误，注于各提要之下，间亦窃附己意，以明君臣父子之教、夫妇嫡庶之别、正统无统之名、内夏外裔之分、外戚养子之祸、女宠宦寺之权”[②]，他想要推广朱子述作之本义。

由宋入元后隐居不仕的王炎午为了“褒拔亡国节义者”而给参政姚燧写信，信中涉及对史馆采摭局限性的批评，他提到：“盖史者托往事示方来，自天子至于庶人，皆以附美为荣，书恶为惧。然而书局于凡例，官限于专掌，尚书所记、耳目所接者始得书。深山长谷之间，匹夫匹妇善一言、介一行，系于风俗世道者，虽不求名，求亦何自入于史？或有干常犯义，则亦幸逃焉。于是大人君子悯善恶之两亡，伤劝惩之不立，为之立言，著其臧否，后世因其人信其言，而其文遂与史俱传。故史之所书，必朝野显著之迹；文之所记，多山林疏远之人，概可见也。”王炎午所写的这段文字表达的一个核心的内容是史之所记是有限的，原因在于史馆征集史料的途径不广，确实受到编纂凡例、官员权限

① 朱右：《资治通鉴纲目考证序》，李修生主编：《全元文》卷一五四八（第50册），凤凰出版社2004年版，第546–547页。

② 徐昭文：《资治通鉴纲目考证自序》，李修生主编：《全元文》卷一八一二（第59册），凤凰出版社2004年版，第425–426页。

及史官视野等多方面因素的影响，即使关系风俗世道的善言义行也难免遗漏，显然这是对官府修史采摭不全的批评。当然，他也提到这种情况补救的方法就是以文载史，“大人君子”担当起劝惩的责任，撰文书写那些为史所不载的人物事迹，以与史俱传后世。他希望当时主掌文史的姚燧能够留意征集史料，“拔幽振淹，访穷悼屈”，“大者考实奏闻，俾参竹帛；小者类聚褒表，俾得恩光，与高文俱传。其于化今传后，诚非小补”。[①] 显然，王炎午的建议关乎世教。

元代人正是基于对史书与其他文字不同的认识，重视史官的组织机构的建设，同时给予史官较高的地位。文臣黄溍所撰文章反映了这一点，他提到：

宰相之职掌，佐天子，正百官，于军国之政令无所不统。惟领史事，则特给印章，别设官属，而敕尾以之入衔，重其事也。……至元元年，始置翰林院。十三年，乃制授平章军国重事耶律公铸监修国史，建官实始于此。其后，恒以上相专综监修之务，或并命次相，则曰同监修，委任可谓重矣。若稽往制，词臣、史官班列不同，职掌亦异。今既合为一院，而史事独属之宰相者，盖纪录天地日月之祥、山川封域之分、昭穆继代之序、礼乐师旅之事、诛赏废置之政，布

① 王炎午：《上参政姚牧庵》，李修生主编：《全元文》卷五五六（第17册），江苏古籍出版社2000年版，第325-327页。

在方册，垂于万世，其所系之重，非它司比，抑可知也。[1]

值得注意的是，元代翰林国史院长官翰林学士承旨的品级不断提升也说明了元代的最高统治者对史官职责逐渐有了清楚的认识[2]。

力图使史学对社会发展产生积极影响也是辽夏金元时期史学批评表现出来的至为重要的倾向，因而当时的人们对批评对象的选择特别重视关乎治国理政内容的史书，如《贞观政要》《资治通鉴》，而他们的批评言论多是鉴戒思想的阐述，或者说辽夏金元的史学批评关注政治统治层面上的影响有着切实的政治目的。胡三省就曾这样评论《资治通鉴》："世之论者，率曰：'经以载道，史以记事，史与经不可同日语也。'夫道无不在，散于事为之间，因事之得失成败，可以知道之万世亡弊。史可少欤？为人君而不知《通鉴》，则欲治而不知自治之源，恶乱而不知防乱之术；为人臣而不知《通鉴》，则上无以事君，下无以治民；为人子而不知《通鉴》，则谋身必至于辱先，作事不足以垂后。乃如用兵行师，创法立制，而不知迹古人之所以得，鉴古人之所以

---

① 黄溍：《黄溍集》卷一三《监修国史题名记》，王颋点校本，浙江古籍出版社 2013 年版，第 494-495 页。

② 黄溍：《黄溍集》卷一三《翰林国史院题名记》记载："世祖皇帝中统元年，初设翰林学士承旨，官正三品。至元元年，乃建翰林国史院，而备学士等官。八年，院升从二品。成宗皇帝大德九年，院升正二品。仁宗皇帝亲揽御笔点定，置立学士承旨六员，学士、侍读学士、侍讲学士、直学士各二员。皇庆元年，院升从一品，迄今遵为永制。"（浙江古籍出版社 2013 年版，第 495 页）

失，则求胜而败，图利而害，此必然者也。”[①] 胡三省是深入研究《资治通鉴》的史学家，他把《资治通鉴》视为可以引导人君、人臣治国理政，指引人子修身齐家的必读之书。欧阳玄更是在评论史书的同时赞扬元朝的政策，比如他所撰《安南志略序》称：“玄窃有感：夫圣元至仁如天，一视遐迩，使南交君臣饩廪中土数十年，无秋毫羁旅之态，遂得悠游闲暇，肆笔辞章。既能图上本国地形，以及风宜土产人物之详，且于使介往还所得文字，悉著于编。向非帝德涵育之深，声教渐被之大，何自而臻是欤?”[②] 这是把黎崱著史与元朝一视同仁的民族政策联系起来，认为黎崱的“肆笔辞章”著《安南志略》是元朝“一视遐迩”“声教渐被”的结果，阐明史书编纂又岂是史学之事，其与国政君德密切相关。

二、以彰显史学文化为目的的史学评论

史书是史学文化的成果，这也是多数史官史家评论史书所持的观点。金代的王若虚评论了很多史书，他用史学标准去看待它们的是非短长。比如他有一条评论说：“班固《汉书》删润迁史往往胜之，然亦有反不及者，如《史记》高祖闻田横死，曰：‘嗟乎！有以也夫。起自布衣，兄弟三人更王，岂非贤乎哉!’

---

① 胡三省：《资治通鉴音注序》，李修生主编：《全元文》卷二五七（第8册），江苏古籍出版社1998年版，第263页。

② 欧阳玄：《安南志略序》，《欧阳玄全集》，汤锐校点整理本，四川大学出版社2010年版，第587-588页。

《汉书》但云：‘嗟乎，有以！起布衣。’其语太简，读之殆不可晓也。”[1] 这是针对具体史文比较《史记》《汉书》，意在举例说明史文表述的规范问题。元好问在其所撰《陆氏通鉴详节序》和《集诸家通鉴节要序》都给予《资治通鉴》“百代不刊之典”的评价[2]。显然，元好问突出强调的是《资治通鉴》在学术上的价值。元人魏初至元年间所上的一则奏章也关涉史学文化的传承，其文曰：“照得唐制，宰相修时政记，月送史馆。又起居郎，天子御正殿，则对立于殿下，有命则临陛俯听，退而书之，以为‘起居注’，凡册命、启奏、封拜、罢免悉载之。史院尝钦奉圣旨，修纂祖宗事迹。恭惟主上即位以来，立宗庙，议礼乐，定官制，百度修举。今两省、台院及修起居注，凡有军事大政并册命、启奏、封拜、罢免等事，合从中统建元及今见行事理，逐月送付史院，以修实录，则主上之丰功盛烈有以光耀万世，亦臣下所当为者。”[3] 这是旨在完善修史制度的建言，是以唐代修史制度为典范，而建议建立元代官府重要文献的递送制度，为修本朝实录提供可靠准确完整的史料。

赵孟頫所撰《叶氏经疑序》认为阅读经书有疑问正是用心钻研的结果，有益于增长学问、深化相关研究。他说：“大凡读书不能无疑，读书而无所疑，是盖于心无所得故也。无所得则无

---

① 王若虚：《滹南遗老集》卷二〇《诸史辨惑（上）》，胡传志、李定乾《滹南遗老集校注》本，辽海出版社 2006 年版，第 213 页。

② 元好问：《陆氏通鉴详节序》《集诸家通鉴节要序》，张金吾编纂：《金文最》卷四二，中华书局 1990 年版，第 611、615 页。

③ 魏初：《奏章》，李修生主编：《全元文》卷二六三（第 8 册），江苏古籍出版社 1998 年版，第 423 页。

所思，不思矣，何疑之有？此读书之大患也。善读书者，必极其心思，一字不通，弗舍之而求一句。一句不通，弗舍之而求一章。一章不通，弗舍之而求一篇，夫如是，则思之深，思之深则必有疑，因其疑而极其心思，则其有得也。凡书皆然，经为甚，何者？六经其来最古，传之久而讹谬生焉。以今人而臆度古人，吾见其不能矣，则夫疑之多也何怪？通川叶君白首于六经，凡有疑皆萃而为一编，其疑之浅深未易遽释，而其所以疑者，有以见叶君之用心于经书，而非泛泛口耳之学所可同年而语矣。"① 这段评论反映出他所提及的叶君是有批判精神的学者，在当时普遍尊奉经书的背景下，他能对经书提出质疑且汇集成编实属不易。赵孟頫以赞赏的口吻叙述叶君所作所为，表明他与通常信奉经书神圣而不疑的儒者不同，他对经书有疑问更显其鉴识。可以明确，赵孟頫的这段评论是基于学术传承发展而展开的。

元末辽、金、宋三史的编纂引起了朝野内外普遍的关注，刘岳申所拟的策问也涉及修三史问题："或曰：'修《辽》《金史》当如欧公之《五代史》，修《宋史》当如欧公之《唐书》，以司马迁、班固之笔力而用司马公、朱文公之法程。'然欤，否欤？""或曰：'史馆以法祖宗监前代为重，公天下之是非，定万世之得失，当如《书》《春秋》之制作而后可。'此其要安在？"② 如此提问，表明发问者对史学文化传承过程中出现的新的情况有所

---

① 赵孟頫：《赵孟頫集》，钱伟强点校本，浙江古籍出版社 2012 年版，第 179-180 页。

② 刘岳申：《策问三史》，李修生主编：《全元文》卷六六一（第 21 册），江苏古籍出版社 2001 年版，第 393 页。

思考，也反映出发问者希望得到对现实具有指导意义的史学批评见解。袁桷长期供职史馆，他认为修宋、辽、金三史是大统一的元朝理应承担的责任。他撰有《修辽金宋史搜访遗书条列事状》，表明自己对修前代史的态度和意见：

伏睹先朝圣训，屡命史臣纂修辽、金、宋史，因循未就。推原前代亡国之史，皆系一统之后史官所成。若齐、梁、陈、隋、周五代正史，李延寿《南北史》、房玄龄等《晋书》，或称御撰，或著史臣，此皆唐太宗右文稽古，数百年分裂事志，悉得全备。至宋仿依唐世，爰设官局，以成《唐书》。是则先朝屡命，有合太宗文明之盛，卑职生长南方，辽、金旧事，鲜所知闻。中原诸老，家有其书。必能搜罗会稡，以成信史。

窃伏自念：先高叔祖少傅正献公燮，当嘉定间，以礼部侍郎、秘书监专修宋史，具有成书。曾祖太师枢密越公韶，为秘书著作郎，迁秘书丞，同预史事。曾叔祖少傅正肃公甫，吏部尚书商，俱以尚书修撰实录。谫薄弱息，获际圣朝，以继先躅。宋世九朝，虽有正史，一时避忌。今已易代，所宜改正。昔司马迁、班固，皆以父子相传，遂能成书。刘知幾、刘餗、刘赞，咸以家世旧闻，撰成《史通》《史例》。辄不自揆，庸用条析，兼本院宋朝名臣文集，及杂书纪载，悉皆遗缺，亦当著具书目，以备采择者。[①]

袁桷的陈述情真意切，他主要表达了两层意思：其一，后代纂修前代之史是一个优良的史学传统，也是统一时代右文政策的体现，元朝应该传承这一传统并成就文明之盛。其二，他出身史学世家，愿意效仿司马迁、班固、刘知幾家族，把史学作为事业，能够参与完成修史的工作。这段文字是他自觉的史学意识的表达。

元代史家关于史书义例问题的讨论也有文化传承的考虑。苏天爵因读孙季昭“上周益公请改修《三国志》书稿”而发感慨说：“夫由汉昭烈至于国朝盖千余年，始则一习凿齿，次则宋南渡诸公，卒至郝公，始克成之，则知天理之在人心，万世不可泯也。然则后之修史者，义理之严，正闰之辨，其可不慎之哉。”苏天爵也重视辨别正统，他肯定了习凿齿《汉晋春秋》正陈寿之失、南宋诸公关于三国统绪的言论，包括孙季昭的上周益公书。他还表彰了郝经《续后汉书》之作的意义，所谓“正统绪，表忠贤，其有功于世教，盖甚大也”。[②]同时，他强调了修史应审慎对待义理、正闰问题。

《春秋》学在元代甚盛，关于《春秋》学成果的评议也是其时史学批评的重要成果。虞集所撰《春秋胡氏传纂疏序》褒扬

① 袁桷：《修辽金宋史搜访遗书条列事状》，杨亮校注：《袁桷集校注》，中华书局2012年版，第1844-1845页。

② 苏天爵：《滋溪文稿》卷二九《题孙季昭上周益公请改修三国志书稿》，陈高华、孟繁清点校本，中华书局1997年版，第488页。

了两部《春秋》学成果在传承《春秋》学术方面的贡献，其一是胡文定公的《春秋传》，其二是汪克宽的《春秋胡氏传纂疏》。虞集肯定胡氏书："盖其学问之有源，是以义理贯串，而辞旨无不通，类例无不合。想其发愤忘食，知天下之事必可以有为，圣人之道必可以有立，上以感发人君天职之所当行，下以启天下人心之所久蔽，区区之志，庶几夫子处定、哀之间者乎？"他称赞汪克宽书："夫读一家之书，则必尽一家之意。所以为善学也，推广以达乎经。"① 虞集所撰《经世大典序录·应制》论及历代典章制度史的编纂有言："窃观《唐会要》始于苏冕，续于崔铉，至宋王溥而后成书。《宋会要》始于王洙，续于王珪，至汪大猷、虞允文，二百年间三修三进。窃惟祖宗之事业，岂唐、宋所可比方？而国家万万年之基，方源源而未已。今之所述，粗立其纲，乃若国初之旧闻，以至四方之续报，更加搜访，以待增修。"② 虞集历数典志体史书的编纂接续不断，进而指出《经世大典》也需要不断增修，其实也是在言史学传承。欧阳玄所撰《进经世大典表》更表达了元人对学术传承的重视及对史学传统的认同，所谓："是以秦汉有掌故之职，唐宋有会要之书。于以著当代之设施，于以备将来之考索。"文中也讲明《经世大典》是承前启后之作，即"百数十年之治迹，固大略之仅存；千万

---

① 虞集：《春秋胡氏传纂疏序》，《虞集全集》，王颋点校本，天津古籍出版社 2007 年版，第 482 页。

② 虞集：《经世大典序录·应制》，《虞集全集》，王颋点校本，天津古籍出版社 2007 年版，第 471 页。

亿世之宏规，在鸿儒之继作”[①]。应该说欧阳玄意在阐发《经世大典》作为史书的文化价值，即它们不仅承载过往历史，传承文明，同时也能沟通古今，预知未来，不同于其他书籍。

史官、史家之笔法的批评同样关乎史学传统的弘扬。由宋入元的刘埙在其所撰《哀鉴题辞》中阐述了他对史学、史笔的见解，他把史学视为前后相承的事业，不应因世道变化而中断。他认为：“盖虽运祚迁革，官守缺废，而山阿涧隈，雅人则士，执南董之笔，以赏忠逆者，自不随世以磨灭。其事核，其言公，异时圣王有作，治定职举，搜讨旧闻，于以备成一代之史，往往或取诸此。此所以虽当乱世，而山林载笔常秩如也。”[②] 袁桷关于史笔也有论述，他说：“褒贬论《春秋》，解经者失之。作史者祖之，则益失其旨矣。宋祚历三百余年，经国之纲领，治迹之盛衰，实书以示后，其义自见。深文巧避，多出其子孙。而为国讳者，掩而益彰，沿袭不决，何以传信?”[③] 此言表明，秉持直书原则而追求信史是袁桷所认为的最基本的著史本分。袁桷在《谢阎学士》一文中也论及史官的素养问题：“维班、马之良，不能继获麟之笔；而燕、许之体，难以推倚马之才。艺不两能，物无全美。笔则笔，削则削，非曲学之可为；见所见，闻所闻，恐直情而难致。古有斗米而作传，近多千金以致词。好恶成一己

① 欧阳玄：《进经世大典表》，《欧阳玄全集》，汤锐校点整理本，四川大学出版社 2010 年版，第 368-369 页。

② 刘埙：《哀鉴题辞》，李修生主编：《全元文》卷三四五（第 10 册），江苏古籍出版社 1998 年版，第 310 页。

③ 袁桷：《曹士弘墓志铭》，杨亮校注：《袁桷集校注》，中华书局 2012 年版，第 1361 页。

之私，褒贬失当时之实。掩长卷以窃叹，抱遗经而自娱。故魏收以轻薄寡才，咸称秽史；王通虽隐沦不仕，独著元经。”[①] 袁桷的字里行间透着批判、辩证地看待史官的能力，他其实也讲到古今史官都很难达到才学识兼具，尤其是难以摒弃私意而达到客观公正。杨维桢在其所撰《历代史要序》中不仅肯定了袁举的《历代史要》贯穿古今，即将一千六百七十三年（自周威烈王二十三年戊寅，讫赵宋德祐二年丙子）间君臣、父子、夫妇、师友、王伯、华夷，善可为法、恶有可戒者，“节取至要，类而次之”，还表达了对其笔法的赞赏：“其有汉晋隋唐遗事，则逐年编次，以备旁考。其正统闰位之余，伏节死义之士，引身遁世之流，深致意焉。他若贪墨者之戮辱，清修者之庆赏，系于世教彝伦者修著惩劝。苏氏父子、曾氏兄弟、致堂、止斋、起莘诸议论，或有未安，则又裁以己断，其补睽违正之差爽，功亦有矣。”另外，他也感慨道：“余惟太史公以父作子述之业，续为圣人麟笔之绝，后代作者取则焉。然犹篇章疏紊，词义踳驳，君子病之。温公《通鉴》用编，是非疑似，皆有辩论，而于正统之辩，则有所未暇，亦不能逃议于识者。史学之难，尚矣！近有稗史乘阙而起，体要罔闻，书法全昧，徒费楮墨，无关政教。吁，世无欧阳子、范太史者作，何国史之不幸耶！”[②] 杨维桢的批评可能因其过于推崇《春秋》笔法和正统之分而有片面性，

---

① 袁桷：《谢阁学士》，杨亮校注：《袁桷集校注》，中华书局2012年版，第1730页。

② 杨维桢：《历代史要序》，李修生主编：《全元文》卷一三三七（第42册），凤凰出版社2004年版，第519-520页。

但他重视史学文化的传承还是值得肯定的。

元末学者赵汸在其所撰《题三史目录纪年后》曾论及作史之难，他说："作史之难尚矣。司马迁、班固纂其家学，范煜、欧、宋润色成书，皆历年之久而后克就，其揽取该备固宜。又汉唐惟吏治武功最盛，是非易明。然而王勃、刘子玄辈搜讨摭拾其间，犹未已也。陈寿而降，盖无几焉。"在赵汸看来之所以作史难，历史的内容包罗丰富，囊括有难度，且史料有缺，"欲措诸辞而不失者，亦难矣哉"[①]。赵汸还在其所撰《书赵郡苏公所藏经史遗事后》中论及官、私史书在思想方面的区别：

> 眉山公有云："文字议论，是非予夺，难与人合，甚于世事。"借令公被命入书局，果无昔人头白汗青之诮，而函承旨意，敏于撰述，有如今日之所就者乎？汸所不能必也。善乎资中黄先生之言曰："制作之文，上关天运，非可以私意苟且傅会其间者。"然则网罗遗逸，成一家言，藏诸名山，以俟后之君子，将不在于公乎？[②]

这里提及资中黄先生当是赵汸早年从学的黄泽。赵汸赞同眉山公苏轼关于文字议论往往难与人合的看法，也赞赏黄先生关于官府制作之文"非可以私意苟且傅会其间"的说法，赵汸所言

① 赵汸：《题三史目录纪年后》，李修生主编：《全元文》卷一六七〇（第54册），凤凰出版社2004年版，第519页。

② 赵汸：《书赵郡苏公所藏经史遗事后》，李修生主编：《全元文》卷一六七〇（第54册），凤凰出版社2004年版，第521页。

理清了官史、私史所包含的思想内涵：私人修史可以申明自己的独到见解，官府修史难以体现史官个人私意，而必符合“天运”。言外之意，无论官私史书，思想性都应特别重视，只是所代表的一个是私人的观点，一个是官方的意见。虽然赵汸所言旨在分辨官、私两种类型史书的思想倾向，但也说明史书不同于一般文字，须有立场观点贯彻其中。他在批评中阐述了史学撰述的重要性和思想性，强调将难而重要的修史工作做好须仰仗有责任、有能力的史官、史家。

元末姜漸论学术传承有言：“前无作者，非圣贤不能造其端，后无作者，非君子不能述其事。则夫法圣贤之业，述君子之志，固学者事也。昔者圣人因鲁史以作《春秋》，以为百王之大经。子朱子上法乎《春秋》，下取乎左氏，因温公之《通鉴》以为《纲目》，可谓善述圣人之事矣。”[①] 他把《春秋》视为根本，认为《资治通鉴》取法乎《春秋》而作，《资治通鉴纲目》则因《资治通鉴》而作，把三本不同时期的史书联系起来，表明了他把《资治通鉴》《资治通鉴纲目》受《春秋》影响视为相接续的法圣贤之业。姜漸也把其友人陈桱之书《通鉴续编》看作《资治通鉴纲目》的续作。他为《通鉴续编》作序称：“四明陈君子经，因三史之成书，取法乎《纲目》，起宋迄元，类为《续编》，凡若干卷，概用宋纪之凡，参取辽金之要。若乃太平兴国之混一，本之紫阳《语录》之微言；建炎绍兴之大书，法

① 姜漸：《通鉴续编序》，李修生主编：《全元文》卷一七七六（第58册），凤凰出版社2004年版，第371页。

乎晋元中兴之特笔。”[①] 姜渐肯定了陈桱为推扬《资治通鉴纲目》所做出的努力及贡献。按照周伯琦《通鉴外纪序》的记述，陈家三代致力传承史学文化，“子经之大父讳著，字子微，宋秘监知台州，精于史学。晚岁家居，撰《历代统纪》以淑子弟。父讳泌，字汝泉，尝为校官，有名，又传记注统千百言，至于子经盖三世矣。子经又尝集前代事迹为笔纪百卷，与此编互相发明，其绩学讨论固非一日矣”[②]。

王袆学兼文史，他在其所撰《浦阳文艺录叙》中所言史书载文涉及有关史学文化影响的认识。他说：“历代史家于凡文籍，既删其要而备著之，为志曰‘艺文’，而文学之士复采而列之为传，曰‘文艺’。志以著其人之文，传以列能文之人也。然而志之所著，第存其文之名目，传之所列，特叙其人之行能而已。夫史者一代之书，无所不载者也，于文人之文，有难于具载，是以司马迁、班固诸家，间尝即其人之传而附录其文之一二。后之君子，有志史学而心存至公者，于郡邑之间，取古今人之文而录之，使其人恃是以不朽，岂非史家之遗意乎？”[③] 王袆的这段议论阐述了史书载文方面的体例规范及其对其他文献的影响。王袆的《章氏族谱序》则对氏族谱的源流作了梳理，他从氏族谱的发展及其与史学的关联阐释了氏族谱的重要及其发展演

① 姜渐：《通鉴续编序》，李修生主编：《全元文》卷一七七六（第58册），凤凰出版社2004年版，第371页。

② 周伯琦：《通鉴外纪序》，李修生主编：《全元文》卷一三八八（第44册），凤凰出版社2004年版，第538页。

③ 王袆：《王忠文公文集》卷五《浦阳文艺录叙》，《王袆集》，颜庆余点校本，浙江古籍出版社2016年版，第134页。

变的历程，[1] 可以说强调的也是谱牒编纂的传承发展。

从有限的史料看，辽夏金元时期的政治家和士人的史学批评，主旨在于推动史学的规范发展，三朝实录、《经世大典》、辽宋金三史等的编纂完成无不与史学批评的开展息息相关。还需要指出的是，无论是讨论史笔，还是评价史书、拟定史例，此时期的人们都具有包容的胸襟，彰显着一个多民族文化交融的时代的宏大气概，可以肯定的是，辽夏金元时期虽然少见史学理论方面较为系统精深的成果，但他们在史学实践层面上的广泛探讨同样传承中国史学求真和经世的传统，为保持中国史学的连续性做出了重要贡献。

三、旨在推进史学批评发展的理论探讨

辽夏金元人史学批评的开展也有以推进历史编纂学的进步为目的的理论探讨，最有代表性的人物就是王若虚。

王若虚的史学批评对当代和后世历史编纂学都产生了一定的影响。元好问称赞他说："经解不善张九成，史例不取宋子京，诗不爱黄鲁直。著论评之，凡数百条，世以刘子玄《史通》比之。"[2] 四库馆臣评论说："《〈史记〉辨惑》《诸史辨惑》《〈新唐书〉辨》皆考证史文，掊击司马迁、宋祁似未免过甚，或乃毛举细故，亦失之烦琐。然所摘迁之自相牴牾与祁之过于雕斫，中

---

① 王祎：《王忠文公文集》卷五《章氏族谱序》，《王祎集》，颜庆余点校本，浙江古籍出版社 2016 年版，第 143-144 页。

② 元好问：《内翰王公墓表》，狄宝心校注：《元好问文编年校注》，中华书局 2012 年版，第 746 页。

其病者亦十之七八。”① 王若虚通过评判《史记》《汉书》《后汉书》《南史》《北史》《旧唐书》《新唐书》等明确表达的认识归纳起来有如下几点：

其一，正史诸体例的设立要有标准，取舍要遵从义理。对于《史记》的类例，王若虚不赞同设“世家”，在他看来，《史记》的“世家”不伦不类。他质疑说：“诸侯有国称君，降天子一等耳，虽不可同乎帝纪，亦岂可谓之世家？且既以诸侯为世家，则孔子、陈涉、将相、宗室、外戚等，复何预也？抑又有大不安者，曰纪、曰传、曰表、曰书，皆篇籍之目也，世家特门第之称，犹强族大姓云尔，乌得与纪传字为类也。”② 王若虚也反对“世家”和“列传”附见大事纪。他认为这样做会使文字很乱，且与义理无关。他说：“夫左氏编年，本纪诸国之事，或先经以始事，或后经以终义，互相发明，故可也。如迁史者，各有传记，足以自见，何必尔耶？……《鲁世家》有云‘往年冬，晋杀其君厉公’，《孔子世家》有云‘明岁，子路死于卫’，《子路传》有云‘是时，子贡为鲁使于齐’，《魏世家》有云‘其后十四岁而孔子相鲁’。夫当年事且不宜附，而又及往年、明岁、同时、十数年之后者，何耶？”③ 可见，王若虚批评司马迁设例的主要原因在于他认为《史记》体例不够严谨，尤其是“世家”，

---

① 永瑢等：《四库全书总目》卷一六六《集部·别集类一九》“滹南遗老集”条，中华书局1965年版，第1421页。

② 王若虚：《滹南遗老集》卷一一《〈史记〉辨惑（三）取舍不当辨》，胡传志、李定乾《滹南遗老集校注》本，辽海出版社2006年版，第146页。

③ 王若虚：《滹南遗老集》卷一一《〈史记〉辨惑（三）取舍不当辨》，胡传志、李定乾《滹南遗老集校注》本，辽海出版社2006年版，第146-147页。

无论是人物选取还是内容记述都不够整齐。

其二，纪传体正史中历史内容的排列分布要尽量合理，避免重复，同时也要注重内容与所写人物的关联性。这其实涉及的是史书的编次问题。王若虚对《史记》吕后的记述有评论说：“吕后之名，既列于本纪，其事迹始末，亦随处具见。而《外戚世家》又云‘吕娥姁为高祖正后，男为太子’及戚姬等事，恐不须也。若唐武氏事迹猥多，记（纪）中所不可悉，故再入后妃传，其例自别。”[①] 在他看来，唐代武后自是特例。王若虚关于同时共事的人物事迹的记述归属问题也有不同于司马迁的看法，他认为：“《张汤传》云：‘赵禹为人廉倨，为吏以来，舍无食客。公卿相造请禹，禹终不报谢，务在绝知友宾客之请，孤立行一意而已。见文法辄取，亦不覆案，求官属阴罪。’此段与汤事非必相须，亦止当并于《禹传》。至廉颇、赵奢、张苍、周昌、魏其、武安等传，皆是类也。”[②] 他也指出了《史记·律书》涉及兵事的不当[③]。当然，现代学者研究认为，《史记·律书》实是后人将《史记》亡缺的《兵书》与《律历书》拼合而成[④]。他也指出汉代黄霸曾经为相，《汉书》不当归其为《循吏传》，

---

① 王若虚：《滹南遗老集》卷一一《〈史记〉辨惑（三）取舍不当辨》，胡传志、李定乾《滹南遗老集校注》本，辽海出版社 2006 年版，第 149 页。

② 王若虚：《滹南遗老集》卷一一《〈史记〉辨惑（三）取舍不当辨》，胡传志、李定乾《滹南遗老集校注》本，辽海出版社 2006 年版，第 151 页。

③ 王若虚：《滹南遗老集》卷一一《〈史记〉辨惑（三）取舍不当辨》，胡传志、李定乾《滹南遗老集校注》本，辽海出版社 2006 年版，第 151 页。

④ 王若虚：《滹南遗老集》卷一一《〈史记〉辨惑（三）取舍不当辨》，胡传志、李定乾《滹南遗老集校注》本，辽海出版社 2006 年版，第 152 页注［5］。

而应附在韦贤、匡衡等传。[①] 对于《南史》《北史》均有梁鄱阳王萧宝寅事，他认为《南北史》为一书，应当只记于《北史》，而且关于人名《南史》作“寅”，《北史》作“夤”，应该“从一”[②]。王若虚对于《旧唐书》既有《王求礼》专传，又在类传《忠义传》中记载他的事迹提出批评，他说：“虽繁简不同，要之不当重立。求礼刚直敢言，固有可嘉，而遂概之忠义，亦非其例也。”[③]

其三，史官立论要以褒贬劝惩为务。王若虚以此为标准批评了《史记》的一些议论。比如，他说：“迁之赞田完，徒谓易术幽明，‘非通人达才，孰能注意’，此固不必道者，而又云：田乞及常所以比犯二君，专齐国之政，非必事势之渐然也，盖若遵厌兆祥云。则乱臣贼子皆得以天命自解而无所惩矣。岂史氏之所宜言乎？”[④] 他认为《史记·项羽本纪》的赞语：“吾闻之周生‘舜目盖重瞳子’，又闻项羽亦重瞳子。羽岂其苗裔耶？何兴之暴也！”是鄙陋之论。他驳斥说：“人之形貌，容有偶相同者。羽出舜后千有余年，而独以此事，遂疑其为苗裔，不亦迂乎？商均，舜之亲子，遗体在焉，然不闻其亦重瞳也。而千余年之远裔，乃必重瞳耶？周生何人？所据何书？而上知古帝王之形貌？

---

① 王若虚：《滹南遗老集》卷二〇《诸史辨惑（上）》，胡传志、李定乾《滹南遗老集校注》本，辽海出版社2006年版，第216页。

② 王若虚：《滹南遗老集》卷二一《诸史辨惑（下）》，胡传志、李定乾《滹南遗老集校注》本，辽海出版社2006年版，第225页。

③ 王若虚：《滹南遗老集》卷二一《诸史辨惑（下）》，胡传志、李定乾《滹南遗老集校注》本，辽海出版社2006年版，第227页。

④ 王若虚：《滹南遗老集》卷一二《〈史记〉辨惑（四）议论不当辨》，胡传志、李定乾《滹南遗老集校注》本，辽海出版社2006年版，第154页。

正复有据，亦非学者之所宜讲也。夫舜以元德升闻，四岳荐之，帝尧试之，上当天心，下允众望，然后践天子之位，其得之固有道矣，岂专以异相之故而暴兴者哉？使舜果由此而兴，则羽之成功亦应略等，奚其不旋踵而剿灭也？迁轻信爱奇，初不知道，故其谬妄每如此。后世状人君之相者，类以舜瞳为美谈，皆史迁之所启。而后梁朱友敬自恃重瞳，当为天子，因作乱而伏诛，亦本此之误也。悲夫！”① 王若虚认为司马迁有些议论的导向作用有消极影响。王若虚的立场很明确，他极力维护其时代社会的等级秩序，与敢于揭示社会矛盾且具有反抗精神的司马迁的分歧是明显的，司马迁对历史人物有同情心，所作的评论有时是带有情感色彩的，王若虚则俨然如判官，他就曾讲过：“史书，法言也。”② 他因此强调作史者的议论不可不慎。

其四，史文要“平淡纪实”。王若虚关于《史记》《新唐书》等的批评，涉及史文表述方面的问题相当多，在他看来《新唐书》史文表述最不合规范。他在《〈新唐书〉辨》开篇就提到：

作史与他文不同：宁失之质，不可至于芜靡而无实；宁失之繁，不可至于疏略而不尽。宋子京不识文章正理而惟异之求，肆意雕镌，无所顾忌，以至字语诡僻，殆不可读。其

① 王若虚：《滹南遗老集》卷一二《〈史记〉辨惑（四）议论不当辨》，胡传志、李定乾《滹南遗老集校注》本，辽海出版社 2006 年版，第 156 页。

② 王若虚：《滹南遗老集》卷一一《〈史记〉辨惑（三）取舍不当辨》，胡传志、李定乾《滹南遗老集校注》本，辽海出版社 2006 年版，第 146 页。

事实则往往不明，或乖本意，自古史书之弊，未有如是之甚者。呜呼！笔力如韩退之，而《顺宗实录》不惬众论。或劝东坡重修《三国志》，而坡自谓非当行家不敢当也。以祁辈奇偏之识而付之斯事，非其宜矣。[①]

王若虚这段话表明了他对史书文字表述基本规范的认识，即史文讲究文采以不失实为原则，史文繁简以能全面表达文意为基准。从根本上说，王若虚认为史文表述要符合历史的实际，他对宋子京写人物状貌添加描述性语言提出了批评，他说："凡状貌之辞，非亲见者不可道。子京史官，追记传闻之事，而每喜此等。或云'谈王伯衮衮不厌'，或云'其议论缅缅可听'，或云'介介自修'，'棱棱有风岸'，'侃侃不干虚誉'，'介介不至显官'，皆过也。"[②] 也就是说，他主张史官追记历史，非所亲见，应避免想象，少加文饰。他也曾讲："史传中间，有不避俗语者，以其文之则失真也。"[③] 王若虚也探讨了《新唐书》出现文字表述"失真"的原因，他说："古人文字中时有涉俗语者，正以文之则失真，是以宁存而不去。而宋子京直要句句变常，此其所以多戾也。"[④] 王若虚也在其所作《文辨》中提到："凡人作文

① 王若虚：《滹南遗老集》卷二二《〈新唐书〉辨（上）》，胡传志、李定乾《滹南遗老集校注》本，辽海出版社2006年版，第232页。

② 王若虚：《滹南遗老集》卷二四《〈新唐书〉辨（下）》，胡传志、李定乾《滹南遗老集校注》本，辽海出版社2006年版，第270页。

③ 王若虚：《滹南遗老集》卷三七《文辨（四）》，胡传志、李定乾《滹南遗老集校注》本，辽海出版社2006年版，第433页。

④ 王若虚：《滹南遗老集》卷二四《〈新唐书〉辨（下）》，胡传志、李定乾《滹南遗老集校注》本，辽海出版社2006年版，第270页。

字，其它皆得自由，惟史书实录、制诰王言，决不可失体。世之秉笔者，往往不谨，驰骋雕镌，无所不至，自以为得意，而读者亦从而歆羡，识真之士，何其少也？”[①] 至于史文繁简问题，王若虚赞同北宋人刘器之的看法，“文章岂有繁简？要当如风行水上，出于自然。不出于自然而有意于繁简，则失之矣”[②]。他认为史文不可简略过度而使文意不明。他对《新唐书》列传中多次出现因文字过于简省而含意不明颇为反感。比如，“《通鉴》云：索元礼与万国俊竞为讯囚酷法，或以椽关手足而转之，谓之‘凤凰晒翅’；或以物绊其腰，引枷向前，谓之‘驴驹拔橛’。又有‘仙人献果’‘玉女登梯’之状。《新唐·元礼传》但载其一，云好‘晒翅’。不知晒何翅也！”[③]对于文字繁简，他也曾表达这样的意思：“为文字语虽贵简，而有不得简者。”[④] 可以肯定，王若虚对史书文字表述尚简的原则还是赞同的，但他认为一味追求文字简省而使文意受损的做法是不可取的。刘祁的《归潜志》曾提到王若虚“平日好平淡纪实”，因此他在史馆与翰林应奉兼编修官雷希颜“多纷争”，因为雷希颜崇尚“奇峭造语”[⑤]。可见，在史书文字表述上追求平实是王若虚一贯的主张。

---

① 王若虚：《滹南遗老集》卷三七《文辨（四）》，胡传志、李定乾《滹南遗老集校注》本，辽海出版社2006年版，第426页。

② 王若虚：《滹南遗老集》卷二二《〈新唐书〉辨（上）》，胡传志、李定乾《滹南遗老集校注》本，辽海出版社2006年版，第233页。

③ 王若虚：《滹南遗老集》卷二二《〈新唐书〉辨（上）》，胡传志、李定乾《滹南遗老集校注》本，辽海出版社2006年版，第240页。

④ 王若虚：《滹南遗老集》卷二三《〈新唐书〉辨（中）》，胡传志、李定乾《滹南遗老集校注》本，辽海出版社2006年版，第253页。

⑤ 刘祁：《归潜志》卷八，崔文印点校本，中华书局1983年版，第89页。

王若虚认为史家作史应讲究字斟句酌，他对《新唐书》列传中用字、用语的不准确多有指责。当然，他的有些指责过细，也倾向于固守传统。他认为古人成言不可随意更改，指出宋祁不遵守前人用语规范而导致意思不完整或不明确，甚至背离实际的危害最为严重。在他看来，不恰当的文字表述，可能会引起事实不明。他以事实明晰与否来审视两《唐书》，认为《新唐书》绝对不如《旧唐书》，他说："子京讥旧史猥醨不纲，而以传远自许。今之学者类皆歆艳以为新奇，旧史几废。刘器之尝言'二书各有短长，未易优劣'。以愚观之，旧史虽陋，犹为本分，且不失当时之实，宁无新书可也。"① 他也有评论说："扬雄之经，宋祁之史，江西诸子之诗，皆斯文之蠹也。"②

综上，王若虚的批评关注点较多，既有史料选择运用问题，还有史书结构安排及编次问题，更有秉笔者议论及文字表述问题，反映了一个长期供职于史馆的史官在历史编纂方面的思索和认识。王若虚的研究也引发了同时代人的思考，李治（或写作李冶）在所撰《滹南遗老集引》中讲："夫言生于人心，心既不同，言亦各异其在彼也一是非，其在此也一是非。……自秦火以来，汉武帝表章六经，不谓无功于圣人。然诸儒曲学，往往反为所汩，陵迟至于唐、宋，人自为说，虽其推明隐奥为多，其间踳驳淆混，诖误后生，盖亦不少。顾六经且如是，况百家乎？子

① 王若虚：《滹南遗老集》卷二二《〈新唐书〉辨（上）》，胡传志、李定乾《滹南遗老集校注》本，辽海出版社2006年版，第234页。

② 王若虚：《滹南遗老集》卷三七《文辨（四）》，胡传志、李定乾《滹南遗老集校注》本，辽海出版社2006年版，第433页。

长，实录也，刘子玄黜其烦；孟坚，巨笔也，刘贡父刊其误；子京，俊才也，刘器之病其略。顾史氏且如是，况杂述乎！然则有人于此品藻其是非，觌缕其得失，使惑者有所释，郁者有所伸，学者有所适从，则其泽天下也，不既厚矣乎?"[①] 李治充分肯定了王若虚的"议论之学"的补缺意义及解惑价值。

戴表元关于史学批评也有理性的思考，他指出："作史如法家，详文著义，而使人自避；论史如礼家，辨驳众难，而一归于是。二者之道，可相起而不能相为也。"[②] 这句运用对比、类比概括了史学批评的主旨，戴表元关于作史与论史的区别，强调了论史于辨驳众难的同时申明正确的认识。

第三节　史学批评开展的意义

一、推进多民族史学规范发展

关于史学批评对史学发展的影响，瞿林东指出："史学的进步与发展，或隐或显，总伴随着史学批评。"[③] 辽夏金元史学的发展也确实得益于史学批评的推动。作为以少数民族为主建立的多民族政权，契丹、党项、女真、蒙古在立国之前尚无史学可言，立国之后适应国家发展的需要，史学渐兴，然而修史活动对

---

① 李治：《滹南遗老集引》，王若虚：《滹南遗老集》卷首，胡传志、李定乾《滹南遗老集校注》本，辽海出版社 2006 年版，第 1 页。

② 戴表元：《剡源集》卷一九《题王理得山中观史吟后》，《戴表元集》，陆晓冬、黄天美点校本，浙江古籍出版社 2014 年版，第 395 页。

③ 瞿林东：《史学与史学评论》，安徽教育出版社 1998 年版，第 334 页。

于契丹人、党项人、女真人、蒙古人来说是一个全新的事情，效仿和学习前代修史制度以确立本朝的史学规范是必然的。在其史学实践中，一些汉族士人参与其中并发挥了积极引领的作用，少数民族执政者和史官也通过与汉族文臣、史官的沟通及阅读历史文献典籍而获得启发，进而与汉人史官达成一定的共识。从前述提到的他们的言论看，中国历史上长期积淀而成的史学基本原则——直书，以及中国史学经世致用的优良传统都被契丹、女真、党项、蒙古族、鲜卑后裔等少数民族有识之士所看重，并加以理解吸收，择要而从。遵循“书法无隐”、注重史书采撰的求全、弃奇，史文表述的求真和史官评论的公正，以及发挥史书资政和教化的功用，诸如此类均成为当时史家、史书的评判标准和特别强调的史学观念。应该说，少数民族统治上层的立场、观点在辽夏金元时期占有突出重要的地位。作为皇帝的辽兴宗、海陵王、金世宗、元顺帝，作为史官、文臣的萧韩家奴、耶律孟简、耶律履、元好问、赡思等人，他们或是最高统治者或是有较高社会地位的文臣，凭借他们的权威和社会影响力，使辽夏金元史学得以沿着正确的方向发展，因为他们往往是政策的制定者，或是史书的编纂者、审阅者。可以肯定，他们的思想认识为辽夏金元史学的发展制定了基调，确定其史学的基本走势。从这层意义上说，他们的史学批评显然具有指导实践的积极意义。

从一些具体史书的批评也能看出，批评者有时意在通过批评纠正不符合规范的做法。比如，王若虚即以举例的形式申明史学规范应当如何。索元岱为《金陵新志》作序，开篇就对郡志存在的问题提出了批评："郡志之见于世亦多矣，其间名是而实非，执此遗彼者，凡以其纪载有法，序事详密，使人如身履其地而目击其事者，则百不一二见焉。岂以其陵谷之变迁，事文之繁缛，故纪述有难详与？不然，何其可观者鲜若是哉。"索元岱的这段言论明确提出了郡志之书的标准："纪载有法"，"序事详密"，从而达到"使人如身履其地而目击其事"。也就是记述要有章法，在区域地理、事件的记述上有鲜明的特点。他也以此为标准审视《金陵新志》，对其中叙事给予肯定，但也点出还存在着"始详而终略者"[①]，这是针对具体郡志而提出的批评。杨敬德所作《赤城元统志序》所表达的批评类似，也是为了树立郡志的范例。文中指出赤城郡志经反复改作后，"千年之事"已经泯灭不清。杨敬德受命续修，因为他视郡乘为古侯国之史，所以他强调"传信"，他认为："若掩前人之直笔，而妄以己意损益其间，将何以传信。"他针对郡志的特点指出其内容大致要包括："著星土，辨躔次"；"奠山川，察形势"；"明版籍，任土贡"；"诠人物，崇节义"等。[②] 这样看来，杨敬德在遵从史笔规范的指导下所修郡志，既有史学价值，又兼具劝惩与明教化的目的，对其他郡志书具有启发意义。

① 索元岱：《金陵新志序》，李修生主编：《全元文》卷一四二四（第46册），凤凰出版社2004年版，第216页。

② 杨敬德：《赤城元统志序》，李修生主编：《全元文》卷一四二四（第46册），凤凰出版社2004年版，第220页。

二、弘扬优秀的历史文化

辽夏金元时期的文化极具包容性，出于对各族文化传统的尊重，其文化政策较为开明，同时善于吐故纳新，文治方面以汉文化为主导。仔细考察此时期各族关于史学的评论，从根本上说主要围绕求实和经世展开的，以这两方面追求为其基本要义。求实与经世致用都是中国古代史学的优良传统。[①] 这体现了多民族文化交融背景下的文化趋同。从中国史学发展史看，辽夏金元史学富有民族特色，但其发展轨迹没有偏离中国传统史学而另辟蹊径，辽夏金元史学与前代史学一脉相承，与宋代史学共同构成了10 世纪至 14 世纪中期中国史学发展链条上的重要的不可或缺的一环[②]，这是史学文化认同的结果。从这个角度看，辽夏金元各族人士信守中国优良的史学观念而形成的史学批评见解弥足珍贵，其影响是积极的。史学理论创新固然可贵，然而辽夏金元各民族把传统史学中最基本、最核心的史学批评思想予以传扬，其作用也不可低估。无论作为少数民族皇帝的代表，还是作为各民族士人的代表，他们共同承担了传承优秀史学文化的重任，自觉成为中国史学文化传承人，在一定程度上发挥了统一思想的作用，显然具有进步的意义。

应该说传扬优秀的历史文化是当时有识之士的责任意识使然。危素在其所撰《史馆购书目录序》中就讲道：

---

① 瞿林东：《中国史学的理论遗产》，北京师范大学出版社 2005 年版，第 97 页。

② 参见吴凤霞：《辽金元史学研究》，中国社会科学出版社 2009 年版，第 240-241 页。

至正三年，诏修辽、金、宋史，遣使旁午，购求遗书，而书之送官者甚少。素以庸陋，备数史官，中书复命往河南、江浙、江西。素承命恪共，不遑宁处，谕以皇上仁明，锐志删述。于是藏书之家稍以其书来献。驿送史馆，既采择其要者书诸策矣。暇日因发故椟，录其目藏焉。其间宋东都盛时所写之书，世无他本者，今亦有之。朝廷之购求、民间之上送，皆至公之心也。素之跋涉山海，心殚力劳，有不足言。后之司筦钥者诚慎守之，不至于散亡可也。有志于稽古者，岂不有所增广其学问云尔。[①]

可见，史官危素正是出于责任意识不辞辛苦奔波于山海，做藏书者的工作使其理解献书的意义，同时他为所购求的重要书籍作了目录，也希望后来的管理者善加保存，对于致力稽古者增广学问有所裨益。可以断定，弘扬优秀历史文化体现在此时期史学批评成果中，批评者的言论、论著也成为辽夏金元时期史学发展与观念进步的见证。

需要强调的是，史学批评作为文化活动的组成部分，批评者在展开批评时往往要经过认真的思索，因此他们针对具体史家、史书和史学活动的批评也提高了自身的思辨能力，批评者的人文素养和理论水平都会有一定的提升。社会上知识阶层思想的进步，对于政治统治和社会文明发展都产生了积极的影响。而相互

① 危素：《史馆购书目录序》，见李修生主编：《全元文》卷一四七〇（第48册），凤凰出版社2004年版，第211页。

间的交流、讨论、辩难，有助于形成共同的话语体系，缩小了少数民族与汉族之间在文化层面上的距离，有益于营造和谐的文化环境，增进多民族彼此之间的深入了解，使多民族一体的观念得以增强，价值观念也渐趋接近。

结 语

辽夏金元的四百余年是我国历史上由多政权分治走向空前大统一的一个重要阶段。北方少数民族契丹、党项、女真、蒙古的兴起并相继建立多民族政权，赋予这一时期的历史发展以鲜明的民族特色，各民族间的交往互动前所未有。其时的史学从根本上来说继承了以往朝代的优良传统，又增添了一些少数民族因素，呈现出新的气象，尤以民族史学的突飞猛进为代表。其发展可以肯定得益于中国传统经典的滋养，更得益于各民族在共同话语体系下的深度沟通与交流，其中少数民族史学批评的开展为民族史学的构建做出了重要贡献。当经典阅读成为各族间共同的文化追求，以民族文字（契丹文、西夏文、女真文、蒙古文）翻译经史的“译语”类书籍数量得以迅速增加，其影响不仅体现在优秀的史学著作有了更广泛的流传，还在于在共同的经典滋养下培育和造就了具有史学意识的各族知识精英，进而推进多民族历史文化认同的发展。作为民族史学发展的一个重要标志，这一时期史学批评主体的民族构成日趋复杂，具体表现是：辽、西夏两朝以汉族士人为主，契丹人或党项人中的博学有识见人士也加入批评者的行列；金、元两代史学批评主体多民族构成更加突出，金代包括汉人、女真人、契丹人、奚人、渤海人等多个民族；元代涵盖汉人、蒙古人、色目诸族、女真人和其他入居元境的民族有识之士。需要明确的是，此时期少数民族史学批评的开展，还表现在少数民族掌政者在其中扮演了重要角色。出于加强民族统治的需要，辽夏金元的掌政者都重视对史学活动的监管和控制，他们选任契丹、党项、女真、蒙古族士人充任史官是一个方面的表现，皇帝亲自对史官所记历史和所撰史书进行审查，并参与讨论，甚至提出指导性的修改意见则是另一个方面的表现。一些少数民族皇帝在通经懂史的文臣启发下倡导学史、关注修史，在施政过程中以史为鉴，他们也成为史学批评者，共同为其时代多民族史学的发展贡献了力量。掌政者不是专业人士，但他们多数受过良好的文化教育，站在维护统治秩序的角度考量史学活动，往往别有洞见。同样，各族士人坚守直书原则，或出于对史学规范的遵从，不畏强权进行抗争，使民族史学在思想交锋中得以发展。史学批评也主要围绕着经典的阐释、多民族史书的编纂以及史家职责、素养而展开论辩，并在多个层面皆有成就。

就经史研读而言，总体上看，这一时期带有批评性质的成果很丰富。对于前代经典著作和当代史学著述的讨论和反思涉及面相当广泛，立场观点纷纭复杂。人们讨论指向的书籍也是数量种类繁多，既有关乎一朝大政方针的正史，也有贯通古今的典制体著作，还有记一郡一县的方志书，以及反映都城、水道、金石、学术等专门学问的各种别史、杂史。其中，立足于治国理政需要的两部政治史《贞观政要》《资治通鉴》的传播、评论尤为引人瞩目。这两部书不仅学人高度关注，各族皇帝及文臣武将也都表现出特别的兴趣，使其成为经筵选讲的经典，也成为朝廷颁发的可供各族文武臣僚学习的教科书，其影响力远超其他史籍。《贞观政要》研读成风和《通鉴》学的昌盛，当然与两书所记述的内容可资鉴戒有直接的关系，也反映出其时推崇经世致用的社会风尚。值得注意的是，针对具体史书的评论，批评者的看法富有个性，比如关于《史记》，有人充分肯定其在历史编纂学方面的创见，有人则指出其在采撰、议论、编次等多个方面的瑕疵，原因在于不同的人着眼点、立场和识见不尽相同。史学批评张扬个性，增加了史学活力，更具思想的价值。

实录的编纂是当时各政权官府组织的基本的史学活动，为了编纂出信而有征的史书，各族有识之士献计献策，用心用力，协同合作，对于如何效仿学习并编写出具有特色的史书，斟酌、批评必不可少。其中，辽代兴宗朝君臣关于史笔原则的认识、金代世宗朝君臣就实录记事细节的辩论、金末元好问等有关保存信史重要性的理解以及元代一些皇帝关于实录的修改意见，都彰显了时人在史学实践层面和理论原则层面上深入而具体的思索。元朝关于《辽史》《金史》《宋史》的撰写，牵涉人员之多，持续时间之长，显示出其在元代史学活动中的分量。从这三部史书编纂的意义、正统性的辨别，到文献的搜求、取舍，再到书法体例的定夺，无不凝聚了各族有识之士的智慧及其对历史和史学的见解，所以关于实录和三朝史体论的批评可视为辽夏金元史学批评中具有标志性的成果，反映了三朝史官、史家和思想者、政治家史学批评所达到的水平。

此时期旨在推进史学规范发展的理论成果以金代王若虚的“辨惑”诸篇为代表。王若虚长期在史馆工作，且以议论见长，他在批判地吸收前代史学批评理论成果的基础上，针对史书编纂的诸多环节的章法问题予以议论，以读史札记的形式，列举具体实例来揭示采摭、史例、史法问题应持有的原则和规范。其认识有理性成分，虽不如唐代刘知幾《史通》那么系统、凝练，但作为比较集中归纳史书编纂过程中遇到的诸问题的批评成果，颇具启发意义。其他关于采撰、事实、信史、良史等史学批评观念的认识多不具系统性，较为零散，但依然具有史学批评的内涵，其中也不乏真知灼见。比较有特色的是关于史家之志的阐述和史家心术的论说，以及评价史家记事与义理的标准：“理”与“人情”观念的使用。这些都说明当时的人们将记史著史看作一项崇高的事业，敬重那些致力于史学发展的人，佩服他们的志向，肯定他们的成就。至于心术之论，则表明关于史家素养的认识较唐代刘知幾已有所推进，已不仅仅考虑才、学、识，更特别强调了史家对待历史公正无私的态度和立场，这为后来章学诚将其升华为“史德”范畴奠定了基础。而“理”与“人情”，则属于自然规律和社会伦理的标准，在史家记事和议论中强调合情合理，目的是尊重客观规律的同时要维护人伦纲常，这也是其时史学批评注重人文因素的具体体现。

纵观辽夏金元时期的史学批评史，其史学批评成果尽管不能与宋代和明清时期相颉颃，实际上其时具有史学批评内涵的言论、论著为数也不算少，只是由于各族批评者史学素养参差不齐，其批评见解精粗相杂，具有多层次性。但即使片言只语也值得珍视，因为这些批评成果也见证了多民族史学的包容性，其中也透射出理性的光辉，综合观之亦能发现其思想倾向。整个时代史学批评都较为务实，所起的作用也是显而易见的。一方面推进了多民族史学的规范发展，完成了其时代的基本的记史和著史工作，使这一时期成为中国史学发展史上重要的一环，承前启后，使中国优秀的史学文化得以传扬，展示出10—14世纪中期四百余年我国多民族国家演进的历史面貌；另一方面，这一时期史学批评的广泛开展，各族批评者就史学问题进行的沟通和交流，影响所及还体现在文化政策上及社会文明建设上，通过各族优秀典籍的学习与传播既提升各族文化素质，也增强多民族凝聚力，有助于完善各自的历史观、价值观，使他们成为文化建设的主力军和社会文明进步的引领者，也就是说，辽夏金元时期的史学批评在政治统治和社会文明方面也发挥了重要的作用。

主要参考文献

一、马克思主义经典著作

中共中央马克思恩格斯列宁斯大林著作编译局：《马克思恩格斯文集》，北京：人民出版社2009年版。

中共中央马克思恩格斯列宁斯大林著作编译局：《列宁文集》，北京：人民出版社2009年版。

毛泽东：《毛泽东选集》，北京：人民出版社1991年版。

二、历史文献

刘知幾：《史通》，浦起龙《史通通释》本，上海：上海古籍出版社1978年版。

吴兢：《贞观政要》，谢保成《贞观政要集校》本，北京：中华书局2003年版。

刘昫等：《旧唐书》，北京：中华书局1975年版。

王钦若等：《册府元龟》，北京：中华书局1960年版。

欧阳修、宋祁：《新唐书》，北京：中华书局1975年版。

司马光：《资治通鉴》，北京：中华书局2011年版。

向南：《辽代石刻文编》，石家庄：河北教育出版社1995年版。

向南、张国庆、李宇峰辑注：《辽代石刻文续编》，沈阳：辽宁人民出版社2010年版。

佚名编：《大金吊伐录校补》，金少英校补、李庆善整理本，北京：中华书局2001年版。

赵秉文：《闲闲老人滏水文集》，孙德华点校本，北京：科学出版社2016年版。

王若虚：《滹南遗老集》，胡传志、李定乾《滹南遗老集校注》本，沈阳：辽海出版社2006年版。

姚奠中主编：《元好问全集》，李正民增订本，太原：山西古籍出版社2004年版。

《元好问文编年校注》，狄宝心校注本，北京：中华书局2012年版。

刘祁：《归潜志》，崔文印点校本，北京：中华书局1983年版。

张金吾编：《金文最》，北京：中华书局1990年版。

李焘：《续资治通鉴长编》，北京：中华书局2004年版。

徐梦莘：《三朝北盟会编》，上海：上海古籍出版社2008年版。

傅朗云编注：《金史辑佚》，长春：吉林文史出版社1990

年版。

黎靖德编：《朱子语类》，王星贤点校本，北京：中华书局1986年版。

郝经：《郝文忠公陵川文集》，秦雪清点校本，太原：山西人民出版社2006年版。

王恽：《王恽全集汇校》，杨亮、钟彦飞点校本，北京：中华书局2013年版。

胡祗遹：《胡祗遹集》，魏崇武、周思成校点本，长春：吉林文史出版社2008年版。

马可·波罗口述，鲁思梯谦笔录：《马可波罗游记》，陈开俊等译，福州：福建科学技术出版社1981年版。

马端临：《文献通考》，上海师范大学古籍研究所、华东师范大学古籍研究所点校本，北京：中华书局2011年版。

黎崱：《安南志略》，武尚清点校本，北京：中华书局2000年版。

叶隆礼：《契丹国志》，贾敬颜、林容贵点校本，上海：上海古籍出版社1985年版。

宇文懋昭：《大金国志》，崔文印点校本，北京：中华书局1986年版。

《通制条格校注》，方龄贵校注本，北京：中华书局2001年版。

赵孟頫：《赵孟頫集》，钱伟强点校本，杭州：浙江古籍出版社2012年版。

《袁桷集校注》，杨亮校注本，北京：中华书局 2012 年版。

戴表元：《戴表元集》，陆晓冬、黄天美点校本，杭州：浙江古籍出版社 2013 年版。

许谦：《许谦集》，蒋金德点校本，杭州：浙江古籍出版社 2015 年版。

柳贯：《柳贯集》，魏崇武、钟彦飞点校本，杭州：浙江古籍出版社 2014 年版。

吴师道：《吴师道集》，邱居里、邢新欣点校本，杭州：浙江古籍出版社 2010 年版。

虞集：《虞集全集》，王颋点校本，天津：天津古籍出版社 2007 年版。

揭傒斯：《揭傒斯全集》，李梦生标校本，上海：上海古籍出版社 2012 年版。

苏天爵：《元朝名臣事略》，姚景安点校本，北京：中华书局 1996 年版。

苏天爵：《滋溪文稿》，陈高华、孟繁清点校本，北京：中华书局 1997 年版。

苏天爵编：《元文类》，北京：商务印书馆 1958 年版。

黄溍：《黄溍集》，王颋点校本，杭州：浙江古籍出版社 2013 年版。

欧阳玄：《欧阳玄全集》，汤锐校点整理本，成都：四川大学出版社 2010 年版。

脱脱等：《辽史》，北京：中华书局 1974 年版。

脱脱等：《金史》，北京：中华书局1975年版。

脱脱等：《宋史》，北京：中华书局1977年版。

杨维桢：《杨维桢集》，邹志方点校本，杭州：浙江古籍出版社2017年版。

李修生主编：《全元文》，南京：江苏古籍出版社（凤凰出版社）1998—2004年版。

王袆：《王袆集》，颜庆余点校本，杭州：浙江古籍出版社2016年版。

陶宗仪：《南村辍耕录》，北京：中华书局1959年版。

宋濂等：《元史》，北京：中华书局1976年版。

郑麟趾等：《高丽史》，孙晓等标点校勘本，西南师范大学出版社、人民出版社2014年版。

章学诚：《文史通义》，上海：上海古籍出版社2008年版。

永瑢等：《四库全书总目》，北京：中华书局1965年版。

陈文和主编：《嘉定钱大昕全集》，南京：凤凰出版社2016年版。

吴广成：《西夏书事》，龚世俊等《西夏书事校证》本，兰州：甘肃文化出版社1995年版。

周春著，胡玉冰校补：《西夏书校补》，北京：中华书局2014年版。

三、近人及今人专书

张煦侯：《通鉴学》，合肥：安徽人民出版社1982年版。

赵克尧、许道勋：《唐太宗传》，北京：人民出版社 1984 年版。

陈炳应：《西夏文物研究》，银川：宁夏人民出版社 1985 年版。

戴锡章：《西夏纪》，银川：宁夏人民出版社 1988 年版。

史金波：《西夏佛教史略》，台北：台湾商务印书馆 1993 年版。

瞿林东：《中国古代史学批评纵横》，北京：中华书局 1994 年版。

克恰诺夫、李范文、罗矛昆：《圣立义海研究》，银川：宁夏人民出版社 1995 年版。

李蔚：《简明西夏史》，北京：人民出版社 1997 年版。

瞿林东：《史学与史学评论》，合肥：安徽教育出版社 1998 年版。

瞿林东：《中国史学史纲》，北京：北京出版社 1999 年版。

韩荫晟编：《党项与西夏资料汇编》，银川：宁夏人民出版社 2000 年版。

周少川：《元代史学思想研究》，北京：社会科学文献出版社 2001 年版。

盖之庸：《内蒙古辽代石刻文研究》，呼和浩特：内蒙古大学出版社 2002 年版。

周伟洲：《早期党项史研究》，北京：中国社会科学出版社 2004 年版。

瞿林东：《中国史学的理论遗产》，北京：北京师范大学出版社 2005 年版。

王庆生：《金代文学家年谱》（上下册），南京：凤凰出版社 2005 年版。

吴天墀：《西夏史稿》，桂林：广西师范大学出版社 2006 年版。

萧启庆：《内北国而外中国：蒙元史研究》（上下册），北京：中华书局 2007 年版。

吴凤霞：《辽金元史学研究》，北京：中国社会科学出版社 2009 年版。

邱江宁：《中国学术编年·元代卷》，上海：华东师范大学出版社 2013 年版。

杉山正明：《疾驰的草原征服者：辽西夏金元》，乌兰、乌日娜译，桂林：广西师范大学出版社 2014 年版。

高福顺：《科举与辽代社会》，北京：中国社会科学出版社 2015 年版。

周春健、吴国武：《辽金元经学学术编年》，南京：凤凰出版社 2015 年版。

武玉环、高福顺、都兴智、吴志坚：《中国科举制度通史·辽金元卷》，上海：上海人民出版社 2017 年版。

刘开军：《晚清史学批评研究》，上海：上海古籍出版社 2017 年版。

史金波、关志国：《中国民族史学史纲要》，北京：中国社会科学出版社 2018 年版。

四、近人及今人论文

罗继祖：《〈辽史〉概述》，《社会科学辑刊》1979年第1期。

崔文印：《〈金史〉散论》，《史学史资料》1979年第5期。

岑家梧：《辽代契丹和汉族及其他民族的经济文化联系》，《历史研究》1981年第1期。

刘凤翥、李锡厚：《元修宋、辽、金三史再评价》，《社会科学辑刊》1981年第3期。

宋德金：《刘祁与〈归潜志〉》，《史学月刊》1982年第3期。

崔文印：《金代在史学上的成就》，《史学史研究》1983年第3期。

邱树森：《脱脱和辽宋金三史》，《元史及北方民族史集刊》1983年总第7期。

张博泉：《元好问与史学》，《晋阳学刊》1985年第2期。

葛兆光：《金代史学与王若虚》，《扬州师院学报》（社会科学版）1988年第4期。

张帆：《元代实录材料的来源》，《史学史研究》1988年第4期。

王明荪：《金修国史及金史源流》，《书目季刊》1988年第22卷第1期。

宋德金：《正统观与金代文化》，《历史研究》1990年第

1 期。

聂鸿音：《补〈西夏艺文志〉》，《古籍整理研究学刊》1990 年第 6 期。

李绍平：《宋辽金三史的实际主编欧阳玄》，《湖南师范大学社会科学学报》1991 年第 1 期。

王明荪：《王若虚之史学批评》，《兴大历史学报》1992 年第 2 期。

江湄：《元代“正统”之辨与史学思潮》，《中国史研究》1996 年第 3 期。

杨志玖：《元代回回史学家察罕》，《回族研究》1997 年第 2 期。

江湄：《欧阳玄与元代史学》，《北京师范大学学报》（社会科学版）1997 年第 3 期。

何宛英：《金代史学与金代政治》，《北京师范大学学报》（社会科学版）1998 年第 3 期。

周少川：《元代关于历史盛衰之“理”的思考——论理学思潮对元代历史观的影响》，《史学理论研究》1999 年第 3 期。

周少川：《元代史学的世界性意识》，《史学集刊》2000 年第 3 期。

赵梅春：《辽、金史〈国语解〉的史学价值》，《兰州大学学报》（社会科学版）2001 年第 5 期。

李珍：《试论辽宋夏金时期的民族史观》，《史学月刊》2002 年第 2 期。

刘浦江：《德运之争与辽金王朝的正统性问题》，《中国社会科学》2004 年第 2 期。

董恩林：《试论历史正统观的起源与内涵》，《史学理论研究》2005 年第 2 期。

瞿林东：《一代明君的君主论——唐太宗和〈帝范〉》，《陕西师范大学学报》（哲学社会科学版）2005 年第 6 期。

吴凤霞：《金代〈通鉴〉学及其特点》，《北方文物》2007 年第 1 期。

傅骏：《金元通鉴学之研究》，复旦大学博士学位论文，2007 年。

任菲菲：《西夏史学研究》，兰州大学硕士学位论文，2010 年。

瞿林东：《略说古代史家史学批评的辩证方法》，《求是学刊》2010 年第 5 期。

王红梅：《九朝良臣：元代雍古名臣赵世延丛考》，《新疆大学学报》（哲学·人文社会科学版）2014 年第 4 期。

瞿林东：《史学批评怎样促进史学发展》，《人文杂志》2016 年第 10 期。

聂鸿音：《中原“儒学”在西夏》，《北方民族大学学报》（哲学社会科学版）2017 年第 3 期。

索　引

A

阿鲁　22

阿鲁威　25

阿林铁木儿　25、68、270

安南志略　53、120、121、122、258、269、276

B

伯夷　23

八思巴　23

班固　34、90、101、102、104、106、160、188、199、224、225、230、244、245、248、251、252、280

孛术鲁翀　59、61、269

不忽木　67

鲍彪　112、113、114

贝琼　263

北顾备问　41、124

北史　101、107、170、179、246、288、290

北齐书　103、107

C

察罕　25、27、52、53、59、68、120、269

曹元用（曹子贞）　25、69、255

陈惇修　70

程奇　70

赤盏晖　74

蔡珪　76、250

陈桱（陈子经）　80、88、89、172、262、285、286

陈平甫　83

陈旅　86

陈著　86
陈寿　101、103、106、107、108、235、236、248、252、280
岑文本　103
陈景德　124
陈大任　176、181、185、186
蔡幼学　188
程钜夫　199、200、258
陈谟　202
春秋　4、22、40、41、55、60、81、84、85、87、89、92、97、98、102、104、108、109、110、111、112、170、182、216、231、232、234、238、249、254、255、262、272、273、280、281、283、285
册府元龟　11、168
成宗实录　54、60
陈书　103、107

D

窦默　19、48
董狐　33
邓文原　69
戴表元　81、232、233、238、248、255、295
戴良　88、89、111
杜佑　89、90、93、114、115
董文炳　160
大学衍义　18、25、26
帝范　25、27、53
大金德运图说　168
岛夷志略　122

E

尔雅　143、155

F

富弼　10
范拱　14
房玄龄　64
范祖禹　70
冯鲁山　84
范晔　101、102、103、104、106、224、248、252
傅贵全　117
樊绰　119
冯福京　207、213、214、264
非国语　111、112、247

G

高雄飞　16
甘麻剌　48
贡奎　54

戈直　70、71、72
郭思贞　71
龚颖　168
苟宗道　237、254
高祖实录　64
公羊传　97
穀梁传　97
国语　109、111、112、156、233
高诱　112、114
古今通纪　125
国朝名臣事略　125、126、207、258
国朝名臣列传　207

H

海陵王（完颜亮）　11、12、34、38、43、44、46、167、267、268、296
韩昉　11、68、268
洪皓　12
韩企先　14
忽都鲁都儿迷失　17、24、26、49、69
郝经　19、80、229、230、237、238、247、248、254、255、280
胡寅　70
胡三省　80、233、259、275、276
胡助　116
何岳　125
黄玠　125
胡翰　126
黄溍　200、201、203、211、212、213、233、238、241、256、257、274
胡祇遹　230、231、238、239、240、271
汉书　4、9、12、22、97、101、102、103、104、106、178、188、222、227、244、251、252、277、288、289
海陵实录　5、37、38、39、253
河防通议　58、59
滹南遗老集　78、99、218、228、253
后汉书　101、103、104、133、246、252、288
汉书艺文志考证　116

J

金太祖（完颜阿骨打）　2、11、12、21、35、75
金太宗（完颜晟）　2、11、12
金熙宗（完颜亶）　2、11、12、21、

38、40、67、68、69、75、267、268、270
金世宗（完颜雍） 12、15、21、22、23、29、30、35、36、37、38、39、40、44、45、67、68、75、164、167、267、268、296
金章宗（完颜璟） 12、14、29、40、167
贾益谦 39、253、266
金哀宗（完颜守绪） 41、67、71、76、228
金履祥 80、87、110、256、257、272
贾铖 118、119
揭傒斯 119、120、162、177、238、239、257、261、263、272
焦景颜 153、154、155、268
姜漸 285、286
金史 5、6、15、20、21、36、51、67、74、75、76、77、104、158、162、165、177、179、180、182、183、184、186、191、192、193、195、303
经世大典 5、51、258、262、281、282、287
旧唐书 34、56、57、101、102、103、104、108、129、132、180、288、290、294
晋书（晋史） 44、46、101、102、103、104、169、170、176、180、245、252
举要历 79、126
金石例 117、118
稽古录 126

K

孔子 8、10、97、98、102、106、155、171、182、199、201、221、234、238、243
孔颖达 103
困学纪闻 116
孔子家语 156

L

辽太祖（耶律阿保机） 1、8、9、20、184
辽太宗（耶律德光） 1、5、32
辽圣宗（耶律隆绪） 2、9、32、67
李世弼 8
梁援 8
辽道宗（耶律洪基） 9、10、32、98、167、268

刘景玄　14
梁襄　14
辽兴宗（耶律宗真）　28、32、33、34、38、67、267、268、296
李孟　24
刘赓　26
天祚帝（耶律延禧）　32、167
刘祁　34、293
刘知幾　34、45、64、107、160、224、227、228、244、263、264、280、304
刘昫　56、57、70、103
黎崱（黎景高）　53、60、120、121、122、258、269、276
李京　61、119
柳芳　70
林之奇　70
吕祖谦　70
李好文　72、205
刘彦宗　75
刘友益　80、85、261
梁寅　81、82、104、105、106、107、108、251、252
刘德渊　82、83
刘克庄　83
林景熙　84、119
刘辉　98、99、167、266、268
刘因　99、101、102
李延寿　101、107、170、178
李百药　103
令狐德棻　103
柳宗元　111、112、247
李桓　117、250
刘必大　121
李祁　125
谅祚　131、144、149、154、267
李继迁　131、201
李德明　131、133、146
刘涑　160
刘赞　160
李泰　176、188、201
刘将孙　208、209、210、211
刘岳申　233、278
李治（李冶）　253、254、294、295
刘埙　282
辽史　5、9、20、32、41、51、104、130、158、162、163、164、176、177、180、181、183、184、185、186、187、188、189、190、191、193、194、195、271、303

论语　10、12、22、149、155、198、199、221
类林　21、149、157
老子　22、156
历代纪统　86
梁书　103、107
类编长安志　118
乐安县志　120
历年图　126、168
历代易览　126
礼记　154、156
吕氏春秋　156

M

马得臣　9
孟浩　35
抹撚尽忠　37
马祖常　53、54、55、59
马存　70
马端临　89、90、91、92、93、94、95、96、97、98
牟应龙　116
马本初　126
马可·波罗　134
孟子　10、21、22、40、83、84、133、149、150、155、199、216
梦溪笔谈　136、146、147

N

耨盌温敦兀带　14
嚶嚶　80、160
南冠录　42
南唐书　55
南史　101、107、170、179、288、290
南齐书　103、107

O

欧阳修　56、57、70、98、99、102、103、108、167、168、176、188、203、224、233、237、246、251、252
欧阳玄　85、125、162、163、166、174、177、208、215、271、276、281、282

P

潘昂霄　117
潘诩　117、118
裴松之　248

Q

奇首可汗　5、32、184
齐乘　119

清源续志　123、124
齐东野语　201

R

戎益　82
仁宗实录　54、60、255
瑞阳志　119

S

室昉　9
商挺　19
叔齐　23
撒里蛮　26、47
司马迁　34、89、90、101、102、104、106、109、153、160、188、198、199、200、201、203、222、224、225、227、229、230、232、233、243、244、245、247、248、249、251、252、260、262、280、288、289、291
石琚　36、266
苏天爵　39、54、119、125、159、173、174、175、176、203、207、219、240、249、250、258、259、280
司马光　44、45、70、73、75、76、77、78、79、81、89、90、103、107、109、111、126、168、171、176、188、230、232、235、237、246、247、248
赡思　56、57、58、59、269、296
石介　66
宋祁　70、108、225、246、252、294
孙甫　70
孙洙　70
宋英宗　73
史天泽　79
沈括　135、146、147
宋本　211
史记　4、9、22、89、98、99、101、102、104、105、106、156、178、184、188、191、193、196、197、198、199、200、201、221、222、223、224、227、230、232、234、238、242、243、244、251、252、276、277、288、289、290、291、303
宋史　5、11、20、21、51、74、102、104、128、135、147、152、154、156、158、162、168、169、170、171、173、176、177、180、182、183、186、187、192、193、

195、303
尚书　10、12、22、24、25、40、71、76、89、156、197、198、201、209、210、232、234
十二国　21、156
隋书　38、101、103、135、176
四明志　57
三国志　84、101、103、104、106、107、235、238、248、252
宋书　103
上虞县志　124、260
水经　126
圣立义海　142、143
史通　160、224、227、228、304

T

唐太宗（李世民）　9、25、47、63、64、67、72、131、155、245
唐括安礼　14、30、36、37、266
驼满九住　23
泰定帝　25、26、27、69
徒单克宁　35
唐代宗　65、66
唐宪宗　66
唐文宗　66
唐宣宗　66
唐仲友　70
唐元　83
汤植翁　117
拓跋思恭　127、131
唐僖宗　131
拓跋赤辞　131
拓跋兴宗　140、142
陶宗仪　171
谭世勣　188
唐史　11、12
通历　12、20、28、67
唐律　12
通鉴节要　25、42、80
脱必赤颜　27、53
太宗实录　64、65
通鉴前编　80、87、262
通鉴续编　80、88、172、262、285
通典　89、91、93、94、96、98、114、115、126、130
通志　94、95、96、98、103、114、115、156

W

王鼎　8
王裕　8
完颜充　11-12

完颜希尹　12、13、21
完颜勖　13
完颜宗秀　13
完颜宗道　13
完颜守贞　13
完颜宗干　13
完颜承裕　14
吴庭秀　14
吴澄　69、70、71、84、115、124、125、254、255、256
王约　18、25、169
王鹗　19、47、159、175、218
温迪罕缔达　22
完颜匡　23
完颜允恭　23、191
吴兢　28、63、64、65、69、72、82、155
斡道冲　29、152、153、154、268
魏徵　103
王若虚　45、77、78、99、111、196、197、198、199、212、215、216、218、220、221、222、223、224、225、226、227、228、242、243、244、245、246、247、253、254、266、276、287、288、289、290、291、292、293、294、295、296、304
王恂　48、67
王曾　66
完颜璹　76、77
王庭直　77、246
王义山　80、83、114、
汪克宽　87、236、237、272、281
魏收　103、107
吴师道　112、113、114、235
王应麟　116、160、250
吴莱　114、249
王寿衍　115
吴绎　115
危素　116、160、161、173、174、211、212、298、299
王思明　118
王利用　118、119
汪大渊　122、123
吴鉴　123
王理　125、171、240、241、259
王佥　153、154、155
斡扎箦　153、154
王钦若　168
王祎　206、207、214、219、220、

234、235、241、259、286
乌斯道　242
王炎午　249、273、274
王隐　252
卫王事迹　5、39
文献通考　5、63、89、91、93、98、114、115
五代史（旧五代史、新五代史）　20、28、67、98、99、102、103、104、108、167、176、193、251
文中子　22
亡辽录　41、124
武宗实录　54、60、258
魏书　103、104、107、192、246

X

萧韩家奴　20、28、29、33、34、67、268、296
许衡　67、70
萧贡　76
徐昭文　80、272、273
许有壬　85、121、125
许谦　87、256、257
萧子显　103、107
徐之纲　110
燮理溥化　120
许善胜　121
夏镇　122
徐世隆　169
修端　169、170、171、172
解观　169
谢端　214
徐明善　218
孝经　8、10、22、76、143、149、155
新唐书　22、50、56、57、66、99、101、102、103、104、108、176、178、180、184、188、226、237、245、246、288、291、292、293、294
续资治通鉴长编　41、83、124、176、201
续资治通鉴　77
湘山野录　201
续后汉书　238、248、254、280

Y

元世祖（忽必烈）　2、19、23、25、26、47、48、67、159、166、169
耶律俨　5、181、185、186
耶律倍　8、20、40
杨皙　8

耶律羽之　9
耶律琮　9
虞集　11、29、71、152、165、166、171、172、255、256、260、262、280、281
杨云翼　14、77
元好问　16、37、41、42、43、45、46、76、77、78、79、124、175、221、246、266、268、277、287、296、303
元仁宗（爱育黎拔力八达）　17、24、25、26、49、50、53、67、68、69、70、166、270
元英宗（硕德八剌）　18
姚枢　19、48
杨果　19
元昊（李元昊）　20、130、131、133、144、146、147、148、149
耶鲁　21
移剌杰　22、36
耶律履（移剌履）　38、40、41、43、45、46、75、76、266、296
杨克忠　22
元文宗（图帖睦尔）　25、50、56、67、69
元明善　25、54、59、60、61、121、269
燕赤　25
元成宗（铁穆耳）　26、48、49、80
元顺帝（妥懽贴睦尔）　31、51、52、80、160、270、296
耶律曷鲁　33
耶律屋质　33
耶律休哥　33
耶律孟简　33、34、266、268、296
弋唐佐　42、78、79、246
元明宗（和世瑓）　50
袁桷　57、102、116、160、173、174、234、241、279、280、282、283
姚燧　59、169、273、274
叶适　70
尹起莘　70、80、83、272
杨维桢　85、103、104、110、166、169、170、171、283
姚思廉　103
颜师古　103
姚宏　113、114
杨本　117
乐史　119

于钦　119
杨升云　119、120
野利仁荣　138、146、147、148、155
野利遇乞　146、147
杨师裕　153
杨亿　168
杨奂　169、175
岳珂　213
周易　10、22、29
禹贡　59、222
云南志略　61、119
元经　103
玉海　116、117、250
元和郡县志　126
元丰九域志　126
舆地图　126

Z

张用直　12
张玮　14
赵秉文　15、70、228、229、266
宗璧　22
真德秀　25、70
赵璧　25
朱熹　28、84、89、103、168、171、232、248、262
张景仁　38
张棣　43
真金　48、49、67
赵世延　55、56、59
曾巩　66、70、113、188
张珪　69、255、256
张九成　70
朱黼　70
宗翰　74
宗望　74
张晋亨　78、79
朱德润　81
周伯琦　86、232、262、286
张绅　87、88、172
郑樵　94、95、96、97、98、103、115、156、199
朱右　102、103、111、251、272
郑玉　109、110
朱善　110
赵汸　111、284、285
赵烁　121、258
张翥　122
张鉴　124
朱思本　126

张起岩　162、177
章衡　168
章望之　168
张枢　169
章学诚　226、263、304
张以宁　262
赵孟頫　277、278
左传（春秋左氏传）　4、10、40、97、110、223、230
贞观政要　11、12、20、21、22、24、25、27、28、40、49、53、63、64、65、66、67、68、69、70、71、72、73、76、109、149、155、156、255、269、270、275、303
资治通鉴　12、24、25、42、45、49、63、71、73、74、75、76、77、78、79、80、81、82、84、85、88、89、90、98、103、109、156、160、168、176、227、230、232、233、234、237、246、247、248、269、272、275、276、277、285、303
中州集　42、76
正隆事迹　43
贞观政要申鉴　70
资治通鉴纲目　81、82、83、84、85、86、87、88、89、103、107、168、170、227、232、248、261、263、272、273、285、286
周礼　96
战国策　109、112、113、114、156
战国策注　112、113、114

图书在版编目（CIP）数据

中国古代多民族史学发展与史学批评：辽夏金元时期 / 吴凤霞，胡祥琴著．—长沙：湖南人民出版社，2020.7（中国古代史学批评史 / 瞿林东主编；第五卷）

ISBN 978-7-5561-2439-8

I. ①中…　II. ①吴…　②胡…　III．①民族历史—史学—研究—中国—辽宋金元时代　IV. ① K280.04

中国版本图书馆 CIP 数据核字（2020）第 036447 号

ZHONGGUO GUDAI DUOMINZU SHIXUE FAZHAN YU SHIXUE PIPING
（LIAO XIA JIN YUAN SHIQI）

中国古代多民族史学发展与史学批评（辽夏金元时期）

主　　编　瞿林东
著　　者　吴凤霞　胡祥琴
责任编辑　黎晓慧　贺　娅
装帧设计　杨发凯
责任印制　肖　晖
责任校对　夏光弘

发行出版　湖南人民出版社［http://www.hnppp.com］
地　　址　长沙市营盘东路3号
邮　　编　410005
经　　销　湖南省新华书店

印　　刷　长沙超峰印刷有限公司
版　　次　2020年7月第1版
　　　　　2020年7月第1次印刷
开　　本　710 mm × 1000 mm　1/16
印　　张　23.75
插　　页　1
字　　数　246千字
书　　号　ISBN 978-7-5561-2439-8
定　　价　118.00元

营销电话：0731-82681529　（如发现印装质量问题请与出版社调换）